岩波講座　世界歴史　20

二つの大戦と帝国主義 I

二〇世紀前半

岩波講座

世界歴史 20

二つの大戦と帝国主義 I

二〇世紀前半

岩波書店

第20巻【責任編集】
永原陽子
吉澤誠一郎

目次

展望｜*Perspective*

焦点 Focus

コラム｜*Column*

展　望 | *Perspective*

はしがき

本巻と第二一巻は、二〇世紀前半の世界史を扱う。

この時代には、二つの大戦が世界を揺るがした。その影響は広範かつ甚大であり、世界史を形作る大きな作用をもたらした。しかし、例えば一九〇四—〇五年の日露戦争、一九一一—一二年のオスマン帝国とイタリアの戦争、第一次世界大戦後まもなく起こったポーランドとソヴィエト・ロシアの戦争など、地域的な戦争も実際には重大な歴史的意味を有している。

また二〇世紀前半は、革命によって新しい政治秩序が模索される一方で、帝国主義的な抑圧が各地で持続・展開していった時代でもある。その状況のもとで、民主主義・社会主義・民族主義などに基づいて政治体制の構築をめざす動きが、グローバルに展開した。

このような時代像を把握するために、本巻は次の構成をとる。

まず「展望」として、後藤春美「世界大戦による国際秩序の変容と残存する帝国支配」は、国際秩序をめぐる模索について全般的に論じる。一九世紀末までに形成された国際秩序観のなかで第一次世界大戦が起こったこと、その衝撃により新たな国際体制が構想されたこと、国際連盟の活動にワシントン会議や不戦条約の締結が重ね合わさることで歴史的な役割を果たしていったことなどについて、最新の研究成果を踏まえて広い視野から論じることにする。

「問題群」では、政治体制について注目すべき試みが展開された三つの地域を対象として、その世界史的意味を考察する。藤波伸嘉「オスマン帝国の解体」では、オスマン帝国における法学に注目して、当時の国制をめぐる構想について分析する。中村元哉「中華民国における民主主義の模索」は、近代中国において憲政や民主の可能性が真剣に追求されていたことの意味を論じる。そして、高橋均「第二次世界大戦後ラテンアメリカ民主化の「春」」は、第一次世界大戦の影響が比較的小さかったラテンアメリカで第二次世界大戦後に民主化の機運が高まったこと、しかしその「春」は短命であったことを検討する。これら三つの地域を取りあげるのは、必ずしも個別の「地域研究」的な特殊性への着目によるのではない。むしろ政治体制をめぐる各国の試行錯誤は、同時代の世界の動向と密接に関係しており、またその蹉跌も含めて多くのことを我々に教えてくれる普遍的意義をもつからである。

つづいて、「焦点」では六つのテーマを扱うことにより、世界史についてより立体的な探究を進めることをめざす。林田敏子「女性と参政権運動」は、女性参政権の獲得をめざす運動がトランスナショナルな性格を有していたことを指摘し、イギリスの場合、その帝国秩序と複雑な関係にあった点に光をあてる。塩出浩之「帝国日本と移民」は、日本帝国からの移民について論じることで、人の流れという側面から近代日本の歴史的特質について迫ろうとする。小野容照「近代朝鮮の政治運動と文化変容」は、植民地時代の朝鮮において展開した各種の政治運動について考察し、また朝鮮の近代文化形成が植民地支配や民族問題と深く関係していたことを指摘する。根本敬「東南アジアのナショナリズム」は、インドネシアとタイについて概観した後、特にビルマを事例としつつ、植民地統治機構の形成過程とナショナリズム運動の展開がはらんでいた矛盾と困難に論及する。石田憲「ファシストの帝国——ヨーロッパ内植民地としてのドデカネス」は、ファシズムの帝国体制としての側面について分析するため、エーゲ海のドデカネス諸島の統治に着目する。村田奈々子「模索する現代ギリシア」は、複雑な国際情勢のもとで展開したギリシア政治の展開を追うことを通じて、現代ヨーロッパの形成過程を照射する。

以上のように、本巻はおおむね国際関係や政治体制に関する主題を扱っている。社会・経済・文化に関わる主題は第二一巻で扱うことになるが、実際には、これらの区分は極めて便宜的なものにすぎない。社会・経済・文化といっても国際関係や政治体制と密接に関係しているのは当然のことである。その意味では、本巻と第二一巻とを併読することで二〇世紀前半の世界史について理解を深めることができるだろう。

また、本巻は主に二〇世紀前半を扱うが、この時代を世界大戦によって区切るのではなく、一九世紀末および二〇世紀後半とのつながりを重視しており、各論文も近接する時代に論及する場合が多くある。本講座の前後の巻も併せて参照されたい。

（永原陽子・吉澤誠一郎）

展望｜*Perspective*

世界大戦による国際秩序の変容と残存する帝国支配

後藤春美

はじめに

本稿では一九世紀末から二〇世紀中葉までの国際秩序の歴史的変遷について検討する。最も注目するのは、一九世紀の国際秩序が二度の世界大戦を経て新しい国際秩序へ変化していったことである。第一次世界大戦後には、戦争を防止するため種々の国際協調に向けた試みが出現し、現在につながる国際組織も成長した。一方、ドイツ、オーストリア＝ハンガリー、ロシア、オスマンという諸帝国は崩壊したが、第二次世界大戦を経ても、イギリス、フランスの帝国支配は存続していた。秩序の変容、国際協調の試みは、支配された地域、人びとにはどの程度届いたのであろうか。

本論に入る前に、「帝国」と、本講座第二〇巻・二一巻の題名にも使われる「帝国主義」という二つの用語について、簡単にふれておこう。木畑洋一によれば、帝国は「その支配領域が広大であり、かつしばしば拡大傾向を示す政治体」と広く定義できよう。古代のローマ帝国から、一九世紀のイギリス帝国、フランス帝国、ロシア帝国、清帝国などを含め多く存在していたものである。清は、イギリスなど近代の諸帝国との関連では周縁化していったのだが、自らも隣接した地域を帝国版図として包摂する形で広がった前近代の帝国の一般的タイプに属した(木畑・南塚・加納 二〇一二:一四、二四、三〇―三一頁)。

一九世紀末になると、アメリカ合衆国(本稿では以下「アメリカ」とする)や日本なども含めた列強諸国が植民地争奪を行うようになり、二〇世紀初頭までに世界は列強諸国の間で分割されてしまった。この時代を帝国主義の時代という。帝国主義論は戦後日本歴史学の一つの基軸であった。

戦後歴史学は、平和で民主的な現代日本の建設に学問として貢献することをめざしていたが、そのためには、アジア太平洋戦争を引き起こした日本の戦前の体制を批判的に検討すること、戦後日本の姿を強く規定したアメリカを中心とする世界体制の性格を解明することが大きな課題となり、帝国主義論はその課題を追求するための視角を提示するものとして重視されたのである。この点が、日本と同じように冷戦下の西側陣営に組み込まれていた多くの資本主義諸国の状況と異なっていたことは、まず確認しておく必要があろう。(同:六頁)

ところが、二〇世紀末から二一世紀にかけて、日本の歴史学において「帝国主義」という用語はあまり使用されなくなり、それに代わって「帝国」が多用されるようになった。イギリス帝国に関して川北稔は、帝国主義の研究は膨張の動機についての研究に傾く一方で、帝国が本国と植民地の双方にどのような作用をおよぼしたのかという観点からの議論は不足していた、と論じた(川北 二〇〇〇:九八頁、木畑・南塚・加納 二〇一二:一一―一二頁)。

マルクス主義の影響力が弱まる一方、グローバル化が進展する時代に世界と対峙することとなった個々の日本人は、自分たちが現に生きている世界のシステムを帝国主義論が十分に解明してこなかったと考えたようである。さらに、帝国主義論の分析では、帝国を含む世界の国々が、欠点はあったとしても制度を作って対処しようとした課題(たとえば感染症の蔓延など)を解決することもできないという問題もあった。

ただし、帝国主義論が下火になった今日、逆の極端、すなわち「支配―従属関係」や帝国支配の暴力的契機を軽視する傾向が生じてきてしまっている（木畑・南塚・加納 二〇一二：一二、二四〇頁）。これもまた、歴史をより正確に認識することにはつながらないであろう。本稿では、筆者の専門により、イギリスを中心として検討を行い、大国による国際社会の仕組み形成といった面に関する記述が多くなる。しかし、そうではあっても、できる限りバランスを取り、国際社会が支配―従属関係を取り込んで成立したという側面にも目を向けて検討できればと考えている。

一、第一次世界大戦までの世界

植民地獲得競争

一八八〇年代以降の帝国主義の時代に、ヨーロッパ諸列強はアフリカに殺到し、競って植民地を獲得した。その嚆矢は一八八二年のイギリスによるエジプト占領であった。まず、その経緯を見てみよう。

エジプトは、一七九八年からのナポレオンの遠征によって占領された後、弱体化しつつあったオスマン帝国からの自立を目指した。オスマン帝国の軍人であったムハンマド＝アリーがエジプト総督となり、自立のためにヨーロッパ資本を導入し、近代的な陸海軍を樹立しようとした。また、繊維が長く上質な棉花の栽培奨励などによってエジプトは世界経済の一部となり、居住するヨーロッパ人の数も増えていった。さらにスエズ運河の建設が進められ、一八六九年には完成した。しかし、「富国強兵、殖産興業」政策のためのヨーロッパ諸国からの借金にオスマン帝国との対立も加わった結果、エジプトは国の収入のほとんどを借金返済に充てざるを得なくなってしまった。一八七〇年代半ばには財政は破綻し、英仏金融界の財務管理下に置かれた。フランスの植民地政策について渡邊啓貴は「高利貸し的金融帝国主義」と説明している（渡邊・上原 二〇一九：一頁）。イギリスの政策もまた同様であった。世界にはエジプトのように、莫大な借金を負い、経済的な自立を失うことで植民地化された地域が多くあった。イギリス帝国史の大家ジョン・ダーウィンによれば、一九世紀のアジア・アフリカ諸地域において戦争での敗北と経済的自立喪失の両方を免れた日本は、むしろ例外的存在であった(Darwin 2008: 280-283)。借金によって政治外交の自由を失うという事態は二一世紀の世界でも繰り返されているし、「債務の罠」は常にヨーロッパだけがしかけるものでもない。

一八八一年、「エジプト人のためのエジプト」を求めてウラービーら将校が反乱を起こした。これはエジプトのエリートや知識人の支持を広く集め、その後の民族運動の原点となった。しかし、ヨーロッパ諸国から見ると、この事態によってエジプトが債務を返済しなくなるのではないかという不安が高まった。

一八八二年、イギリスは、オスマン帝国の副王を守るという口実でフランスとともに介入に踏み切り、エジプトを占領した。一時的な占領を宣言したのだが、イギリス帝国にとってのスエズ運河の重要性などにより占領は長期化した。一九世紀半ばには領土支配よりも自由貿易に基づく非公式な経済関係の利益の方が大きいと考えていた(自由貿易帝国主義の)イギリスにとっても大きな方向転換への第一歩であった。ただし、この占領は公式の植民地化ではなかった。エジプトは名目的にはオスマン帝国領のままであった。クローマー卿(Lord Cromer)、キッチナー卿(Lord Kitchener)というイギリスの力を背景にエジプト支配にあたった者も、公式の肩書はイギリス代表兼総領事(agent and consul-general)にすぎなかった。イギリスがエジプトを公式に保護国としたのは、一九一四年一二月、第一次世界大戦勃発によってエジプトが軍事的、戦略的にますます重要となって後である。

アフリカ分割に話を戻すと、一八八四年から八五年には、ドイツの宰相オットー・フォン・ビスマルク(Otto von Bismarck)の提唱により、ベルリン西アフリカ会議が開催された。アフリカでの航行・貿易の原則、奴隷貿易の禁止、沿岸部の植民地化に関するルールが合意された。これは、ヨーロッパ列強の植民地獲得に関する利害を調整し、相互に承認し合う手続きを作ったとも考えられる。この後、列強はアフリカ分割をさらに進め、互いの勢力範囲を確定していった。

イギリスの帝国拡張策のうち、東アジアとも大きな関連を持ったのが、第三代ソールズベリ侯爵(3rd Marquess of Salisbury)の第三次内閣(保守統一党)期、一八九九年一〇月から一九〇二年にかけての南アフリカ戦争である。

それまでの南アフリカとヨーロッパ人との接触の歴史を概観しておくと、一七世紀、オランダ東インド会社は東洋航路の中継基地としてケープ植民地を作り、世紀半ばには野菜や食料生産のためオランダ人が入植を始めた。その後、オランダの力は衰え、一八世紀末にはオランダ東インド会社も倒産し、一八一四年から一五年にかけてのウィーン会議でケープはイギリス領と認められた。アフリカーナー(入植したオランダ人の子孫、ブール人)は、イギリスの支配を嫌って内陸に移動し、現地のズールー人などと対立しつつ一八五二年にトランスヴァール共和国、五四年にオレンジ自由国を建国した。

その両国でダイヤモンドや金の鉱脈が発見されたことから、その利権をねらって干渉を強めたイギリスに、一八九九年トランスヴァールが宣戦布告、南アフリカ戦争が始まった。イギリスは農民であるアフリカーナーに対する戦いに自信満々で臨んだ。しかし、実は正確な地図も情報もなく、予想外の苦戦を強いられ、戦争は二年半も続いた。また、世界の同情はアフリカーナーに集まった。イギリスのキッチナー将軍はアフリカーナーのゲリラ戦術に対抗して彼らの農場を焼き払い、家畜を殺し、女性や子供を収容所に入れるという野蛮な戦略によって非難を浴びた。この点でもイギリスにとって容易でない戦いとなった。

さらにイギリス人だけによる戦争遂行が困難なことも明らかとなった。大帝国イギリスの国内では階級差、貧富の差が大きく、志願してきた都市部の青年の多くは身体的貧弱さなどの理由で兵役に適さないと判断されたのである。その結果、カナダ、オーストラリア、ニュージーランドという帝国内の白人移住植民地の戦争参加も求められた。オーストラリアは約一万六〇〇〇人、ニュージーランドは八〇〇〇人、カナダは七〇〇〇人を派遣した。カナダが比較的少ない兵士数にとどまったのは、フランス系の人びとにアフリカーナー側を支持する空気が強かったからである。

さらに近年では、多くのアフリカ人が物資の運搬や偵察などのために両方の陣営に加えられたことにも目が向けられるようになってきた。イギリス側で少なくとも一〇万から一二万人、アフリカーナーの側でも二万人以上のアフリカ人やカラード(アフリカ人などとの混血)が動員されたというのである。そして、捕まったアフリカ人も強制収容所に入れられたが、その環境はアフリカーナーの収容所よりさらに劣悪であり、一万四〇〇〇人以上の死者が出た(木畑・南塚・加納 二〇一二：二八〇―二八二頁)。

イギリスは四五万人を動員し巨額の戦費を投入して、一九〇二年五月、ようやく南アフリカ戦争に勝利した。これによって南部アフリカでのイギリスの覇権が確立され、戦後、イギリス人とアフリカーナーの和解は進んだ。一〇年には南アフリカ連邦が成立しイギリス帝国のドミニオン(自治領)となった。しかし、その体制は、一三年の土地法によって、人口の七割を占めるアフリカ人に自由な土地売買と移動を禁じ、彼らを指定地に隔離するという差別の上に成り立ったもので、第二次世界大戦後のアパルトヘイトという抑圧的人種隔離政策につながるものであった。

南アフリカ戦争から日英同盟、日露戦争へ

イギリスは東アジアにも利権を持つ帝国であった。そのため、南アフリカ戦争は東アジアにも大きな影響を及ぼすこととなった。

清朝中国でキリスト教の布教に対抗して生まれた義和団は、「扶清滅洋(清を助けて西洋を滅ぼす)」を唱えてキリスト教徒を殺害し、西洋の文物を破壊した。一九〇〇年六月に義和団が北京や天津に迫ると、清朝の保守派はこれを支持して列強に宣戦を布告した。このため英米仏独伊露、オーストリア＝ハンガリーおよび日本の八カ国連合軍が派遣された。イギリスはこの時期、南アフリカ戦争で手一杯であったため、要請に応じて二万以上の兵を出した日本軍、およびロシア軍が連合軍の主力となった。イギリスは日本軍の働きに好印象を受け、これがのちに日英同盟の締結に

つながっていったのである。

一九〇〇年八月、義和団は鎮圧され、翌年九月には北京議定書が調印された。清は巨額の賠償金を支払うだけでなく、外国軍隊の北京駐屯を認めさせられた。後に日中戦争勃発の契機となった盧溝橋事件（一九三七年）の際、日本軍が北京に駐留していたのは、この北京議定書を根拠とした。

義和団戦争以前から、ロシアの動きは日英両国にとって脅威と受け止められていた。ロシアは一八九一年にはシベリア鉄道敷設に着手した（一九〇四年に全線開通）。また、九六年には東清（中東）鉄道の敷設が認可された。これらが完成すればロシア陸軍の極東への展開が容易になることが予想された。また、ロシアは九八年には巨額の海軍予算を組み、一九〇一年春までには新型軍艦五隻を極東水域に配備する予定であった。そうなれば、ロシアの極東海軍力はイギリスを上回ることになる。さらにロシアは一九〇〇年三月には、清の宗主権から脱した大韓帝国から馬山浦海軍基地を租借した。

義和団戦争に際してロシア人技師が殺害されると、これを理由に、ロシアは中国東北地方（「満洲」）に大軍を進め、イギリスが北京と瀋陽（奉天）間に建設した京奉鉄道も占領下においた。そして、戦争終結後もロシアは軍隊を撤退させなかった。

拡大を続けてきたイギリスとロシアの両帝国は、地中海から中央アジアを経て極東まで、ユーラシア大陸にまたがる対立状態にあった（これをグレート・ゲームという）。義和団後のイギリスは、長江（揚子江）流域の既得権益をロシアの南下から防衛する必要を感じた。日本が東アジアにしか興味がないというのもイギリスにとっては好都合であった（マクミラン 二〇一六：九六頁）。日英両国は、ロシアとの関係改善も模索する一方で、一九〇一年四月から非公式に同盟交渉を行った。ロシアからの反応はなく、日英は一〇月から交渉を正式なものとし、翌一九〇二年一月三〇日、第一次日英同盟協約を締結した。

この取り決めは、同盟とは言ってもやや変則的なものであった。日本とイギリスは、そのどちらかが第三国と交戦状態に入った場合、もう一方は中立を保つこととした。この場合の第三国としては、言うまでもなくロシア、そして日露の開戦が想定されていた。ただし、フランスが露仏同盟によりロシアを支持して日本と開戦した場合には、イギリスも日本の側に立って参戦するとされた。

日英同盟によって、明治期日本人の国家観において対英関係は特別なものとなった。一方イギリスでは、もちろん同盟を肯定的にみる意見が一般的だったとはいえ、中にはアジアの小国日本との同盟を国力減退の象徴とする議論もあった。また、実際に日露の戦争となった場合に、日本が勝利をおさめることもあまり期待されてはいなかった。南アフリカ戦争の反省と帝国防衛戦略確立のため一九〇二年に帝国防衛委員会(Committee of Imperial Defence)が設立されたが、その同年一二月二九日付の覚書では、日露の戦争となれば勝敗にかかわらずロシアは力を弱め、イギリスは当然利益を得るとされていた。

一九〇四年二月八日、日本海軍はロシア艦隊を奇襲攻撃し(1)、一〇日に宣戦布告、日露戦争が始まった。イギリスは厳正中立を宣言、武器弾薬などの援助は行わなかった。ただし、中立の許す範囲内では日本に好意的な行動をとった。例えば、日本は戦費の約半分、八億円あまりをロンドン、ニューヨークで外債を発行して調達したが、その際に、香港上海銀行をはじめイギリスの有力金融機関の助力を得ることができた(Best 2020: 112, 118)。また、海軍関係では次のような例があげられる。第一に、チリ海軍がイギリスで建造した軍艦は、チリの支払い不能により国際市場で売却されそうになったが、イギリスはこれを自ら買い上げ、ロシアに渡らないようにした。第二に、海軍では必要な物資を現地調達するのではなく、船に積んで移動することを考える。イギリス海軍は、世界に展開する必要から勢力下にある各地の港に貯炭場を設けていたが、バルチック艦隊が地球を半周近く航海して東アジアを目指した際に、高品質の無煙炭がロシア海軍に渡らないよう手を回した。言うまでもなく、当時、煙の出ない石炭は、艦隊の発見を遅らせるものであった。第三に、イギリスはバルチック艦隊がイギリス帝国領各地の港湾に寄港することを拒否した。バルチック艦隊は七カ月に及ぶ遠征航海中、フランス領マダガスカル島北岸のノシベ泊地と、同じくフランス領インドシナ半島のカムラン湾のみが休養・補給地であった。ノシベ泊地では、炎暑により将兵の健康状態が急激に悪化してしまった。また、カムラン湾に接近するころまでには、日本の相次ぐ勝利により、フランス政府の態度も冷たくなっていた。バルチック艦隊はフランス帝国の領海の外に停泊することを余儀なくされ、石炭の補給もできなかったのである。艦隊は対馬海峡に到達したころには、すでに疲弊しきった状態であった。

ロシアの人々の間に日露戦争に対する熱意は最初からなく、すでに一九〇四年中には政府に対する不満が高まっていた。一九〇五年一月、改革を求める請願を皇帝に提出しようとした群衆に当局が発砲する「血の日曜日」事件が発生、全国にストライキが拡大した。日本海海戦(同年五月)後の六月には、黒海艦隊の戦艦ポチョムキン号で水兵の反乱が発生した。

アメリカのセオドア・ローズヴェルト(Theodore Roosevelt)大統領の仲介で、同国ポーツマスで日露の講和交渉が行われ、九月、ポーツマス講和条約が結ばれた。日本は、ロシアから旅順と大連の租借権を継承し、中東鉄道南部の長春―旅順間(南満洲鉄道となる)とその附属地、および撫順や鞍山などの鉱山採掘権も獲得した。ただし、これらの権利は期限付きのものが多く、以後日本は、この利権を延長し、確実なものにすることを求めた。これが第一次世界大戦中の二十一カ条要求につながることとなった。

日露両国の戦いではあったが、主な戦場は中国や朝鮮半島で、清朝や韓国と両国国民に多くの犠牲を強いた。さらに日本は、戦後には中国東北地方の利権を清朝に認めさせ、朝鮮半島の植民地化も推進した。

当時の国際法

国際法というと、国際社会において正義を保証する法律と考える人が多いだろう。しかし、一九世紀半ばから第一次世界大戦にかけて通用していた国際法は、今日から見ると、普遍的正義を保証するためのもののようには思われない。第一次世界大戦を経て国際法には大きな変化が起こるのだが、本項では、大戦までの状況に簡単に触れておこう。

まず、戦争の法という側面であるが、現在国際法と考えられるものは西ヨーロッパで発展した法概念、体系を基盤とした。ヨーロッパに平等な主権国家が併存する体制が確立すると、国家間の不正をただす法廷がない状況において、戦争は外交交渉で解決できない国際紛争の正当な処理手段と考えられるようになっていた。一方の国家が正しく、他方が不正であると差別化することはできず、交戦当事者間の立場は平等・対等なものとする無差別戦争観という考え方が成立したのである(山内 二〇〇六:三三一三四頁、佐藤 二〇〇六:二三七頁)。「[第一次世界大戦までの]旧世界秩序は、戦争は不正を正す合法的な手段だという信念の上に築かれた。(中略)武力に訴えることは失策ではなく、秩序のあるべき姿だった。戦争は正義の手段であり、「力は正義」だったのだ」。そして勝者を法的に正しい権利者としなければ、逆に秩序は混乱すると考えられた。さらに「国家は、不正を正すために戦争を仕掛ける権利を持つだけでなく、それを盾に他国を脅すこともできた」。また、「脅迫されての合意も合意であることに変わりはな」かった(ハサウェイ、シャピーロ 二〇一八:一六一一七、三六一三九、五二一五三、六九一七〇、八九一九〇、九四頁)。

戦争状態が発生すると、それまでの平時国際法に代わって戦時国際法が当事国に平等に適用された。国々には一定のルールを守って節度を持って戦うことが期待された。戦時国際法は、交戦状態にある両当事国に適用される交戦法規と、これら両当事国と中立国との関係を規律する中立法規とからなった。一八九九年と一九〇七年にロシア皇帝ニコライ二世の呼びかけでハーグにおいて開かれた万国平和会議は交戦法規に関する多くの条約を採択した(山内 二〇〇六:三四一三五頁、佐藤 二〇〇六:二三七一二三八頁)。

旧世界のルールでは、戦争前から約束していた場合を除き、「中立国家が戦時にどちらかの国に加担することを禁じていた」。中立国が交戦国と貿易をする権利は保障され、逆に「中立国が交戦国に経済制裁を科すことは違法とされた」。公平の義務に対する違反と考えられたのである(ハサウェイ、シャピーロ 二〇一八:一六―一七、一三四、一三九―一四〇頁)。

征服は、戦争の根拠となった損害を賠償する手段として機能していた。「旧世界秩序では、戦争によって領土を占領した者は、自動的に前の君主の法的権利を全て受け継いだ」。そして「征服者にとって最も価値があったのは、被征服国の法制度を支配することだった」。「その国の官僚を選出することによって、征服者は、住民から税金を取り立て、輸出入に関税をかけ、商業活動に関わる免許を売ることができた」(同:八三頁)。

注意すべきは、このようなルールが、すべての国に適用される万国公法ではなく、「文明国」からなるヨーロッパの主権国家にしか認められないヨーロッパ公法であったことである。それ以外の地では自然法が支配すると考えられ、征服も文明的交戦法規に基づく必要はなかった(山内 二〇〇六:三五頁)。ヨーロッパ外の、あるいは、植民地での戦争(colonial warfare)は、ヨーロッパ諸国間の戦争とは別のものと考えられていた(Abbenhuis 2019: 98-99)。

このような国際法は一五世紀以来のヨーロッパと非ヨーロッパとの接触の中で形成され、非ヨーロッパにも関係していた。しかし、その関係は、ヨーロッパが非ヨーロッパの領域をいかに獲得し、支配するか、という観点からであった。国際法はヨーロッパによる帝国支配の拡大と無関係ではなく、むしろそれを下支えする性質を持っていたのである(Onuma 2000: 39-50, 64; Koskenniemi 2002: 5; Anghie 2004: 2-3, 8; Pitts 2018: 2, 14-15, 26, 170)。そして、この帝国支配を下支えするという傾向は、一九世紀には、文明の標準によって「文明国」と「非文明国」を分けるという考え方によってむしろ強まり、非ヨーロッパは国際法の対象から外されたのであった。

ただし、国際法史の研究が進展し、元来非ヨーロッパとの接触を通して国際法が成立したという理解が強調されるようになったのは、二一世紀に入ってからである(Pitts 2018: 11-16, 216)。それまでは、むしろ、一九世紀後半にヨーロッパが非ヨーロッパの参入を認めることで国際社会が拡大を始めたという点が強調されていた（Bull and Watson 1984）。そして、文明の標準に近く国際社会への参入が可能であったとされたのは、アメリカ合衆国、オスマン帝国、日本など少数であった（Gong 1984; Anghie 2004: 35）。拡大を始めたのは国際社会というよりは「ヨーロッパ国際社会」であり（Onuma 2000: 63-64）、文明の標準も一定のものではなかった。それは、非ヨーロッパがある標準を満たしたとしても、「文明国」たるヨーロッパ諸国が動かすことのできるゴールポストだったのである。

「文明国」とされた国々の間の戦争に関する国際法には、本稿でも検討していくように第一次世界大戦を経て大きな変化が起こり、第二次世界大戦を経て、戦争を違法とする考え方が確立された。しかし、ヨーロッパ世界と非ヨーロッパ世界の関係をいかに律するかという問題、第一次世界大戦までに征服した領域をどうするかという問題は取り残された。一九五〇年代、六〇年代の脱植民地化まで、多くの非ヨーロッパ世界は国際法にとって周縁であり続けたのである。

二、グローバルな戦争としての第一次世界大戦

帝国間の戦争と戦線の拡大

一九一四年六月二八日、サライェヴォでオーストリア＝ハンガリー帝国の皇位継承者フランツ＝フェルディナント大公（Archduke Franz Ferdinand）夫妻がセルビア人に殺害された。オスマン帝国の勢力が弱まる中、オーストリア＝ハンガリーとセルビアはバルカン半島の南スラヴ系住民に対する影響力を競い合っていた。また、すでにヨーロッパ諸国はドイツとオーストリア＝ハンガリー（イタリアを加えて三国同盟）、フランスとロシア（イギリスを加えて三国協商）という二つの陣営に別れ、相互不信から軍拡を進めており、大公の暗殺は戦争への導火線となってしまった。

オーストリア＝ハンガリーはドイツの支持を得てセルビアに最後通牒を突き付け、七月二八日、宣戦を布告した。これを受けてロシアが、ドイツの予想に反して、スラヴの民であるセルビア支援のために動員を命じた。世論や中立を考える国々の反応を考慮して、諸国は自国には非がないと示す努力を続けたが、結局、八月一日、ドイツがロシアに宣戦を布告し、第一次世界大戦が勃発した。ドイツはあらかじめ、ロシアだけでなくフランスも攻撃する緻密な戦争計画(立案した軍人の名を取ってシュリーフェン・プラン)を立てており、ロシアのみとの開戦に変更することは難しいと判断した。フランスに対する作戦を効果的に遂行するためベルギーに侵攻したが、これは、ヨーロッパ低地地方を自国商業にとって重要と考えてきたイギリスが、ベルギーの中立と独立を保障した一八三九年の条約を根拠に用いて、八月四日に参戦することにつながった(クラーク 二〇一七)。

各国とも非常に少数の指導者が、緊張を強いられる中、短期間で開戦という決断をした。マーガレット・マクミランによれば、対セルビア強硬派でなかったフランツ＝フェルディナント大公はじめ戦争を防ぐ可能性のあった者はすでに亡くなっていたり地位を失っていたりしており、開戦に至る過程で、各国とも、政策決定者たちの中に勇気と想像力を持った指導者はほぼいないという恐ろしい状況にあった。例を一人挙げれば、一八七〇年の普仏戦争時に参謀総長であった有名な叔父を持つドイツ参謀総長の小モルトケ(Helmuth von Moltke)は、内省的で不安定な人物であった。当時のドイツはオーストリア＝ハンガリー以外に同盟国がなく、包囲されているという恐怖を感じていた。短期に勝利を勝ち取れると楽観する者とは異なり、小モルトケはひとたび戦争になれば長期戦は避けがたいということには気づいていた。しかし、彼は開戦を避けなければ、と考えたわけではなかった。そしてフランスに対する動員を決めたのだが、体調を崩し、早くも一四年九月には健康上の理由で解任され、一九一六年に脳卒中で亡くなった(マクミラン 二〇一六：三二一、三八五、五九三、五九六、六三六、六四二、六四九、六六九、六七五頁)。その後も戦争は二年以上続いたのである。

ヨーロッパの大国同士が争う大規模な戦争は、ウィーン会議から第一次世界大戦まで少なかった。クリミア戦争はヨーロッパの中では辺境で戦われ、普仏戦争などは短期間で終結した。第一次世界大戦も勃発時には多くの兵士がクリスマスまでには勝利をおさめて家に帰れると考えていた。しかし、実際には戦争は四年以上も続き、ヨーロッパの繁栄を破壊するものであった(ツヴァイク 一九七三)。九〇〇万人以上の兵士が死亡し、一五〇〇万人の兵士が負傷した。近親者を失った者の数は計り知れない。マクミランは、このような戦争に人々が耐え続けたことが驚きであると書く(マクミラン 二〇一六:二九、六六八頁)。

主たる戦場はヨーロッパであったが、イギリス、フランス、ドイツは海外に領土を持っており、ロシア、オーストリア=ハンガリー、オスマンも陸続きの土地に拡大した陸の帝国であった。南アフリカ戦争が遠く離れた東アジアに大いに関連した以上に、大戦はグローバルな規模で繰り広げられることとなった。英仏は多くの兵士を帝国からヨーロッパに動員した。イギリスはインド、カナダ、オーストラリア、ニュージーランドから、またフランスはアルジェリアやサハラ以南のアフリカからである。

イギリス帝国について見れば、一九一四年八月の段階で、海外の正規軍のうちすぐに戦争への参加が可能なのはインド軍だけだった。インド軍とは、イギリス帝国がインドに保持していた軍隊で、インド人傭兵と少数のインド人将校がイギリス人将校の指揮下におかれるというものであった。イギリスにとって有利で、インドにとって大きな負担となっていたのは、インド軍の経費がインドの財政から賄われていたことである。兵士はネパールのグルカ、パンジャーブのムスリムやシクなど「尚武の民」とされた集団からのみ採用された。これらの集団は少数派で貧しかった。これに対し、西洋式の教育を受けるようになった人々の間では、教育を受けたとしてもイギリス人と同じ機会は得られないことへの不満などから民族意識が高まっていた。

一九一四年九月、インド政庁は、インド軍の海外派遣費用をインド内での活動であるかのように負担することに合意した。総督ハーディング卿(Lord Hardinge)は、インド軍をヨーロッパ戦線で使わないことはむしろインド軽視とみなされるとし、開戦と共にインド軍はフランスに派遣された。一四年秋には、フランスのイギリス軍の約三分の一がインド軍か、インドに駐屯していたイギリス軍であった。白人と互角に戦ったことはインド兵の自信と誇りを強めた。一方で、処遇や装備の悪さがナショナリズムのいっそうの盛り上がりにつながった場合もあった。さらに、オスマン帝国が参戦すると、インド軍は中東へも送られ、スエズ運河の防衛にも当たった。

戦争終結までにインド政庁は八七万人以上の志願兵、五六万人以上の非戦闘要員を採用し、一〇〇万人以上のインド人を国外に送った。六万四〇〇〇人以上の兵士が死亡するという損害だけでなく、派兵の経済的負担も重く、軍事予算は激増、戦争終結までに政庁の支出を倍増させた。インド政庁はまた、一七年の帝国戦時会議に先立ち、一億ポンドをイギリスに提供したが、これはインドの一年間の財政収入に匹敵する額であった(Darwin 2009: 325)。さらに大戦中のインドは中東で戦う軍のために食糧、飼料その他を供給したが、これによってインド国内で地域によっては食糧が不足する事態を招いた。これらの結果、国内では物価が上昇し、一人当たりの税負担も一四―一五年から一八―一九年の間に六五%増加した。

日本の参戦と中国

日本の加藤高明外相は、大戦勃発当初から日英同盟を名目に積極的に参戦する方針を探っていた。中国の山東半島にドイツが持っていた利権を奪取し、これを取引材料に南満洲権益租借期限を延長することを狙ったのである(奈良岡二〇一五:九二―九六頁)。一方、イギリスはすでに日本の勢力拡大を警戒するようになっていたのだが、ドイツが植民地香港や租借地威海衛を攻撃する恐れもぬぐえなかった。八月七日、イギリスは中国近海におけるドイツ東洋艦隊の捜索と撃破を目的として日本海軍の出動を要請した。正式要請を待ちかねていた大隈重信首相と加藤外相は臨時閣議を開き、加藤の主導で参戦が決定され、日本の軍事行動は海軍に限らないこととされた(山室 二〇一一：三三―四一頁)。

イギリスは予想以上に積極的な日本に警戒感を強め、要請と取り消しの間を揺れ動き、日本海軍の行動を中国沿岸に限ろうともした。日本は戦域について宣戦布告の中に明記することは拒絶した上で、八月二三日までの期限をつけた最後通牒をドイツに送付した。その中では、膠州湾租借地を中国に還付する目的をもって日本に交付することを求めていた(山室 二〇一一：四一―四五頁)。イギリスも日本の宣戦布告後は、必要に迫られると太平洋のドイツ艦隊やインド洋のドイツ戦艦エムデン号探索や攻撃のため日本海軍に度々出動を要請することとなった。日英同盟の両当事国は、互いに自らの利益のみを考えて行動していたのである。

八月二七日、日本海軍は膠州湾を封鎖、九月二日、陸軍が山東半島竜口に上陸した。この青島攻略戦は日英の共同作戦で、イギリス軍にはインド兵四五〇名も参加していた。中国は八月六日に中立を宣言していたのだが、日本の行動によって逆に国際法上の中立義務違反に問われかねない立場に置かれ、竜口や膠州湾に連接する付近を中立除外地域に設定せざるを得なかった。日本がドイツ権益の中国への還付を宣言していたことへの期待もあった(同：七三―七七頁)。一一月七日、青島のドイツ軍は降伏し、以後日本は、一九二二年一二月まで山東を占領統治することとなった。また、日本は一〇月にはドイツ領南洋群島を陥落させた。

ドイツ東アジア艦隊指揮官マクシミリアン・フォン・シュペー(Maximilian von Spee)伯爵は、すでにサライェヴォ事件前の六月二〇日、南洋群島視察のために青島を出港していた。この艦隊は太平洋を横切り南米最南端のホーン岬を越え、一二月八日、フォークランド沖でイギリス海軍に撃沈されるまで、協商国側の無線台や砲台などを攻撃、チリ沖では遭遇したイギリス艦船を沈めた。

日本の関心はヨーロッパでの戦闘ではなく東アジアにあり、加藤外相は当初から山東問題を取引材料として満洲問題を解決しようと考えていた。一九一五年一月、大隈内閣は、中華民国北京政府の袁世凱大総統に二十一ヵ条要求を突きつけた。この五号二十一ヵ条からなる要求は、世界大戦という絶好の機会を利用して日本の権益を拡大しようと、当時日本に存在していた中国に対する要求を網羅的に盛り込む過大なものにふくれあがっていた（奈良岡 二〇一五：四章）。すなわち、戦闘によって攻略した膠州湾および山東半島のドイツ利権に関する要求ばかりでなく、中国東北地方南部、福建省、およびイギリスが自らの勢力圏と考えてきた長江流域の商業利権に関する条項まで含んでいた。

そのうち第五号は、中央政府に政治財政および軍事顧問として有力な日本人を傭聘《ようへい》すること、必要な地方で警察を日中合同とし、警察官庁に多数の日本人を雇用すること、一定数量以上の兵器の供給を日本から仰ぎ、日中合弁の兵器廠を設立すること、南昌杭州間や南昌潮州間などの鉄道敷設権を日本に与えることといった内政干渉的なものであった。この第五号の存在は当初伏せられていたのだが、中国側の巧みな情報漏洩によって広く知られるようになり、イギリスも不快感をあらわにした。

二十一ヵ条をめぐる外交交渉は非常に紛糾した。日本は五月に第五号を削除した上で最後通牒を突き付けて受諾を要求し、袁世凱政権は妥協してこれを飲んだ。しかし、これは中国人の強い反発を招き、日中関係を大きく悪化させる契機となった。また、欧米列強に当初第五号を秘匿したために、彼らの不信感・警戒心を強める結果ともなった（同：四―六頁）。翻って日本国内では加藤外交への批判が大隈内閣崩壊につながった。

ヨーロッパ各国は激戦のヨーロッパへの日本陸軍派遣を期待した。本野一郎外相は「日本の出兵は絶対に不可能につき、この上先方より改めて交渉なきよう、然るべく通知すること」を松井慶四郎駐仏大使に訓令した（牧野 二〇一八：下巻一六四頁）。ただし、一九一七年のドイツ潜水艦による無制限攻撃を機に、巡洋艦明石ほか三隻の駆逐艦からなる艦隊を地中海に派遣し、オーストラリアやニュージーランドの兵員輸送船の随伴護衛は行った。見返りに、来たるべき講和会議において、山東半島と南洋群島のドイツ権益を日本が継承することに賛成するとの確約を英仏伊露から得たのであった。

大戦後の秩序の模索

欧州の戦場で日々積みあがる膨大な死傷者を前に、何のために戦っているのか、参戦各国の人びとは疑問を感じるようになった。各国政府は戦争目的を提示する必要に迫られた。また、早い時期から、戦争を繰り返さないような戦後秩序の模索が始まった。

実は、ヨーロッパでは、永遠の平和を確立するために国際協調が必要との考えは、一八世紀には出現していた。一九世紀には各地でナショナリズムが強まる一方で国際協力を求める社会主義的あるいは自由主義的な国際主義（インターナショナリズム）も成長した。一八九九年、一九〇七年にはハーグで万国平和会議が開かれ、国家間の争いをおさめるため常設仲裁裁判所が設立された。この頃には平和主義者、平和主義（pacifism, 絶対的平和主義）、平和愛好主義（pacificism, 平和を愛好するがいざとなれば戦わねばならないとする考え）という言葉も出現し、英米仏などでは強力な平和運動も存在していた（Ceadel 1980; マクミラン 二〇一六：三三二―三三三頁）。また、一九世紀後半には、万国郵便連合（一八七四年設立）など実務的な国際協力の機関も登場していた。このような動きがあったにもかかわらず、ひとたび大戦が勃発するとナショナリズムの圧倒的な優位の前に、国際主義は国境に沿って分断されてしまったのである。

第一次世界大戦中、イギリスで平和を維持するための国際組織について最初に議論を始めたのは、ブライス・グループである。このグループを率いたジェームズ・ブライス（James Bryce）は、歴史家、自由党の政治家として知られ、駐米大使も務めた。グループには、『帝国主義論』で有名なJ・A・ホブソン（John Atkinson Hobson）も参加していた。彼らの活動に刺激されて、一九一五年夏には国際連盟ソサエティ（League of Nations Society）が設立された。一六年二月から外務政務次官兼封鎖担当大臣を務めたロバート・セシル卿（Lord Robert Cecil）も国際組織の設立を重要と考えるようになった。セシルは南アフリカ戦争当時の首相であった第三代ソールズベリ侯爵の息子で、首相や外務大臣をつとめたアーサー・バルフォア(Arthur Balfour)のいとこであり、国際組織に熱心なイギリス人の中では、政策決定過程に最も近い位置に居続けた人物である。

一方、アメリカでは一五年に平和を強制するための連盟(League to Enforce Peace)が結成され、その一六年五月の会議でウッドロウ・ウィルソン(Woodrow Wilson)大統領も国際組織設立の考えを支持した。アメリカは、一七年四月には連合国側について参戦した。第一次世界大戦を経て、国際社会におけるアメリカの影響力は圧倒的なものとなっていった。

ロシアでは、一九一七年二月、革命が起こり、帝政が倒れた。一〇月にはウラジーミル・レーニンの率いるボリシェヴィキが権力を握り、この後革命政府は、無併合、無賠償、民族自決に基づく講和を求めた。そのため、連合国の戦争目的には共産主義とのイデオロギー競争という側面が加わることとなった。

翌一八年一月五日、イギリス首相デイヴィッド・ロイド＝ジョージ(David Lloyd George)は、戦争への労働者の協力を維持するため労働組合会議に向かって演説を行った。労働者の協力がなければ戦争は不可能だったからである。ロイド＝ジョージの演説の際にも国際組織の設立が平和の条件とされた。三日後、ウィルソンが有名な一四カ条の演説を行った。その中で、彼も国際組織の設立に触れた。フランスではレオン・ブルジョワ(Léon Bourgeois)らが彼らのプランを練っていた。

連合国はまた、ロシア革命の波及を抑えるため干渉戦争も行った。一八年七月、ウィルソン大統領は約五万人のチェコスロバキア軍団を救出するための出兵を決定し、日本にも共同出兵を呼びかけた。チェコスロバキア軍団は大戦勃発後、ロシアで暮らしていた移民による義勇軍に戦争捕虜を加え、チェコスロバキア国家の独立を目的として、ロシア側でオーストリア＝ハンガリー帝国などと戦っていた。一八年三月、ソヴィエト政権がブレスト＝リトフスク講和条約を締結しオーストリア＝ハンガリー軍と戦う戦場が消失すると、軍団は海路でフランスに渡り西部戦線で戦おうと、ウラジオストクをめざしシベリア鉄道で東に向かった。そして各地でソヴィエト政権と衝突したのである(林二〇二一)。日本にはボリシェヴィキ革命以降シベリア出兵を説く意見があり、八月、出兵の呼びかけに応じた(高原二〇二〇)。ただし、日本の意図はボリシェヴィキに対抗するというよりはバイカル湖以東の東シベリアに日本の勢力範囲を拡大し、資源を獲得しようというものであった(山室二〇一一:第六章)。日本の兵力は、合意されていた上限をはるかに超える約七万四〇〇〇人となり、連合国中圧倒的多数を占めた。そして、その後の展開を先取りして述べれば、チェコスロバキア共和国の樹立が宣言され、一九年一〇月以降軍団の帰還が進み、また、英仏が一九年九月、アメリカが二〇年四月に撤退した後も日本軍は残留し、国内外で批判を浴びた。日本軍が撤退するのは、大戦終結から三年近く経った二二年一〇月となる。

大戦終結までには、講和会議で新しい国際組織設立について交渉されることは明らかとなっていた。イギリスは一九一八年を通して具体案について検討を重ね、これはウィルソンの考えにも影響を及ぼすこととなり、実際の国際連盟設立の基礎となった。

大戦中には、資源、船舶や貿易を共同で管理するための実際的協力も行われた。これも国際連盟が設立される基盤となっていった。のちにEU設立の立役者となるフランスのジャン・モネ(Jean Monnet)はこの実務的協力に携わった一人で、短期間(一九一九―二三年)ではあるが、連盟の副事務総長を務めることとなった。

三、パリ講和会議とヴェルサイユ体制

講和会議への期待

第一次世界大戦の直前には、現在に比べて国際政治の単位としての主権国家とみなされた国は非常に少なかった。ヨーロッパでは、イギリス、フランス、イタリア、ドイツ、オーストリア＝ハンガリー、ロシアが列強と考えられた。前三国が戦勝国で、大戦末期から終戦直後に出されたイギリスの国際連盟構想における五大国に含まれた。一方、ドイツ、オーストリア＝ハンガリーは敗戦国となり、その帝国も解体された。革命の起こったロシアは戦線を離脱し、その後に誕生したソヴィエト連邦は戦勝国側に警戒の目で見られることとなった。ベルギーなどそのほかの国々は大戦前から列強とは考えられていなかった。アジアには植民地が多く、主権国家は中華民国、シャム(タイ)など数えるほどしかなかった。アフリカも同様である。

このような状況下、日本は、一九一四年八月という早い時期に、勝者となる協商(連合)国側に立って参戦し、対ドイツ単独不講和を取り決めた一五年九月のロンドン宣言にも翌一〇月に加入していた。日本はまたすでに日清戦争、日露戦争に勝利し、イギリスとの日英同盟も継続していた。これらのため、日本は五大国の一つとなった。第一節で第一次世界大戦前の国際法が戦争を肯定していたことを見たが、この時代において、軍事力は大国とみなされるための条件であった。

一九一九年一月、パリで講和会議が開催された。この会議に臨んだ日本の考えは、膨大な数の死傷者を出し、一九世紀の安定と繁栄が崩れ去ったヨーロッパの国々とは大きく異なっていた。東アジアにおいて大戦の損害は大きくなく、日本にとって大戦はむしろ「天佑」であった。それまでヨーロッパ諸国が東アジアの市場を経済的に支配してい

たのだが、それらの国々は大戦によって製品を東アジアにまで輸出する余力は全くなくなった。この間隙を縫って日本や中国の軽工業が大きな発展を遂げたのである。大戦まで日露戦争の戦債償還で青息吐息であった日本の国家財政も税収の増加によって息を吹き返した。にわか成金が多く現れたこともよく知られている。

戦争が繰り返されないような新たな秩序を構築しようというヨーロッパの人々の真摯な願望は、日本の政策決定者たちには理解されていなかった。英米が大戦中から戦後の国際組織についての検討を重ねたのに対し、日本は、一九一八年一一月にようやく講和会議に向けての検討を始めた。日本の準備は全く不足していた(佐々木 二〇一七:二八六頁)。

パリ講和会議における日本の目標は、山東省のドイツ権益の獲得、赤道以北の南洋群島の獲得、人種差別撤廃案の三つであった。それまで日本は、多数の国々が参加して戦後秩序を検討するウィーン会議のような会議(conference)に参加したことはなかった。一九世紀中葉に西洋諸国の圧力によって国際社会に参入させられた日本は、そもそもルールとは人が作ったもので「静的」ではなく交渉によって変化する「動的」なものであること、そしてまさにパリにおいて、近代の国際秩序を律したルールが変化しつつあることをほとんど理解せずに講和会議に臨むこととなったのである。

また、このような理解は、同時代的には後世から見るほど簡単でなかったことは言うまでもない。ヨーロッパ諸国の平和に対する思いは強かったが、次節で見るように旧来的な安全保障観も残存していた。さらに、戦勝国であるイギリスやフランスの帝国支配はそのまま維持され、この面で新時代は到来していなかった。日本に新しい時代の到来を感じさせるような大きな変化はアジアでは起こってはいなかった。

平和への希求の理解という側面では、中国や朝鮮半島の人々も日本と大差なかったかもしれない。しかし、彼らは異なった立ち位置から新しい時代を待ち望んでいた。中国は、一九世紀以来、ヨーロッパや日本との戦争に敗れ、種々の条約を結んだ。第一次世界大戦前に条約改正を成し遂げた日本とは異なり、依然として関税自主権を持たず、治外法権の制約下に置かれていた。一九一二年に成立した中華民国の目標は、このような制約を打破し、国際社会における地位を向上させていくことであった。そして一七年八月にはドイツとオーストリア＝ハンガリーに対し宣戦布告を行って参戦し、戦勝国の一角を占めることとなった。パリ講和会議においては、二十一カ条要求の取り消しと山東半島の旧ドイツ権益の返還を要求した。

エレズ・マネラの研究は、ウィルソンの宣言がイギリス支配下のエジプトとインド、また中国や、日本の支配下に置かれた朝鮮半島の人々に巻き起こした期待について検討している(Manela 2007)。プリンストン大学の元学長であったウィルソンは、「理知的で高潔な人格をイメージさせる」。しかし、実は彼は「人種隔離を支持し、クー・クラックス・クラン(KKK)の騎士道を信じる南部人であった」(中野 二〇一九：三八、四四―四五頁)。ウィルソンの発想は人種差別から自由ではなく、「自決」を当てはめる地域としては東ヨーロッパのみを考えていたという。しかし、エジプトなどの人々は、一民族一国家という「自決」権は当然自分たちにも与えられると期待した。マネラは、日本からの独立を求める三・一運動、中国の五・四運動など、グローバルな期待の連鎖と挫折を分析している。

ただし、中国は広大で、その状況は複雑であり、帝国主義によって圧迫されていた側面にのみ目を向けることは不十分だろう。清朝は一八世紀に隣接地域に領土を拡大した陸の帝国であった。そして中華民国は、(十分な統治を及ぼすことはなかったとしても)この清の領土を受け継いでいた。さらに、今日までの長い期間をとれば、世界で多くの帝国が崩壊したが、中華人民共和国は一九世紀清朝の領土を引き継ぎ、維持しているのである。(2)

対ドイツ講和条約とその問題

パリ講和会議では米英仏の三大国が会議をリードしたが、理想主義的なウィルソン大統領と、ドイツの徹底した弱体化を望むフランスのジョルジュ・クレマンソー(Georges Clemenceau)首相との意見の乖離が大きかった。対ドイツ講和の具体的内容、さらには設立すべき国際連盟規約に関する合意は容易ではなく、時間がかかった。そのため、元来は講和会議の準備会議であったものが本会議となってしまった。それまでの講和交渉、会議では、例えば日露戦争後のポーツマス講和会議のように、戦勝国と敗戦国が直接交渉を行って講和の内容を決めていた。一九一八年のドイツは降伏した際、当然そのような機会が与えられるものと信じていたのである。パリ講和会議の間、ドイツ帝国崩壊後のワイマール共和国はウィルソンの一四カ条に基づく講和を期待し、新しい国の建設に邁進していた。

しかし、ドイツには、交渉の機会は与えられなかった。ドイツは、戦争責任条項を含むヴェルサイユ条約を突き付けられ、受諾を迫られた。ドイツ大洋艦隊は、スコットランド沖オークニー諸島にあるイギリス海軍軍港スキャパ・フロウに繋留されていた。ドイツが条約受諾を拒否し戦争が再開されるだろうと予想したドイツの提督は、ドイツ軍艦もイギリス海軍に利用されることになると恐れ、六月二一日、船の弁をあけて七四隻の艦船を沈没させたのであった。

提督の危惧は現実にはならなかった。ワイマール・ドイツはヴェルサイユ条約を受け入れるしかなく、六月二八日、ヴェルサイユ宮殿鏡の間で調印が行われた。

ジョン・メイナード・ケインズ(John Maynard Keynes)は、大戦中イギリス大蔵省で対外金融を所掌する課の長として働いた。戦争には反対であり、自ら兵役拒否者であることを申し出たりもしたが、戦時大蔵省の仕事にはやりがいを感じた。大戦後には、パリ講和会議へのイギリス代表団に大蔵省主席代表として参加した。

ケインズは対ドイツ講和条約の内容に不満で、代表団を離脱して先に帰国し、一九一九年末には『平和の経済的帰結』を上梓した。彼は戦争で疲弊したヨーロッパ経済が復興するには、大国であるドイツの復興も重要と考え、多大な賠償を科すことには反対だったのである(ケインズ 一九七七)。

フランスに比べればイギリスの考え方は穏健だったとはいえ、大戦直後にはイギリスでもケインズのような考え方は主流ではなかった。戦争中のドイツに対する憎悪が強く残っていた一九一八年末の総選挙では、「ドイツのレモンを種が軋《きし》るまで絞り上げる」といった主張が有権者に歓迎されていた。戦費だけでなく、戦争による損害、さらには戦争未亡人に対する年金などもドイツに支払わせることも要求されていた。厳しい講和条件に反対する候補者たちは落選した。

しかし、戦争終結から時間がたち、実際にドイツが過大な賠償とインフレに苦しみ、その中産階級が没落していくという事態を目の当たりにした時には、イギリス人は戦争責任をすべてドイツに押し付けたことに良心の呵責を覚えるようになった。そして、このことは一九三〇年代の宥和政策の一因となった。

一方、実証が本格化した一九七〇年代以降の研究によれば、ヴェルサイユ条約は一九三九年の第二次世界大戦勃発に単線的につながる「過酷」で「懲罰的」なものだったとは言いきれず、「いくつかの欠点を含みながらも、機能しうる戦後秩序を築いていた」「第一次世界大戦後の国際秩序の成否は、講和条約そのものではなく、その後の政策決定者たちが条約体制をいかに運用するのかにかかっていた」という見方が有力となっている(Steiner 2005: 54, 67; 大久保 二〇一八:二頁)。また、ドイツの領土は独立したポーランドへの割譲を別にするとほぼそのまま残っており、ドイツは他の敗戦国に比べれば有利な講和条件を取り付けたとの指摘もなされている(ゲルヴァルト 二〇一九:二九〇頁)。

国際連盟の第二、第三の任務

ウィルソンは、平和を維持するためには国際連盟の設立が最優先の課題と考えてパリに乗り込んでいた。米英ですり合わせた連盟規約草案をもとに国際連盟委員会で検討が行われ、できあがった規約はヴェルサイユ条約やサン・ジェルマン条約の一部に組み込まれた。一九二〇年一月、ヴェルサイユ条約の発効と同時に国際連盟が発足した。

パリ講和会議には、大戦中の貢献によりイギリス帝国からドミニオン（自治領）諸国（カナダ、オーストラリア、ニュージーランド、南アフリカ）とインドも帝国代表団の一員として参加していた。イギリスはこれら諸国の国際連盟加盟を支持した。しかし、ウィルソンはインドが加盟を認められるならアメリカの植民地フィリピンも加盟できることになるが、これは認められないと反論した。結局、インドの加盟は認められ、国際連盟の評決において当初加盟国四二票のうち六票をイギリス帝国が持つこととなった。このことに関してはアメリカだけでなく、日本やイタリアも疑問を感じていた。

国際連盟の第一の任務が平和の維持であったことは言うまでもない。この問題に関しては第四節で検討するとして、ここでは、連盟が、その他に大きく分けて二つの任務を負っていたことにも目を向けよう。この分類は、アメリカで教育を受け国際連盟委任統治部で働いたスイス人ウィリアム・ラパルト（William Rappard）と委任統治に関する大著をものしたコロンビア大学教授スーザン・ピーダーセンによる（Pedersen 2015; Rappard 1925）。

連盟の第二の任務は、連盟規約によって定められた新たな制度に関するもので、ピーダーセンはこれが主権（sovereignty）に関するものだと考えている。具体的には、委任統治と少数民族の権利保護である。

委任統治は、敗戦国ドイツの植民地とオスマン帝国の非トルコ人地域の処理に関して新たに考え出された方策であった。ソ連の「無併合、無賠償」に基づく講和の要求、ウィルソンの一四カ条を経て、戦勝国が敗戦国の植民地などを自国領として取り込むことは不可能になっていた。そのため、国際連盟を通して、それらの領域の統治を戦勝国に委任する方法が考え出された。また、それらの領域の状況に応じてAからCまでの三つのレベルが想定された。Aとされたのは、住民が自治に近いと考えられた地域で、旧オスマン帝国領であった。例えば、イギリスはパレスチナやイラクなどのA式委任統治の受任国になり、実際にイラクは一九三二年一〇月に独立している（等松 二〇一一：七八頁）。Bは中央アフリカで、受任国が行政に責任を持つ必要があるが、他の連盟国の通商貿易に対し均等の機会を確保し門戸を開放することとされた。一方、Cは非常に併合に近いと考えられた。日本も赤道以北の旧ドイツ領南洋群島をC式委任統治領とした。

この制度を最初に考案したのは、南アフリカ出身のヤン・スマッツ(Jan Christiaan Smuts)であった。南アフリカ連邦は、当時イギリス帝国のドミニオンであった。そこでは南アフリカ戦争後、現地のアフリカ人を差別しつつ、イギリス人とオランダ系アフリカーナーの和解が進んだことにはすでにふれた。スマッツはアフリカーナーであったが、元来イギリスに近い家の出身で、ケンブリッジ大学で法学を学び弁護士となった。第一次世界大戦中に南アフリカを代表してイギリスの戦時帝国会議に参加した際ロイド＝ジョージに能力を認められ、会議後もイギリスに残留して、国際連盟について構想を練った。彼が執筆したパンフレット『国際連盟――実践的提言』はウィルソン大統領の手にもわたり、連盟の実際の機構に大きな影響を与えたと考えられている。

スマッツには帝国支配、帝国主義を否定する発想は全くなかった。むしろ彼の考えた国際連盟は、イギリス帝国のあり方をモデルにしていた。例えば、すべての加盟国が参加する総会と少数の国のみで動かす理事会という構成は、イギリス帝国が本国およびドミニオンとそれ以外という二層からなっているということの反映である。すなわち総会が帝国全体、本国およびドミニオンが理事会にあたる。ただし、スマッツと共に講和会議で国際連盟委員会に参加し、貴族であったセシルは、理事会には大国のみの参加を構想したが、スマッツは大国以外から選ばれた国の参加も考えていた。これが非常任理事国となっていく。なお、スマッツの案でも日本は大国、理事会メンバーとして想定されていた。

委任統治制度は戦勝国が敗戦国の領土を自らの植民地に加えたに過ぎず、むしろ帝国支配を取り込んで、それを下支えするものであるとして、長年にわたり批判を浴びてきた。それは全くその通りである。一方、実際に国際連盟の常設委任統治委員会(Permanent Mandate Commission)が活動を始めると、それが帝国を守るものとしてのみ機能したのではなかったことも注目される。委任統治を請け負った国々は、対象地域の発展に取り組み、その成果を毎年連盟に報告しなければならなかった。そして、この報告書を審査した常設委任統治委員会の委員は必ずしも大国の政府代表ではなく、会議は基本的には公開で開催された。さらに、常設委任統治委員会は、統治される側からの嘆願書なども受け取って審議した。したがって、受任国の統治は、ある程度は国際社会からの監視にさらされ、統制を受けることとなったのである。また、一九二五年にヨーロッパでの安全保障のためのロカルノ条約(Locarno Treaties)が締結された後、ドイツが国際連盟に加盟し常任理事国となると、常設委任統治委員会にドイツ人委員も参加することとなった。旧ドイツ領地域を戦勝国側の思うままに統治するということはますます困難になったのである(Pedersen 2015: part III)。帝国支配を取り込んだ委任統治制度ではあったが、一方で、常設委任統治委員会の活動と情報の公開によって、帝国支配のあり方に変化をもたらす要素も、わずかとは言え、含むこととなったのである。

少数民族問題は、ドイツ帝国、オーストリア＝ハンガリー帝国、ロシア帝国、オスマン帝国の崩壊によって中央・東ヨーロッパに多くの国民国家が誕生したことと関連していた。帝国内において人の移動は容易であったので、大戦後どのように国境線を引いたとしてもひとつの民族だけで国家を構成することは不可能であった。そのため、新しい国民国家の民族構成は複雑で、多数派民族とともに少数民族が含まれ、彼らの権利保護が課題とされたのである。少数民族としてどの国でも多かったのは、ドイツ人とユダヤ人であった。

なお、国際連盟での少数民族問題への対処にあたってはヨーロッパに利害関係の少ない国の関与が役立ち、その中には日本の外交官安達峰一郎の活躍も含まれていた。二〇年代の日本は、模範的な連盟国として評価されていたのである(篠原 二〇一〇:第三章、柳原・篠原 二〇一七)。

国際連盟の第三の任務としては、現在のグローバル・ガバナンスの起源となる様々な専門的・技術的(technical)問題への取り組みがあった。現在では機能的(functional)という用語が使われる。このような問題への取り組みが国際連盟規約に取り込まれたのは、戦争はどのような原因から起こるかわからないという懸念のためであった。経済財政問題では、連盟は二二年にはオーストリアの、二三年にはハンガリーの財政破綻救済に成功した（Clavin 2013）。東アジアとも関連の深い問題を取り扱った例としては、アヘンそのほかの麻薬の取り締まり、および感染症対策を含む保健衛生問題などがある。どちらも、取り組みは第一次世界大戦以前に始まっていた。国際連盟はその活動を引き継ぎ、さらに発展させたのである（後藤 二〇〇五、同 二〇一〇、安田 二〇一四、後藤 二〇一六、詫摩 二〇二〇、Goto-Shibata 2020）。（3）

このような種々の問題は、直接的な戦争防止の試みに比較すれば二次的なものと考えられ、連盟規約全二六条のうち、第二三条のみがそれに充てられた。しかし、国際連盟が平和の維持に失敗したのに対し、理想を掲げ追求しようとしたこれらの活動はかなりの成果を上げ、第二次世界大戦後には国際連合、とくに経済社会理事会や、世界保健機関（World Health Organization, ＷＨＯ）などの専門機関によって引き継がれていった。

積み残された東アジアの問題とワシントン会議

パリ講和会議では東アジアや太平洋の問題はほとんど処理されなかった。ヴェルサイユ条約では、山東の利権はドイツから日本に引き渡されることとされていた。そのため中華民国はヴェルサイユ条約には調印せず、二一年にドイツとの単独講和を結んだ。ただし、対オーストリアのサン・ジェルマン条約に調印することで国際連盟の原加盟国となる道は確保した（川島 二〇一九：一二五頁）。

二一年一一月から翌年二月にかけて、東アジアや太平洋の問題を検討するため、日米英仏伊、中国、ベルギー、オランダ、ポルトガルの九カ国が参加してワシントン会議が開催された。日米英仏伊の五カ国条約では、海軍軍縮が合意された。主力艦の保有比率を五：五：三：一・六七：一・六七とし、以後一〇年間主力艦を建造しないこととした。

また、日英同盟は廃棄され、太平洋の現状維持を約束して日英米仏の四ヵ国条約が締結された。さらに、会議に参加したすべての国が、中国に関して九ヵ国条約を締結した。中国の主権尊重と領土保全を定め、中国の情勢を利用して利権や特殊権益を求めることも禁止した。

この九ヵ国条約は門戸開放原則に近いことをうたい、調印当初にはそれほど明確な規定ではなかったのだが、第四節で見るように、条約を静的なものにとどめず動的に成長させようとした人々がいた。九ヵ国条約も、満洲事変の後には、国際連盟規約、不戦条約と三者で一体となるものに成長していくことになる。

また、このワシントン会議の機会に英米の仲介を得て日中間で交渉が行われ、山東半島の旧ドイツ権益を中国に返還する協定も締結された。

四、国際連盟の集団安全保障と戦争違法化の接近

国際連盟規約による戦争の制限

国際連盟の第一の任務は平和の確保であり、連盟規約は、戦争に訴えるという、それまで認められていた自由を制限しようとした。規約は、前文で戦争に訴えない義務、第一〇条で加盟国にすべての連盟加盟国の領土保全と政治的独立を尊重し、これを外部からの侵略に対し擁護することを要求している。さらに第一一条で戦争又は戦争の脅威は全体の関心であり、連盟は平和維持のための適切かつ有効な措置をとるという原則、第一二条から第一七条で国際紛争の平和的解決のための仲裁、司法的解決、連盟理事会による審査・調停という一連の手続きを定めている。外交、仲裁、調停がすべて機能しなかった場合には、規約第一六条第一項で経済制裁について定め、第二項ではさらに軍事制裁も視野に入れている(「前項の場合に於て連盟の約束擁護の為使用すべき兵力に対する連盟各国の陸海又は空軍の分担程度を

関係各国政府に提案するの義務あるものとす」)。

マーティン・シーデルは集団安全保障に関する連盟規約の成立を検討し、これが相互防衛の保障を考えたウィルソンの考え方と、紛争の平和的解決を求めたセシルらイギリスの考え方の折衷になっていると分析する。前者は規約一〇条に結実するが、セシルは、これが攻撃された加盟国を防衛するためではあっても、究極的には戦争を意味するとして反対であった。一方、イギリスの考えは一一条に反映された。セシルらが一二、一三、一五、一六条に織り込んだのは、すぐに戦争に訴えないこと、その間に仲裁等の手続きを経ることであった。連盟規約は戦争を違法化も排除もしていなかった(Steiner 2005: 33, 351-352; Hathaway and Shapiro 2019: 51, 58)。制裁に関する第一六条も、諸国は制裁が科されると知っているので戦争を思いとどまるであろうという期待の上に立つ条文であった。なお、連盟規約作成の段階では、集団安全保障という用語はまだ作られておらず、一般的に使用されるようになったのは一九三〇年代半ばからであった(Ceadel 2013: 993, 1003)。

佐藤哲夫によれば、連盟規約一二条、一三条、一五条は、以下の三点について戦争に訴えない義務を課したが、「逆にいえば、それ以外の場合については、国々は依然として戦争に訴える自由を有していた」。第一の義務は、紛争を国際裁判所による裁判か連盟理事会の審査に付さずに、ただちに戦争に訴えはしないことである。第二の義務は、裁判判決または理事会報告の後、三カ月を経るまで戦争に訴えないという冷却期間をおくことである。逆に言えば、この冷却期間の経過後には戦争に訴えることができた。第三の義務は、紛争が裁判や審査に付託された場合に関するものである。裁判の判決は法的な拘束力を有し、判決に服する連盟国に対しては戦争に訴えないことが義務とされた。ただし、相手国が判決に服さない場合には戦争に訴え得ることになる。また、理事会の報告書が紛争当事国を除く他の理事国全部により同意される場合には、当該報告書の勧告に応じる紛争当事国に対して戦争に訴えない義務が規定された。但し、そのような報告書を得るに至らなかった場合は、戦争に訴えることができた(佐藤 二〇〇六:二三九―

二四〇頁、三牧 二〇一四：一二五―一二六頁）。連盟の武力行使禁止原則は部分的だったのである。

西平等も、連盟に期待された主要な役割とは、戦争の制限や違反国への制裁ではなく、むしろ紛争の平和的解決であり、理事会の第一の任務は調停であると見られていたとする。大国の代表を構成員として含む理事会の政治的力と権威を背景としつつ、最終的には紛争当事国の同意を引き出すことによって紛争を解決する柔軟で包括的な調停手続きの意義を強調する。また、西は戦間期の平和構想について「これまで（中略）侵略戦争禁止の諸規定から、不戦条約を経て、国連憲章の武力行使禁止原則・集団安全保障体制へと至る歴史過程が、過度に強調されてきたように思われる。（中略）戦間期の国際秩序構想を理解しようとする観点からは、それだけでは不十分である」と記している（西 二〇一八：一四〇頁）。

実際、多様な意見があり、議論も続いた。連盟規約では軍事力の保持も否定されていない。軍備の存在が認められた上で、一九二〇年代半ばから三〇年代半ばにかけては、毎年のように開かれる軍縮会議で軍備の縮小、こまごました兵器の削減などが検討されることとなった（規約第八条・第九条）。

国際連盟をイギリスとともに支える立場にあったフランスの動きを見れば、軍事同盟などに基づく旧来的な安全保障観の残存は明らかである。第一次世界大戦後フランス外交の基本主題は、潜在的な軍事大国ドイツに対していかに安全を確保するかであった。大戦が終結したとき、連合国はドイツ領に踏み込んでおらず、フランスの人的、物的被害の方が大きかった（Steiner 2005: 11, 20）。戦後フランスにとっては一般的な集団安全保障は不十分と考えられ、連盟が軍事同盟的性格を持ってフランスの安全を保障することを求めた。これは実現しなかったため、連盟の下支えとなるサブ・システムとして米仏、英仏保障条約が考えられ、締結された。しかし、アメリカは上院の反対で国際連盟に加盟せず、米仏保障条約は発効しなかった。その結果、米仏を前提とした英仏保障条約も発効しなかった。機能し得たはずの戦後西欧安全保障は出だしからサブ・システムが成立しないという躓きに直面したのである。フランスは連盟の集団安全保障では安心できず、ほかの方法で自国の安全保障を求め続けることとなった(大久保 二〇一八)。その一つの方法は、ポーランド、チェコスロバキア、ルーマニア、ユーゴスラヴィアと同盟関係を結ぶことであった。これは、ソ連共産主義という「疫病」の伝染を阻むためのものという意味もあった(渡邊・上原 二〇一九:五頁)。

その後、仲裁、安全保障、軍縮を結びつけようと、一九二四年一〇月の連盟総会でジュネーヴ議定書が採択された。西は、ここには軍縮、侵略に対する制裁、侵略の認定、紛争の平和的解決に関する規定が混在していたと分析する(西 二〇一八:一二五、一三五頁)。しかし、ジュネーヴ議定書は労働党から保守党に政権交代の起こったイギリスが反対へと方針転換するなどしたため発効しなかった。多くの国は、自動的に経済制裁から軍事に至る援助義務を負うことを懸念した(牧野 二〇二〇:一二頁)。軍事的な援助義務は多くの国に不安を抱かせた。

イギリスの保守党内閣は、仏独国境の保障がヨーロッパの安全保障にとって重要と考え、それを実現する方法を模索した。一方、一九二五年四月、フランスではアリスティード・ブリアン(Aristide Briand)が外相に返り咲き、一二月、ロカルノ条約が調印された。これは英仏独伊ベルギーの間で結ばれたラインラントの現状維持や非武装を定めた相互保障条約に加え、複数の仲裁協定や相互援助条約からなる一連の条約である。フランスの対ドイツ安全保障は強化されたのだが、この後もフランスはアメリカによる保障を求め続けた。その努力が不戦条約として結実する。

不戦条約

アメリカ合衆国では、連盟規約に幻滅し、あらゆる戦争を違法化しようというサーモン・O・レヴィンソン(Salmon Oliver Levinson)による構想が熱心な運動となっていた(三牧 二〇一四)。アメリカによる保障が得られなかったフランスのブリアン外相は戦術を変え、一九二七年四月、相互に戦争を放棄する取り決めを交わす用意があるとアメリカ国民に訴えた。アメリカの反応は当初消極的であったが、ブリアンは六月には米仏二国間の恒久友好条約案を提示した。国際連盟の集団安全保障原則にアメリカが乗ってこないことは明らかであったので、ブリアンの提案は戦争違法化構想と結びつきうると解釈できる余地を残した提案であった(牧野 二〇二〇:二九、四三―四五頁)。

戦争違法化運動の支持者たちはフランスの提案を喜んで迎えたが、アメリカ政府は慎重であった。というのも、フランスが望んでいるのは実際には二国間の同盟条約であり、ヨーロッパで戦争が起きた場合に中立の姿勢をとろうとするアメリカの権利を侵害すると考えたからであった。集団安全保障を巡って米仏の考え方は対立していた。アメリカは、ブリアンの提案に対する実質的な拒否回答として、一般的な戦争放棄を宣言する多国間の協定であれば喜んで締結するとした。ブリアンにとっては、アメリカとの二国間条約に意味があったのだが、自らの提案によって自縄自縛に陥り、米仏両国の立場のすりあわせの結果として不戦条約が成立することになった(牧野 二〇二〇:四八―四九、六七、七三頁、Gorman 2012: 279-280)。

一九二八年八月二七日、国際紛争解決のために戦争に訴えることを非難し、国家政策の手段としての戦争の放棄を宣言する不戦条約(ケロッグ=ブリアン条約)がパリで調印された。調印したのは、日英米独仏伊、ベルギー、ポーランド、チェコスロバキア、イギリス帝国のドミニオンとインドの一五カ国であった。ただし、イギリスは、特別に利害関係を持つ地域、すなわちイギリス帝国に関しては行動の自由を持つという留保をつけた。

この条約には西ヨーロッパ諸国にとって都合の良い側面があったことも指摘されている。それは、戦争違法化という新しい秩序を遡及して適用することは考えられていなかったことである。すなわち、「「過去」の征服は擁護」する一方、「「未来」の征服は擁護されない」。一九二八年以前の植民地化等が遡及的に否定されることはないものだったのである。「すでに得た占領地」については所有権を保障し、擁護するので、国際的な法秩序の頂点に立つ西欧諸国の地位は、「永遠に揺るぎないものになる」のであった(ハサウェイ、シャピーロ 二〇一八:二二七頁、三牧 二〇一四:一五四―一五六頁、Gorman 2012: 307; 遡及について、藤田 一九九五:五五―五九頁)。

不戦条約の調印と日本

日本はパリでの不戦条約調印式に枢密顧問官であった内田康哉元外相を特使として派遣した。ただし、この時の日本の関心は、不戦条約そのものやその国際政治への影響にはそれほど向けられていなかった。田中義一首相は、この機会を利用して内田が東アジア情勢について英米と調整を行うことを期待した。というのも、この時期、日中関係が悪化し、日本は中国によるボイコット(排日貨)に苦しんでいたからである。

一九二〇年代半ばの日英中関係をやや遡って見ると、第一次世界大戦後の東アジアにおいても最大の帝国主義国は依然としてイギリスであった。イギリスは香港を領有し、上海など条約によって開港された中国の港町には租界を持ち、一九世紀半ば以来築き上げた巨大な権益を保持していた。上海の黄浦江沿いに林立する西洋建築はイギリスが建てたものであった。一方、一九二〇年代の中国では民族主義、労働運動が盛り上がっていった。一九二五年五月三〇日、日本資本の紡績工場(在華紡)での労働争議に端を発した民衆のデモにイギリスが牛耳っていた租界警察が発砲すると、運動の矛先はイギリスに向かい、大規模な反英運動が始まった(ボイコットやその地域的要因についての最新の研究としては、吉澤 二〇二二)。この後、二年以上、イギリスは中国での排外運動に悩まされた。

一九世紀のイギリスは、海からの砲撃によって各地に権益を確保していったが、すでに持つ権益を防衛するためには陸上兵力が必要であった。しかし、イギリスは元々インド以外には大きな陸軍を持たず、さらに第一次世界大戦後には平和主義や軍縮によって軍事力を縮小させていた。東アジアに割く余力はなかった。中国でのナショナリズムの盛り上がりを前に、イギリスは、日英同盟の時代と同じように日本の軍事力を使って事態に対処できることを期待した。しかし、外相幣原喜重郎が率いた日本は、安易に軍事力を供給することはしなかった。

一九二六年一二月、イギリスは対中政策を見直すことを宣言した。ただし、このメッセージだけでは状況は改善しなかった。事態を大きく変化させたのは、一九二八年田中内閣の第二次山東出兵、済南での日中軍事衝突であった。日中関係は急激に悪化し、代わりに英中関係は改善していったのである。

内田康哉を不戦条約調印に派遣した際、日本は、主要国とくにイギリスとの間では、中国でのナショナリズムの高揚への共同対処で合意することを期待したのである。しかし、イギリスが日本の提案に乗ってくることはなかった。幣原の時代の日本が考えたように、中国のボイコットの対象となった国と協力することは、何の得にもならないのであった(後藤 二〇〇六：第二章—第五章)。

一方で、この後も一貫してイギリスは中華民国国民政府との関係が良くなかったということも忘れてはならない。蔣介石は反帝国主義姿勢を取り、イギリスは依然として世界の陸地の四分の一近くを支配する最大の帝国であった。この経験は長く尾を引くことになる。一九四九年、中華民国を台湾に追って中華人民共和国が成立した後、アメリカがそれを承認しないにもかかわらず、イギリスは承認に踏み切るのである。

さて、内田が調印した後の不戦条約に話を戻せば、日本でも批准に向けた議論が始まった。しかし、安全保障や国際的紛争解決に関連した条約の意味が論じられることはほとんどなく、議論は条約文にあった「人民の名において」(in the name of their respective peoples)の解釈に集中した。これは、大日本帝国憲法の下での主権者は天皇であり、国民はその臣民に過ぎないという問題とかかわっており、当時の人びとにとっては重要な問題であった。さらに、それを野党であった民政党が「政局」のために利用したのである。

すでに調印前の段階で日本政府も憲法との関連でこの文言には問題があることに気づいており、アメリカと修正について交渉しようとした。しかし、共和国としてのアメリカにとってもこの文言は国家体制の根幹に関わるものであった(牧野 二〇二〇：一二九頁)。東アジア国際関係との関連では、この姿勢は一九一二年に清朝が倒れて成立した中華民国に対するアメリカの支援ともつながるであろう。ウェリントン・クー(Wellington Koo, 顧維鈞)、宋子文(T. V.

Soong)といったアメリカで教育を受け英語を話し、さらにキリスト教徒であることも多かった一群の中国人が、アメリカの似姿である共和国を作り維持しようとしていると考え、彼らを自らの庇護の下にある者として支援する姿勢があったのである。これに対し、「人民の名において」という文言を憲法との関連で受け入れられない日本は、アメリカとは国家体制面からも相容れないのであった。

結局、田中内閣は、「人民の名において」という字句は「帝国憲法の条章より観て日本国に限り適用なきものと了解することを宣言す」として一九二九年六月、批准にこぎ着けた。

条約条文の文言、解釈はもちろん重要である。その点において日本は非常に緻密な解釈を積み上げていった。ただし、この不戦条約に関して重要なもう一つの点は、条約は締結された時点で静止するのかということである。日本では不戦条約が東アジアにおける日本の利益と安全保障にとっていかなる意味を持っているかについて深く検討されることはなかった(牧野 二〇二〇:iii頁)。日本外務省の顧問で、オクスブリッジで国際法を学んだイギリス人のトマス・ベイティ(Thomas Baty)も、静的な国際法理解をしており、条文の解釈を精緻にすることにつとめた。しかし、締結当事国が最大六三カ国にまで増大した不戦条約、さらにはワシントン会議で締結された九カ国条約に関しては、締結された以上、それを動的に成長させようと考える人々がいたことが重要である。

満洲事変と不戦条約の「成長」

篠原初枝は、不戦条約後の戦争の違法化への前進を明瞭に分析している。不戦条約には主な条文が二条しかなく、当初、それほど実現性の高いものとは考えられなかった。イギリスの内閣でも特に議論もなされず承認された(Grayson 1997: 159)。しかし、篠原は、この条約が米仏二国間のものに留まらず、複数の国によって調印された以上、それを動的に成長させて意味あるものとしようと考える人々がいたと論じる。実際、常設国際司法裁判所の規程は、不戦条約調印に伴って改定が検討され、一九二九年九月に改定規程が合意された。そして、不戦条約が発展し、戦争違法化の動きが大きく推し進められる契機となったのは、満洲事変であった(篠原 二〇〇三)。

一九三一年夏以降、国際連盟と東アジアにとっては激動の日々が続いた。五月末に連盟理事会で中華民国に対し技術的・専門的協力を行うことが正式決定された。その後、長江が氾濫を起こしたとの報がジュネーヴに伝わった。被害は一六省に及び、湖北、河南、湖南、江西、安徽、江蘇の六つの省にわたる長さ一四〇〇キロ、幅は平均で六〇キロという驚愕すべき大きさの湖ができていた。武昌、漢口、漢陽の武漢三鎮はまるでその巨大な湖に浮かぶ島のような状態になってしまったのである。九月には国際連盟総会が中国への同情を表明する一方、中華民国は三年ぶりに国際連盟の非常任理事国に選出された。

満洲事変はこのような時に引き起こされた。周知のように、一九三一年九月一八日、日本の関東軍は奉天(瀋陽)郊外の柳条湖で満鉄の線路を爆破し、それを口実に軍事行動を開始したのである。遠く離れたヨーロッパ、とくに、東アジアに権益もなく東アジア情勢に詳しくない小国から見れば、中国が洪水に苦しむ機に乗じて卑怯にも攻撃が開始されたと映ったのである。

フランスと並び国際連盟を支える立場にあったイギリスは、経済的大混乱のうちにあった。大恐慌の波及により、満洲事変が勃発した九月一八日には一八〇〇万ポンドの金が流出する事態に直面していた。イギリスは第一次世界大戦中に、大戦までの経済的繁栄を支えた金本位制からの離脱を余儀なくされていた。第二次スタンリー・ボールドウィン(Stanley Baldwin)内閣の蔵相ウィンストン・チャーチル(Winston Churchill)の時期、すなわち一九二五年に旧平価で金本位制に復帰したのだが、ポンドの過大評価により経済は打撃を受けていた。そこに恐慌が襲ったのである。一九三一年九月二一日月曜日、イギリスの挙国一致内閣は金本位制からの再離脱に追い込まれた。遠く離れ、大した利権を持つわけでもない中国東北部の状況にかかわる余力はほとんどなかったと言えよう。

満洲事変に対し、中華民国は、国際連盟への提訴という国際的解決戦略をとり、国際連盟はイギリスのリットン卿(2nd Earl of Lytton)が率いる調査団を派遣することとなった。中小国の間では、侵略の対象となった中国への同情が強かった。

不戦条約との関連で重要なのは、レヴィンソンの論文に感銘を受けていたアメリカのヘンリー・スティムソン(Henry Stimson)国務長官が、一九三二年一月七日、満洲事変という武力による現状変更を承認しないとの声明を発したことである。これは、この段階では、アメリカ一国の不承認宣言であったが、その後、国際連盟総会でも同年三月一一日、連盟規約もしくは不戦条約に反する手段によってもたらされた状態、条約、協定を連盟国は承認すべきでない旨を盛り込んだ決議が採択された。また、和解手続きを進めるための「一九人委員会」の設置も認められた(篠原二〇〇三、ハサウェイ、シャピーロ 二〇一八：二三四―二三八頁)。

一九三二年一〇月に提出されたリットン調査団の報告書は、今日読み返してみると、日本の侵略を全面的に非難するものではなく、中国東北部の歴史を説き、そこでの日本の権益の優越性を実質的に認める内容になっている。むしろ外交的なバランスを追求した文章であった。ただし、その後の議論を経て、翌三三年二月に「一九人委員会」が作成した報告書はより厳しい内容になっていた。その第四部は、決着は国際連盟規約、不戦条約、九カ国条約、および一九三二年三月一一日の連盟総会決議に従ってなされるべきとし、不承認原則を明確に言明していた。このことによって、三つの条約をまとめて一つの条約体制を作ろうとする姿勢は鮮明になった。

戦争の違法化はどこまで受け入れられたか

篠原の研究は、戦間期に国際法に大きな変化が起こったことを示す。一九二八年から三三年にかけて、とくに満洲事変を契機として、連盟規約、九カ国条約、不戦条約という複数の条約が一体となり新しい秩序が現れた。一方で、この一連の展開のなかには考えるべき点も残っている。すなわち、三つの条約が一体となるという変化を、アメリカや英語圏の国々だけでなく、あらゆる国が理解し、それを即座かつ明示的に受け入れたのかという疑問である。ハサウェイとシャピーロは、戦争が違法化されたときに、何によってその規則を遵守させるのか、という問いが残ったとする。英米などの「警察行動」によるのであろうか。また、「三つの条約が一体となるという新しい変化をあらゆる国が理解し、それを即座に、かつ明示的に受け入れたのか」という疑問についても検討している。この研究は、一七世紀のグロティウスから現在までの変化を検討しているのだが、両大戦間期に、戦争における勝者を正しいとみなす旧世界秩序から、新しい世界秩序への変化が起こったとしている。そして、この段階で不承認原則や戦争の違法化が全世界的に受け入れられたとは考えられないことを明瞭に示している。彼らが例としてあげ、また実際に最も問題であったのは、一時的にせよナチス・ドイツのイデオローグであった法学者カール・シュミット(Carl Schmitt)の議論である。シュミットは、戦争の違法化は「不戦条約に違反する国を万国の敵と見なすことで、かつてない可能性を開いた」と考えた。また、戦争の違法化を受け入れる国もあれば、そうでない国も混在することで、国際法が築いてきた法的秩序はむしろ破壊されると論じたのである。ハサウェイとシャピーロは、戦争違法化論争が第二次世界大戦後まで持ち越されたと考えている(ハサウェイ、シャピーロ 二〇一八：一八一一九、三〇二一三〇三、三二四一三二五頁、一一章、三九四一三九五頁、Gorman 2012: 266; 蔭山 二〇二〇：二二五、二三一、二三六一二三七頁)。

戦間期イギリスの平和主義と「平和投票」

第一次世界大戦によって九〇万人ものイギリス人が戦死し、負傷者は二〇〇万人にも上った。そのため、戦間期のイギリスにおいては平和主義が強かった。この平和主義は、戦争違法化運動と同様に平和を希求するものではあるが、同一ではない(Gorman 2012: 267)。

平和主義の淵源は、クェーカー(フレンド派、日本では新渡戸稲造が有名)などキリスト教の信仰や社会主義などにあった。イギリスでは、宗教的信条などによって戦わないという選択をする者がいることを認め、第一次世界大戦まで徴兵制ではなく志願兵制度をとっていた。大戦中に徴兵制採用のやむなきに至ったが、その際も良心的兵役拒否という選択を認めた(小関 二〇一〇)。

一九二〇年代イギリスにおいては、絶対的平和主義と平和愛好主義を分けて考える必要もなかった。しかし、三〇年代には、満洲事変、上海事変に続いてナチス・ドイツの脅威に直面し、二つは分かれていった。

一九三四年、イギリス国際連盟協会(League of Nations Union)は、連盟の活動を支持し平和の維持を訴えようと平和投票(peace ballot)を企画・実行した。国際連盟協会は連盟を支持する民間団体であり、実際に政策決定に携わったわけではない。しかし、一九三〇年代中葉までのイギリスでは広く支持を集めた団体で、パリ講和会議の国際連盟委員会で連盟立ち上げに携わったセシル卿が長く協会長を務めた。平和投票においては、協会の用意した五つの質問への回答をボランティアの運動員が全国各地で数カ月かけて集めた。これは国政選挙などでなく、純粋に民間の活動だったのだが、約一一〇〇万人もの人びとが回答をよせた。

この回答数は、イギリス人の平和維持への願いの表れであった。それだけに選挙によって選ばれた政府が、国民の意思を無視して戦争に訴える政策をとることは困難であった。つまり、イギリス国民の平和主義、平和志向は、一九三〇年代半ば以降の宥和政策と密接な関連を持つという側面があったのである(小関 二〇一〇)。

この平和投票の質問のうち、とくに焦点となるのは第五問で、国際連盟による集団安全保障を支持するか否かを問うものであった。このうち質問五Aが経済的、非軍事的方法で攻撃者を食い止めることを支持するかであったのに対し、五Bは、もし必要であれば軍事的手段を用いた集団安全保障を支持するかを尋ねていた。集団安全保障原則は、究極的には、他国の安全を保障するために軍事行動を含んだ援助義務を含む。一九三〇年代半ば、国際連盟を強力に支持したイギリス国際連盟協会は、究極的には軍事力の行使を否定してはいなかった。イギリスで最初から最後まで国際連盟を最も熱心に支持していたセシルは、絶対的平和主義者ではなく、平和愛好主義者だったと考えられる。質問五Bに対するイギリス人の支持率は五〇%程度しかなかった。他の質問に対する支持が九〇%以上だったのとは大いに異なる。つまり、この段階のイギリスでは絶対的平和主義を支持する考えも強かったのである。先にもふれたように、一九三〇年代中葉から後半にかけて、この考えはイギリスの宥和政策の下支えともなった。平和を絶対に維持しようとするのであれば、戦争は何としても避けねばならない(Overy 2010: Chapter 6)。

この後イギリスでは、ナチス・ドイツの脅威の前に、絶対的平和主義が強まるのではなく、逆に人びとの意見は苦悶のなか分離し、戦争は避けることはできないという考えも強まっていった。その契機として歴史家リチャード・オウヴァリーは、一九三六年七月に始まったスペイン内戦を重視している。イギリスの中道から左派は、旧勢力の軍部・大地主・カトリック教会に支持されたフランシスコ・フランコ(Francisco Franco)将軍側をファシズム勢力と見なし、人民戦線派が民主主義を体現していると考えた。多くの者は、スペインでファシストが成功をおさめれば、イギリスやヨーロッパ文明全体も無事ではないと考えた。作家ジョージ・オーウェル(George Orwell)を含め約四〇〇〇人が国際義勇軍に参加したのである(*Ibid.*: 337-341)。この点については、また後で戻って来ることとしよう。

五、一九三〇年代のイギリスと国際連盟

経済恐慌と連盟の社会人道面での活動

一九二九年一〇月、ニューヨークの金融街ウォール・ストリートで株価が大暴落し、世界大恐慌に発展した。英米の経済は密接につながっており、大恐慌はイギリスにもすぐ波及した。そして、前節でもふれたように、一九三一年

夏にイギリスは経済だけでなく政治も大混乱に陥った。短期の負債が金準備の倍にも達し、通貨ポンドは信用危機に陥った。一九二九年の総選挙で初めて第一党となって政権についていたのは、第二次ラムゼイ・マクドナルド(Ramsay MacDonald)労働党内閣であった。この内閣は収入と支出の均衡を求める伝統的な経済財政政策によって恐慌に対処しようとした。そして、増大する失業者という現実に個々の失業手当削減策で対処せざるを得ない状況に追い込まれ、倒れた。

その後、一九三一年八月に成立した挙国一致内閣は、マクドナルドを首相としたが、中心となったのは保守党であった。公共支出の増大によって雇用を創出するというケインズの考えはすでに表明されていたのだが、この考えを政策文書に取り込んだ自由党は二大政党制の下で第三党に転落していた。挙国一致内閣もポンド危機を容易には終息させられず、イギリスは金本位制からの再離脱を余儀なくさせられた。

混乱に陥ったのが英米だけでなかったのは言うまでもない。第一次世界大戦に関して高額の賠償を科されていたドイツの支払いは、一九三二年のローザンヌ会議で期限を設けずに中断された。賠償支払いは、アドルフ・ヒトラー(Adolf Hitler)が一九三三年に政権につくと放棄された。

世界不況を打開しようと、一九三三年六月一二日、国際連盟が主催し、六四カ国が出席してロンドンで世界経済会議が開催された。しかし、この会議はほとんど成果を上げずに閉幕した。国際的な協調による恐慌への対処も困難であった。

連盟は、次項以下で見るように、その第一の任務であった平和の維持に関して無力なことを露呈していった。ただし、社会人道面においては、一九三〇年代にも活動を続けた。たとえば保健分野では、一九三五年一〇月、アメリカ、日本など非加盟国を含む二四カ国代表の会議が開催され、ビタミンやインシュリンなど各要素の内容組成の基準統一化が行われた。一九三七年八月には、オランダ領東インドのバンドンで農村部における衛生問題を検討する会議が開かれた。

大恐慌で持ち上がった新たな問題も取り上げられるようになった。農業生産物の過剰により食物価格が低下したため生産を調整し価格を上げる政策が採られる中、多くの国で一般の人びとが栄養不足に苦しんでいた。一九三五年の連盟総会で、栄養問題に関する検討の必要が提起されると、保健機関(League of Nations Health Organization, LNHO)だけでなく、国際労働機関(International Labour Organization, ILO)、国際農業機関、知的協力国際委員会など多くの専門機関が結集して栄養問題を検討した。このうち国際農業機関は食糧農業機関(Food and Agriculture Organization, FAO)の前身である。また、知的協力国際委員会は、文化財の保護や、知識人による国境を越えた対話といった努力を続け、第二次世界大戦後にはユネスコにつながった(篠原 二〇一〇：二三八―二四八頁)。

日本の国際連盟脱退

一九三一年九月に関東軍が引き起こした満洲事変については、不戦条約との関連で触れた。この後、リットン調査団の報告書をもとに作成された連盟の報告書を不服として、一九三三年二月、日本は連盟からの脱退を決意し、三月二七日にそれを通告した。

日本は確かにリットン調査団報告書に不満であった。しかし、実は一九三三年二月の閣議決定直前まで、連盟を脱退する必要はないと判断し、そのつもりもなかったのである。ただし、問題は同年一月以来の熱河攻撃であった。熱河は「満洲」ではない。連盟規約一二条には「連盟理事会の報告後三月を経過する迄、如何なる場合に於ても、戦争に訴えざることを約す」とある。したがって、連盟規約一五条に基づく連盟決議を受け入れたのちに日本軍が熱河攻撃を再開した場合、日本は連盟規約一二条、一六条により制裁を受ける恐れがあった。この制裁を避けるために日本は連盟を脱退したというのである(井上 一九九四、加藤 二〇〇七：一六二―一六八頁)。制裁を受けることは堪え難い不名誉であった。

このような日本の脱退はドイツのそれとは異なる経過をたどったことも注目される。ドイツはロカルノ条約後、一九二六年に国際連盟に加盟し常任理事国となっていた。しかし、一九三三年一月、世界恐慌による民衆の不満を吸収したナチスが政権を掌握すると、ＩＬＯから脱退、一〇月には連盟脱退を通告し、即座にすべての組織への参加を打ち切った。

一方、日本は、連盟規約一条が「二年間の通告期間の後脱退できる」と規定していたので、一九三五年三月二六日までは連盟加盟国にとどまった。さらに、脱退通告に前後する一九三三年二月と三月の閣議で、総会、理事会という政治的組織への参加は打ち切るものの、ＩＬＯ、世界経済会議、軍縮会議、および国際協力関係の委員会には継続して出席することを決定していた。三五年四月以降も、日本の代表は保健問題などの委員会、会議には出席し続けた。日本が最終的にすべての連盟機関と関係を断ち切ることを通告したのは、日中戦争勃発後、三八年一一月二日であった。この翌日に、東亜新秩序声明を出した。

一九三三年三月以降も日本が連盟との関係を即座に打ち切ろうとしなかったことに関しては、委任統治領を維持しようとしたためと言われてきた。実際日本の脱退通告のころ、イギリスも委任統治の問題を検討した。その上で、この問題を提起することはせず、他の国に任せると決めていた。その理由は、第一に、委任統治の受任国を決定したのは国際連盟ではなく、パリ講和会議に参加した戦勝国だったことである。第二に、連盟規約二二条は非連盟国が受任国となることを妨げてはおらず、アメリカも一時アルメニアの受任国候補となっていたことがある。結局、この問題を取り上げる国はなかった。ドイツも三五年三月に日本の委任統治領に対する主張を放棄した(等松 二〇一一：第三章)。

イギリスやフランスは、日本の連盟脱退通告後も正式脱退までは日本の動向を慎重に見極めようとし、日本が翻意して連盟にとどまるためのドアを閉ざさないようにしていた。というのも、連盟脱退を通告した国は日本が初めてではなく、ブラジルなどの先例があったからである。連盟理事会の常任理事国や非常任理事国であることを自らの国際社会における地位の証と考える国は多く、ブラジルもその一つであった。一九二六年にドイツが常任理事国として連盟に加盟すると、ブラジルは自らも常任理事国となることを望んだ。そして、その希望が入れられないと憤然と連盟を脱退したのである。また、スペインやメキシコのように、脱退通告はしたものの、二年の期間が経過する以前にそれを撤回した国もあった(Goto-Shibata 2020: Chapter 6)。

そのため、一九三五年三月に日本の脱退が確定するまで、特に一九三四年中には、イギリスやフランスには日本が翻意して連盟にとどまるのではないかという期待も存在していた。一九三四年にはイギリス大蔵省が日本との関係改善を模索したり、イギリス産業連盟が日本に使節団を派遣したりしている。日本との関係改善を探る動きは、このような、日本がまだ連盟にとどまっていた時期に出てきていたのである。(4)

一方、一九三〇年代半ばには、のちの同盟関係が形成されていなかったことも注目される。この時期のドイツやイタリアは、ともに中国との関係の方が密接であった。ドイツは中国に軍事顧問団を派遣していたし(田嶋 二〇一三)、イタリアも武器売却を狙って、日本の連盟脱退通告後、非常任理事国、あわよくば常任理事国の地位を望んだ中華民国を積極的に支持していた。

もし日本がこの時期に対中政策を見直すことができれば、どうなっていただろうか。日中戦争から第二次世界大戦へと一直線に破局へ突き進んだわけではなかったであろう。あれほど多くの人々が亡くなることはなかったかもしれない。しかし、うまく停止・後退することは、前進するより難しい。現実には、連盟脱退通告後に、日本の姿勢は硬直性を増していった。一九三三年六月には重光葵が外務次官となり、九月には広田弘毅が外務大臣に就任した。どちらも全く国際主義者ではなく、中国との二国間交渉を考えていた。一九三四年四月には、日本以外の国々が中国に関与することを否定する天羽《あもう》声明が出された。これは、重光の対中政策にのっとったものであったことが明らかとなっている(冨塚 一九九九)。また、日本はイギリスの歩み寄りにも応ずることはなかった。国際連盟や国際協調に好意的であった者は、意思決定の場から遠ざけられていった。

ドイツ総統ヒトラーの侵略の野望はソ連に敵対する方向性を持っていた。ソ連にとっては、ナチス・ドイツと日本に挟撃されることが危惧の種であった。マクシム・リトヴィノフ(Maxim Litvinov)ソ連外相は、資本主義国との協調関係構築に乗り出し、三四年九月には国際連盟に加盟し(木畑 一九九八:二一頁)、常任理事国となった。この段階で、国際連盟の常任理事国は英仏伊ソとなった。一方、主要大国では米日独が連盟外となった。

イギリスは共産主義のソ連を信用していなかった。ソ連の国際連盟加盟の直前にイギリス海軍省は危惧の念を外務省に書き送っていた。第一次世界大戦後の平和主義と軍縮によって、イギリスの東アジアにおける軍事力は低下の一途をたどっており、すでにふれたように、日英同盟廃棄後も中国ナショナリズムの高揚に対しては、日本の軍事力に期待していた。そのようなイギリス海軍省の危惧は、万一連盟国ソ連と非連盟国日本の衝突が起こり、国際連盟が制裁を科す場合、イギリス海軍は日本軍に対峙する矢面に立たなければならないのではないか、ということであった。これはまさにイギリス海軍が避けたいと考えていたことであった(Steiner 2005: 351; Goto-Shibata 2020: 141-142)。

侵略の連動と国際連盟の権威失墜

満洲事変は国際連盟、ひいては国際平和を破壊する導火線となった。木畑洋一は、日本の満洲侵略が十分な制裁を受けることなく、日本の連盟脱退で終わったことが、イタリアのエチオピア侵略へ連動していったと見ている(木畑 一九九八:四、二三頁)。以下、そのプロセスを見ていこう。

一九三五年初め、ザール地方で住民投票が行われ、圧倒的多数でドイツへの帰属が決定された。三月、ヒトラーがドイツの再軍備を宣言すると、対抗して、四月、英仏伊の首脳は北イタリアのストレーザで会談を開き、ドイツのヴェルサイユ条約違反への抗議を表明した。これは「ストレーザ戦線」として喧伝されたが、一方でイギリスは、ドイツと海軍に関する交渉を進め、六月に(ドイツの再軍備を追認するように)イギリスの三五％の海軍力保有を認める英独海軍協定を締結した。「ストレーザ戦線」は崩壊してしまった。

すでに一九三四年末には、エチオピアとイタリア支配下のソマリランドの間で国境紛争が起こっていた。エチオピアは国際連盟加盟国であり、皇帝ハイレ・セラシエは連盟に提訴したが、イタリアは調停を拒否し、三五年一〇月二日、エチオピアに対する攻撃を開始した。このとき国際連盟はイタリアに対する経済制裁を決定したのだが、石油が禁輸品目から外された。また、アメリカはイタリアによるエチオピア征服を承認しなかったものの、経済制裁には参加しなかった。これらの結果、制裁は不徹底で効果のないものとなった。

一二月、イギリスのサミュエル・ホーア(Samuel Hoare)外相とフランスのピエール・ラヴァル(Pierre Laval)外相は、ロカルノ条約参加国であるイタリアとの関係維持を望み、後者の行動に事実上の了解を与えるような協定を結ぼうとした。ホーアとラヴァルのこの企ては情報が漏洩して挫折したが、三六年五月、イタリアはエチオピアの首都アジスアベバを占領し、全土を併合した。この事態を前に連盟は、七月、イタリア制裁を解除するという決断を下した。失望が広がり、連盟が国際紛争を解決することに対する信頼は完全に消滅した。

一方、三六年三月、ドイツに備える仏ソ相互援助条約が批准された。ヒトラーは激怒し、ドイツはロカルノ条約遵守の義務から解放されたとして、非武装地帯に指定されていたラインラントに軍隊を進駐させた。国際連盟の無力さはイタリアのエチオピア侵略を防げなかったことですでに明らかとなっていたが、ラインラント進駐によってヴェルサイユ体制、ロカルノ体制は実質的に崩壊した。

一九三六年七月、スペイン内戦が勃発した。すでにふれたように、これはイギリス国民の多くに、戦争は避けがたいとの心の準備を促したが、一方で、イギリス政府の姿勢は煮え切らないものであった。内戦が実際に始まる前の六月には、共和政府への武器禁輸を決定していた。共和派の勝利によってスペインで共産主義が強まるのを恐れての決定であった(Overy 2010: 320)。

この一九三六年に、日本は、それまで必ずしも密接な関係があったわけではないドイツ、イタリアと接近していった。それまで両国とも中華民国寄りで、むしろイギリスやフランスの方が、イタリアの姿勢を中国への武器売却のためと考えるなど慎重であった。当時、何千人もの日本人がエチオピアに移住してアヘンの原料となるケシを栽培するという情報が繰り返し流れたが、その源はイタリアではないかと疑われた。日本と結びつけることでエチオピアの信用を落とそうとしているものと考えられた(5)。三〇年代中葉までのドイツにとっても中国は最大の武器輸出先で、軍事顧問団も派遣していた。一九三四年の天羽声明の際、東京駐在ドイツ大使は、声明がドイツに向けられたものではないかと考えたほどであった。

イタリアは国際連盟の経済制裁によってそれなりの打撃を受け、ドイツに接近した。三六年一一月にベニト・ムッソリーニ(Benito Mussolini)は、ローマ＝ベルリン枢軸がヨーロッパ国際関係の中心だとの声明を発した。同じ月、日独防共協定も締結された。

一九三七年五月、国際連盟は外国勢力のスペインからの退去、および、四月二六日のゲルニカなど市民を巻き込む空爆に対する非難を全会一致で決議したが効果はなかった。イギリスでも空爆は大きな非難をよび、一九三八年二月にはセシル卿らが両陣営に市民への爆撃をやめるよう訴え、多くの賛同を集めた(Overy 2010: 334-6)。

東アジアでも空爆が民衆に大きな被害を与えることとなった。一九三七年七月七日、北平(中華民国が南京を首都としたため北京はこう改称された)郊外の盧溝橋で起こった偶発的な発砲をきっかけに日中戦争が勃発したのである。現地では停戦協定が結ばれたが、日本から軍が増派され、八月には上海でも戦闘が始まった。短期間で勝利をおさめられると考えていた日本軍は、なかなか中国軍を屈服させることができなかった。その一つの要因は、中国軍がドイツの軍事訓練を受け、ドイツ式装備をしていたことであった。上海戦は一〇月までかかった。日本軍兵士は帰国を熱望したのだが、そのまま南京攻略へと向かわされた。日本軍は、精神的荒廃、軍紀の弛緩により、多数の捕虜や市民を殺害する虐殺事件を起こすこととなってしまった。

また、この年、日独防共協定はイタリアが加わることで三国防共協定に拡大した。イタリアは年末には日本、ドイツに続き連盟脱退を通告した。連盟は加盟国が支払う分担金で運営されていた。常任理事国であったイタリアの分担金は大きく、財政的にはこの脱退が連盟にとって最終的な打撃となった。

なお、イタリアの脱退により、残された連盟常任理事国は、英仏およびソ連となった。一方、中華民国は一九三六年に臨時非常任理事国の地位を獲得していた。一九三九年に第二次世界大戦が勃発すると、その後の非常任理事国選挙は行われないままとなった。結局中華民国は、国際連盟創設から一九四六年四月の正式解体まで一貫して連盟加盟国であり続け、その最後の一〇年間には、連盟自体がすでに弱体化、無力化していたとは言え、非常任理事国の地位を保持し続けたのである。

イギリスの宥和政策

一九三七年五月二八日、ネヴィル・チェンバレン(Neville Chamberlain)がスタンリー・ボールドウィンを引き継いでイギリス首相となった。すでに彼は六〇歳代後半で、一九二〇年代には保健大臣、一九三〇年代には大蔵大臣として実績を挙げていた。

しかし、チェンバレンが首相になったとき、イギリスの左翼は、すでに彼に対して深い嫌悪を感じていた。彼らは、国際的な協力によるドイツの抑止、とくにソ連との協力を望んでいた(Overy 2010: 343, 352)。しかし、イギリス挙国一致内閣は保守党を主力とする政権で共産主義に対する不信は深く、ソ連との協力の可能性はほぼなかった。フランスにおいてもスターリン体制への嫌悪感が強かった。

チェンバレンは、ソ連だけでなく、アメリカやフランスも信頼していなかった。アメリカは国際連盟を設立したものの加盟しなかったように口先ばかりで、その外交政策は極端から他の極端に振れると考えていた。フランスに関しても政権が安定することのない国で、その外交政策は内政に振り回され現実的でないと考えていた。

翌三八年三月、ナチス・ドイツはオーストリアを併合し、九月にはチェコスロバキアの中で三〇〇万人のドイツ系住民がいたズデーテン地方の割譲を要求した。イギリスの人々は戦争が勃発することを予想して身構え、第一次世界大戦が終結してから約二〇年の平和主義は実を結ばず、ヨーロッパ文明も終わりが近いと暗澹たる思いであった。しかし、戦争を受け入れる心の準備ができていたわけではなかった。ミュンヘンで会談が行われるとの報は、人々を安堵させたというのが実際のところであった(*Ibid*.: 345-347)。

九月、英仏伊三カ国の首脳は、ムッソリーニの仲介によりミュンヘンでヒトラーと会談し、ナチスの要求を認めることとなった。当事者であるチェコスロバキアは会談に参加することすらできなかった。このように譲歩によってイギリスが介入する必要を避け、大規模な衝突を避けようとする政策は、宥和政策(appeasement)として知られる。

宥和政策の失敗はすぐに明らかとなった。ヒトラーはこの譲歩に満足せず、三九年三月、チェコスロバキアのズデーテン地方以外の部分も支配下に置いたのである。イギリスは宥和政策の限界を認め、ドイツとの対決路線に転換した。イギリスの世論もドイツを敵視するようになっていた。

その後、特に一九五〇年代にかけて、ネヴィル・チェンバレンらの宥和政策は、ヒトラーのような「悪魔」と取引しようとした愚か者の政策とされたし、現在でもアピーズメント、アピーザーというのは上記の行為やそれを行う人を非難する言葉である。

有和政策は明らかに失敗した政策である。そしてチェコスロバキアなど弱者に犠牲を強いているという大きな問題は決して見過ごすことができない。ただし、一九六一年に歴史家A・J・P・テイラー(Alan John Percivale Taylor)が『第二次世界大戦の起源』のなかで宥和政策を全面的に否定する考え方に疑問を呈して以来、宥和政策が採られた理由に目を向ける研究も多く著されてきた。

なぜ宥和政策は採られたのであろうか。第一に、イギリスに関しては、交渉によって戦争を避けようとする政策自体には一九世紀以来の伝統があった。第二に、イギリスでは共産主義のソ連だけでなく米仏に対しても不信があり、協力してヒトラーに対峙する方針は追求されなかった。第三に、戦間期イギリスでは平和主義が強かった。ネヴィル・チェンバレンが平和を求めたことには疑いはないだろう。深刻な問題は、そのために弱小国や地域を犠牲にしてしまうということであった。

さらに第四に、イギリスの経済状況は悪かった。宥和政策を採らないのであれば戦争のための軍備増強が必要であったが、それには増税か政府による借り入れが必要で、どちらもイギリス経済をいっそう疲弊させると考えられた。さらに、イギリスの軍事力、軍需産業も弱体化していた。チェンバレンは一九三四―三六年に大蔵大臣として、国民が受け入れやすいと考えた空軍力の強化は開始していたが、再軍備がある程度進むまで、戦争突入を決断することは困難であった。

第五に、国際情勢の面でも制約があった。一九世紀以来、イギリスは東ヨーロッパには介入しないのが通例であった。また、世界の陸地の四分の一近くを支配していたイギリスにとって、問題はドイツには限られなかった。東アジアには日本の脅威があり、日本に対して艦隊を送ろうにも地中海にはイタリアがあった。植民地に関しても、ヨーロッパでの戦争に対処するためインドから軍隊を出せば、インドの情勢がいっそう悪化するのではないかと危惧された。インドでは、すでに、南アフリカにおけるインド人移民への差別撤廃を求めたM・K・ガーンディー(Mohandas

Karamchand Gandhi)が帰国し、指導者として人々を引きつけ、非暴力抵抗運動を展開していた。また、国民会議派のジャワハルラール・ネルー(Jawaharlal Nehru)などは、イギリスからの完全独立を求めていた。

チェコスロバキアの危機、それに続く宥和政策の明らかな失敗は、結果として、すでにスペイン内戦がイギリス人の中に芽生えさせていた、戦争は避けがたいという覚悟を強めることとなった。遠く離れた東ヨーロッパでの問題というよりは、イギリス自体やヨーロッパ全体を覆う大きな不安を解消するためには、戦争という手段以外ないと認識されたのであった(Overy 2010: 347)。

オーストリアで少年期を過ごしたユダヤ系イギリス人の歴史家、エリック・ホブズボーム(Eric Hobsbawm)は次のように書いている。

一九三九年に私と同時代の人びとは、次の戦争が起これば死ぬだろうと無理もなく思ったが(中略)そうした思いも、戦争はしなければならないし、勝つであろうし、それはよりよい社会へとつながるだろうと私たちが考えるのを止めなかった。

(ホブズボーム 二〇一五:二二三頁)

そして最終的には、宥和政策を主導したチェンバレン自身も、戦わざるを得ないという悲痛な決断をしたのであった。

アジアに関して、イギリスの人々は、一九三七年の日中戦争勃発以降には中華民国支援に固まっていった。三八年二月に外務大臣となったハリファクス卿(Lord Halifax)は、中国に対する爆撃など日本の行動に強い反感を表明していた。ただし、イギリスは、東アジアで日本軍に実際に対抗する軍事力がないということで譲歩を続ける局面もあった。たとえば、一九三九年に日本が天津の租界を封鎖した際の対応などは譲歩の例である。

その一方で、西洋諸国は歴史的に中国の軍事力を低く見てきた(Spence 1998)。その中国になかなか軍事的勝利をおさめることができないことから、イギリスは日本の軍事力を過小評価するに至っていた。日本は東アジアでは優勢かもしれないが、イギリス自らを含むヨーロッパの一級の軍隊と対峙すれば、所有兵器も時代遅れで相手にならないというのであった。また、イギリスは、まさに日本自身が自らの劣勢に気づいており、英米に対しては慎重な方針をとるであろうと信じていた。

六、第二次世界大戦と国際連合の設立

第二次世界大戦

一九三九年九月一日、ドイツはイギリスの領土保全保障を無視してポーランド侵攻を開始した。すでにイギリスの多くの人々は戦争が起こることを疑わず、身構える状態にあった。九月三日、イギリス、フランスがドイツに対して宣戦布告を行い、第二次世界大戦が勃発した。九月一七日、ソ連は東側からポーランドに侵攻した。また、一一月三〇日には一二〇万の大軍でフィンランドを攻撃したため、同年一二月に緊急に開催された第二〇回国際連盟総会で、連盟を追放されることとなった。連盟を追放された唯一の国である。

イギリス帝国に関しては、南アフリカを含むドミニオンも再びイギリスとともに戦争に突入した。ただし、アイルランドは中立を守り、国際連盟もアイルランド人のショーン・レスター(Sean Lester)が、事務総長代理として少数の職員とともにジュネーヴに留まった。一方、連盟の経済財政部はアメリカのプリンストン大学高等研究所に資料とともに避難し、ＩＬＯはカナダのモントリオール、アヘン麻薬取締関連の機関はワシントンＤＣに移動して活動を続けた。

英仏に関しては、開戦後半年ほどほぼ戦闘が行われない「奇妙な戦争」の時期が続いた。一九四〇年四月、ドイツは北欧、オランダ、ベルギー、フランスへの攻撃を開始し、有利に戦闘を展開した。五月、チェンバレンに代わって

チャーチルが首相に就任した。しかし、ドイツの優勢は続き、イギリスはダンケルクから大陸を撤退した。フランスは、六月半ばにパリを占領され、第一次世界大戦の英雄フィリップ・ペタン(Philippe Pétain)元帥を首相とする政府が独仏休戦協定を締結した。この政府は中南部のヴィシーに移転してフランス南部を統治したが、ドイツへの従属を強めていった。またイギリスは、七月からは各地にドイツ空軍の激しい空襲を受けた(ブリテンの戦い)。

一方、アメリカは、一九三五年には、イタリアのエチオピア侵略から発展したヨーロッパの危機に巻き込まれることを危惧して、交戦国に兵器、弾薬の輸出を禁止する中立法を制定していた。しかし、その後の国際情勢の悪化に直面し、国際法上での中立の考えの変化を受け入れ、不戦条約に違反する侵略者と犠牲者を区別する方向に進み、反侵略の側に立って連合国を支援し始めた。三九年一一月には、フランクリン・ローズヴェルト(Franklin Roosevelt)大統領の後押しによって中立法の改正が実現した。四一年三月、武器貸与法が成立すると「アメリカは補給品を売却したり、貸与したり、譲渡したりする際に、交戦国を差別できるようになった」。「アメリカの工業生産はほぼ無制限にイギリスの戦争遂行のために利用可能となった」。アメリカはアジアでも中立の新たな考えに基づく行動をはじめ、日本がフランス領インドシナ南部に侵攻すると、七月、自国内の日本の資産を凍結し、日本への石油輸出を禁じた(ハサウェイ、シャピーロ 二〇一八：二五一、二五四、三三三頁、ウェスタッド 二〇二〇：上巻六六頁)。

一九四一年一二月八日(アメリカ時間では七日)、日本軍はマレー半島東岸のコタバルに奇襲上陸し、またハワイ真珠湾のアメリカ軍基地を空襲した。イギリス単独で大戦に勝利することは不可能で、アメリカの参戦が必要と考えていたチャーチルは、「これでイギリスは勝った」と歓喜したのである。チャーチルは一九世紀後半の英米の人的接近の典型例で、母はアメリカ人であり、チェンバレンと異なってアメリカに強い親近感を抱いていた。しかし、イギリスは最終的な勝利の前に、一二月二五日には植民地としていた香港を、翌年二月一五日にはシンガポールを日本に占領された。シンガポールの陥落は、イギリス帝国史においてはアメリカが独立して以来の衝撃であったと言われる。

帝国間の戦争としての側面

日本軍は英領マラヤに入ると、その背後にあることからもビルマを押さえることを考えた。イギリスは山、ジャングルと海に囲まれたビルマの防衛について全く心配していなかった。そのため、日本軍がタイから、通行不能と考えられてきたジャングルを通ってビルマに進入すると、イギリス帝国側は敗走を重ね、一九四二年五月には、全ビルマが日本軍に占領された。中華民国支援のためのビルマ・ロードは閉鎖され、総督はじめビルマ政庁はインド西北部の高原の町シムラへ逃れた。

一九四四年三月六日、牟田口廉也中将率いる日本の第一五軍は、英領インドのコヒマや英領インド最東の基地インパールを補給や地形の問題を無視して攻撃する無謀な作戦に乗り出し、惨敗を喫した。クリストファー・ベイリーとティム・ハーパーによれば、日本に対する戦闘ではビルマの少数民族であるチン、カチンやナガの人びとが重要な役割を果たしたという。ナガは日本軍には意図的に誤った情報を渡した。また、日本軍は少数民族を遅れた人びとと見なし、彼らが陣地の回りを歩き回っても意に介さなかった。その結果、ナガの中には日本軍の作戦地図を持ち出してイギリスに渡すことができた者もいたという(Bayly and Harper 2007: 384-387)。この少数民族に対する認識の欠如もまたひとつの「東南アジア占領史の展開に内在する帝国・日本解体の契機」であろう(中野 二〇〇六)。

日本軍が補給を軽視したことはよく知られている。また、第二次世界大戦当時の東南アジア地域は、マラリアなどの伝染病が広く存在していた。マラリアに関しては旧台北帝大などに研究の蓄積があったが、日本軍はそれを生かすことができなかった。日本軍には医薬品もなく、軍事的敗北だけでなく、コレラやマラリアなどの病気によっても士気は低下していった。これに対しビルマ戦線のイギリス帝国軍は、大戦中のカナダやアメリカでの熱帯医学発展の恩恵を被り、一九四二年のビルマ撤退時には二〇%超だった罹病率が、ビルマ再侵攻作戦の際には六%まで低下していたという(Bayly and Harper 2007: 378, 382)。

さらに、「誰が戦ったのか」ということに目を向けると、帝国の戦いを反映して戦闘には多様な人びとが参加していた。日本軍には朝鮮半島や台湾の出身者がいた。また、ビルマ国軍(ただし後に立場を変える)、インド国民軍(Indian National Army)も日本側に立っていた。従属地域の人びとから見れば、ファシズム諸国であろうと、反ファシズム列強であろうと、その差は大したものではなく、自分たちの目的達成にどちらが役立つかという判断の方が重要で、占領者、支配者に対する彼らの対応は複雑な様相を見せた。

イギリス帝国軍の七〇%はイギリス人ではなかった。インド、グルカ、カチン、チン、シャンなど南・東南アジアの人びとに加え、ナイジェリアやガンビアなど西アフリカの兵士も加わっていた。先にも触れたように、ビルマにおいてマラリアは大きな問題であり、これにアフリカ人は比較的耐性があると考えられていたのである。西アフリカ出身兵の戦闘能力も高く評価されていた(平野 二〇一一:二二四―二二七頁、Bayly and Harper 2007: 276, 294, 383-384)。戦いは苛烈をきわめ双方とも捕虜をとろうとせず、敵を徹底して殺したという。また、アフリカ兵が入隊した理由には教育の不足による無知や貧困があったという。[6] さらに彼らは現地調達を余儀なくされ、窃盗行為も多かったという。

戦争は帝国支配を揺るがしていた。一九四二年春、庶民院の調整役である院内総務のスタフォード・クリップス(Stafford Cripps)を団長とする使節団がインドに派遣され、戦後の独立付与に向けての方針を示した。インドでは国民会議派が戦争協力拒否の方針をとり、ガーンディーは「インドを出て行け(Quit India)」という運動を開始した。

一九四五年五月、イギリスはラングーン(現ヤンゴン)を奪回した。しかし、イギリスには、東南アジアでの威信と影響力を自力で回復する機会は訪れなかった。日本軍はビルマの中でも南部のテナセリムなどに残っていた。イギリス帝国軍が前進する機会の到来する前に、八月六日アメリカは新型爆弾を広島に投下した。翌日、ソ連が中国東北部に侵攻、九日、アメリカは二発目の原子爆弾を長崎に投下した。日本は無条件降伏し、九月二日、マレー半島のペナンでも降伏文書に署名した（Bayly and Harper 2007: 383）。

戦後国際秩序の模索

遡って一九四一年八月、アメリカのローズヴェルト大統領とチャーチル英首相が大西洋ニューファンドランド沖の軍艦上で会談し、大西洋憲章として戦争目的を表明した。この段階でアメリカは非交戦国ではあったが、三月に武器貸与法を成立させてイギリスや中国に対する援助を開始し、すでに完全に中立というわけではなかった。

大西洋憲章はその第八条で武力行使の放棄に言及していた。一方、その第三条は、すべての人に政府形態を選ぶ権利を認め、主権および自治を強奪された人びとにそれが回復される希望を表明していた。これはイギリスの帝国支配にも重大な問題を突き付けたがチャーチルはその事実に目を向けようとしなかった。大西洋憲章は、パール・ハーバーの後、一九四二年一月にソ連や中華民国を含む二四カ国が参加することで強化され、全二六カ国の連合国（ユナイテッド・ネイションズ）共同宣言となった。

イギリスやアメリカとソ連は、一九四一年六月にドイツが独ソ不可侵協定（三九年八月締結）を破ってソ連を攻撃し（バルバロッサ作戦）、一二月日本がアメリカを攻撃したために同盟国となった。それは直接の脅威を打倒するという現実の要請によってもたらされた妥協の産物としての結びつきであった（ウェスタッド 二〇二〇：上巻六二－六三頁）。

ローズヴェルトは、中華民国を大国の一つとして取り扱い、早くも一九四一年九月には「四大国」という観念を使い始めていた。一九一二年に清が倒れ、共和国が設立されて以来、アメリカでは、導き保護すべき中国というイメージが育っていた。外交のレベルでは、ウェリントン・クー、ヴィクター・フー（Victor Hoo, 胡世澤）など、英語を流暢《りゅうちょう》に話し、英語名を用いる外交官が中国と西洋キリスト教社会との近接性を印象付ける役割を果たしていた。外交官の息子としてワシントンＤＣに生まれ人生の大半を中国国外で過ごしたフーと、大戦中に中華民国外交部長を務めた宋子文は、中国語ではなく、英語で会話をしていたという。

イギリスは、チャーチルもアントニー・イーデン(Anthony Eden)外相も、中国を大国として考えることに賛成ではなかった。中華民国に対する見方は英米で異なっていた。しかし、大戦遂行のために英米関係を何よりも重要視する以上、イギリスがアメリカの中国びいきに異を唱えるものではなかった。

一九四二年前半まで戦局は日独伊の枢軸国側に有利であったが、四二年半ばには転換した。太平洋では、六月、日本軍がミッドウェイ海戦で敗北を喫し、四三年二月には死闘の末ソロモン諸島のガダルカナル島から敗退した。一方、四二年秋には英米の連合軍が北アフリカでの反撃に成功し、四三年一月にはソ連軍がドイツ軍をスターリングラードで打ち負かした(後藤 二〇二〇:一四六―一四七頁も参照されたい)。同年九月、イタリアは連合国に降伏した。

大戦中から、連合国側では戦後国際秩序の構築が始まっていたことも目を見張らされる動きである。四三年一〇月から一二月にかけてのモスクワでの連合国外相会談とテヘラン会談を経て、新しい国際機関設立の気運が盛り上がっていった。

翌一九四四年八月二一日から一〇月七日にかけて、ワシントンDC郊外のダンバートン゠オークス邸にアメリカ、イギリス、ソ連、中華民国の代表が集まり、国際連合憲章草案が作成された。議長はアメリカの国務次官エドワード・ステティニアス(Edward Stettinius)、ソ連代表はアンドレイ・グロムイコ(Andrei Gromyko)駐米大使、中華民国代表はクー駐英大使であり、イギリス代表団は九月末までアレクサンダー・カダガン(Alexander Cadogan)事務次官、次いでハリファクス駐米大使が率いた。

ソ連が中国を大国として扱うことを拒否したため、ダンバートン゠オークス会談は二つに分けられ、九月二八日までの第一部には、アメリカ、イギリス、ソ連が参加した。ソ連にはアメリカの保護を受けた上で強い中国を望む意思はなく、また、共産主義に反対する蔣介石の権威を高める気もなかった。ソ連はまた、国際連盟以来の経済社会面での協力に関しては、資本主義国がその種の問題を解決できるはずはないとの考えから冷淡であった。ただし、経済社会面での問題についての議論を拒否することはしなかった。

アメリカ、イギリス、中華民国が参加するダンバートン゠オークス会談第二部は九月二九日に始まり、一〇月七日まで続いた。中国はソ連とは異なり社会面や文化面での協力に関していくつか提案をした。これは、他の大国が中国にこの分野ではある程度の役割を果たさせたという面と、中国自身がこの分野への関心を示すことの自らへの利点、プロパガンダ効果を理解していたからであった(Ma 2014)。

ダンバートン゠オークス提案検討のため、翌一九四五年四月二五日から連合国五〇カ国が参加してサンフランシスコで「国際機構に関する連合国会議」が開かれた。ナチス・ドイツの崩壊が目前に迫り、世界の目を太平洋や日本に向けるためにもサンフランシスコは適した場所であった。ここで忘れてはならないのは、ユナイテッド・ネイションズは当初枢軸国に対する「連合国」を意味したことである。中国では現在でも「連合国」と訳されている。日本は国際機関に関しては「国際連合」と訳し分け、日本国内に向けては、この機関の起源と自らの関係をぼかしている。

六月二六日、サンフランシスコ会議総会で武力行使の一般的禁止・集団安全保障を定める国際連合憲章が調印された。憲章第二条第四項は、戦間期の戦争違法化への流れを受け、すべての武力行使を禁止した。憲章五一条は武力攻撃が発生した場合の個別的・集団的自衛は認めているが、攻撃がなくなれば自衛のための戦いもなくなると期待されていた。また、国際連盟の経済社会面での活動を受け、経済社会理事会を国連の主要機関の一つとすることも定められていた。

中華民国は、五大国の一つとして、調印に際し最初にサインする栄誉を与えられた。五大国とは、すなわち四大国とフランスであった。フランスは一九四〇年六月にドイツに敗れ、第二次世界大戦中にはパリを含む国土の半分以上がドイツの占領下に置かれ、中南部の町ヴィシーにドイツに協力する「フランス国」が存在したのみであった。それでもフランスが五大国に含められたのは、米ソとのバランスを求める、自らも国力の低下したイギリスの要望によるものであった(宮下 二〇一六)。

おわりに――大戦終結から戦後の世界へ

サンフランシスコ会議の最中、五月八日にヨーロッパでの戦争が終結する(VEデイ、Victory in Europe)と、アジアでの戦争はまだ続いていたものの、イギリスでは新しい世界や生活への期待が高まっていた。七月五日に総選挙が行われ、その結果は、国外の兵士の投票を回収したためポツダム会談最中の七月二六日に明らかとなった。選挙結果を見届けるために短時間のつもりで帰国したチャーチルは、ポツダムに戻ることはなかった。新しくイギリス首相となったのは労働党のクレメント・アトリー(Clement Attlee)だった。選挙結果は、労働党の地滑り的大勝利だったのである。チャーチルは戦争遂行には有能なリーダーであったが、大戦中の一九四三年に出された戦後イギリスの福祉を構想するベヴァリッジ報告書にもほとんど興味を示しておらず、戦後の新しい生活を託すことはできない人だと選挙民に判断されたのである。

一九四五年一一月二〇日、ドイツのニュルンベルクに国際軍事裁判所が設置され、戦時国際法違反のほか、大戦末期に新たに設定された「平和に対する罪」や「人道に対する罪」が裁かれた。「平和に対する罪」の根拠となったのが、一九二八年の不戦条約であり、裁判に向けて不戦条約の法的効果についても議論がさらに積み重ねられた。

この後、主権を持った大国間の戦争は稀になった。しかし、残念ながら、戦争が違法化されたといっても違法行為をする国が全くなくなったわけではなく、世界は平和になってはいない。冷戦の時代が長く続き、国連憲章の武力行使禁止原則にも様々な例外が主張されてきた。戦間期に戦争の違法化を推し進める過程では、国際法を重視したアメリカの役割が大きかったのだが、第二次世界大戦後のアメリカでは、法よりも政治を重視する現実主義的外交論が力を強めた。戦勝国側の一九二八年以前の戦争による獲得領土支配も継続し、それに対し政治的独立を求める闘争が展開された。また、脱植民地化、冷戦終結の後も、貧困、経済格差などを理由にした激しい内戦が長く続いている国もある。さらに、内戦とはいっても外国勢力が関与したり、国境を越えたりする場合もある(アーミテイジ 二〇一九)。これらの問題については第二二巻以降で取り扱われるであろう。

注

(1) 一九〇七年にハーグで開かれた第二回万国平和会議で「開戦に関する条約」が成立し、事前通告のない開戦は規制されることとなる(藤田 一九九五:二二―二四頁)。

(2) 多くの文献がこの事実を指摘している。とりあえず、Burbank and Cooper (2019: 99-100)。

(3) なお、本稿では、これまでの拙稿に基づく記述について細かい注記は省略している。

(4) 一九七〇年代、八〇年代の日本の研究では、この二つの事例と一九三五―三六年のリース゠ロス使節団来日を含めて「極東の宥和」だったのではないかと論じられた。近年、アントニー・ベストはイギリスが自身や中国の利益を犠牲にすることはなく、「宥和」とは考えられないと論じている。Best (2013)参照。

(5) The National Archives, Kew, Foreign Office papers, FO371/13172, F2769, Barton to Orde, 4 Apr. 1935. 後藤(二〇〇五:一六二頁)も参照。

(6) Barkawi (2004)は、なぜそれ程凶暴な戦闘が行われたのかについて考察している。凶暴さは日本軍だけではなく、イギリス帝国軍も同様であったとし、その理由をエスニシティに求めるのではなく、双方の行為が相手によって極限にまで推し進められたこと、イギリス帝国軍の場合は、識字率の低かった新参兵士に対するプロパガンダによって日本への敵意が高められたこと等を指摘している。参戦したアフリカの少年兵を題材にした小説として、Bandele (2008)。

参考文献

アーミテイジ、デイヴィッド(二〇一九)『〈内戦〉の世界史』平田雅博・阪本浩・細川道久訳、岩波書店。

石本泰雄(一九九八)『国際法の構造転換』有信堂。

井上寿一(一九九四)『危機のなかの協調外交――日中戦争に至る対外政策の形成と展開』山川出版社。

ウェスタッド、O・A(二〇二〇)『冷戦――ワールド・ヒストリー』上・下、益田実・山本健・小川浩之訳、岩波書店。

大久保明(二〇一八)『大陸関与と離脱の狭間で――イギリス外交と第一次世界大戦後の西欧安全保障』名古屋大学出版会。

蔭山宏(二〇二〇)『カール・シュミット――ナチスと例外状況の政治学』中公新書。

加藤陽子(二〇〇七)『シリーズ日本近現代史5 満州事変から日中戦争へ』岩波新書。

川北稔(二〇〇〇)「書評 平田雅博著『イギリス帝国と世界システム』」『歴史評論』六〇八号。

川島真(二〇一九)「近代日中関係の変容期――一九一〇年代から一九三〇年代」山内昌之・細谷雄一編著『日本近現代史講義――成功と失敗の歴史に学ぶ』中公新書。

木畑洋一(一九九八)「危機と戦争の二〇年」『岩波講座 世界歴史24 解放の光と影 一九三〇―四〇年代』岩波書店。

木畑洋一・南塚信吾・加納格(二〇一二)『帝国と帝国主義』有志舎。

クラーク、クリストファー(二〇一七)『夢遊病者たち――第一次世界大戦はいかにして始まったか』1・2、小原淳訳、みすず書房。

ケインズ、ジョン・メイナード(一九七七)『平和の経済的帰結』早坂忠訳、東洋経済新報社。

ゲルヴァルト、ローベルト(二〇一九)『敗北者たち――第一次世界大戦はなぜ終わり損ねたのか 一九一七―一九二三』小原淳訳、みすず書房。

小関隆(二〇一〇)『徴兵制と良心的兵役拒否――イギリスの第一次世界大戦経験』人文書院。

後藤春美(二〇〇五)『アヘンとイギリス帝国――国際規制の高まり 一九〇六～四三年』山川出版社。

後藤春美(二〇〇六)『上海をめぐる日英関係 一九二五―一九三二年――日英同盟後の協調と対抗』東京大学出版会。

後藤春美(二〇一〇)「中国のロシア人女性難民問題と国際連盟」木畑洋一・後藤春美編『帝国の長い影――二〇世紀国際秩序の変容』ミネルヴァ書房。

後藤春美(二〇一四)「イギリス帝国の危機と国際連盟の成立」池田嘉郎編『第一次世界大戦と帝国の遺産』山川出版社。

後藤春美(二〇一六)『国際主義との格闘——日本、国際連盟、イギリス帝国』中公叢書。

後藤春美(二〇二〇)「書評 熊野直樹著『麻薬の世紀——ドイツと東アジア 一八九八—一九五〇』」『史林』一〇三巻四号。

後藤春美(二〇二二)「二〇世紀における国際体制の展開と平和」岡本隆司・飯田洋介・後藤春美『いまを知る・現代を考える 山川歴史講座 国際平和を歴史的に考える』山川出版社。

佐々木雄一(二〇一七)『帝国日本の外交 一八九四—一九二二——なぜ版図は拡大したのか』東京大学出版会。

佐藤哲夫(二〇〇六)「国際法から見た『正しい戦争』とは何か——戦争規制の効力と限界」山内進編『「正しい戦争」という思想』勁草書房。

篠原初枝(二〇〇三)『戦争の法から平和の法へ——戦間期のアメリカ国際法学者』東京大学出版会。

篠原初枝(二〇一〇)『国際連盟——世界平和への夢と挫折』中公新書。

高原秀介(二〇二〇)「ウッドロー・ウィルソン政権の対ロシア政策」『国際政治』一九八号。

詫摩佳代(二〇二〇)『人類と病』中公新書。

田嶋信雄(二〇一三)『ナチス・ドイツと中国国民政府 一九三三—一九三七』東京大学出版会。

ツヴァイク、シュテファン(一九七三)『昨日の世界』原田義人訳、みすず書房。

テイラー、A・J・P(二〇一一)『第二次世界大戦の起源』吉田輝夫訳、講談社学術文庫。

等松春夫(二〇一一)『日本帝国と委任統治——南洋群島をめぐる国際政治 一九一四—一九四七』名古屋大学出版会。

冨塚一彦(一九九九)「一九三三、四年における重光外務次官の対中国外交路線——『天羽声明』の考察を中心に」『外交史料館報』第一三号。

中野耕太郎(二〇一九)『シリーズアメリカ合衆国史3 二〇世紀アメリカの夢——世紀転換期から一九七〇年代』岩波新書。

中野聡(二〇〇六)「植民地統治と南方軍政——帝国・日本の解体と東南アジア」『岩波講座 アジア・太平洋戦争』第七巻、岩波書店。

奈良岡聰智(二〇一五)『対華二十一ヵ条要求とはなんだったのか——第一次世界大戦と日中対立の原点』名古屋大学出版会。

西平等(二〇一八)『法と力——戦間期国際秩序思想の系譜』名古屋大学出版会。

ハサウェイ、オーナ、スコット・シャピーロ（二〇一八）『逆転の大戦争史』船橋洋一解説、野中香方子訳、文藝春秋。

林忠行（二〇二一）『チェコスロヴァキア軍団――ある義勇軍をめぐる世界史』岩波書店。

平野千果子（二〇一一）「フランスとインドシナ――忘れられた植民地戦争」『岩波講座 東アジア近現代通史』第七巻、岩波書店。

藤田久一（一九九五）『戦争犯罪とは何か』岩波新書。

ホブズボーム、エリック（二〇一五）『破断の時代――二〇世紀の文化と社会』木畑洋一・後藤春美・菅靖子・原田真見訳、慶應義塾大学出版会。

牧野伸顕（二〇一八）『回顧録』中公文庫。

牧野雅彦（二〇二〇）『不戦条約』東京大学出版会。

マクミラン、マーガレット（二〇一六）『第一次世界大戦――平和に終止符を打った戦争』真壁広道訳、えにし書房。

三牧聖子（二〇一四）『戦争違法化運動の時代――「危機の二〇年」のアメリカ国際関係思想』名古屋大学出版会。

宮下雄一郎（二〇一六）『フランス再興と国際秩序の構想――第二次世界大戦期の政治と外交』勁草書房。

安田佳代（二〇一四）『国際政治のなかの国際保健事業――国際連盟保健機関から世界保健機関、ユニセフへ』ミネルヴァ書房。

柳原正治・篠原初枝（二〇一七）『安達峰一郎――日本の外交官から世界の裁判官へ』東京大学出版会。

山内進編（二〇〇六）『「正しい戦争」という思想』勁草書房。

山室信一（二〇一一）『複合戦争と総力戦の断層――日本にとっての第一次世界大戦』人文書院。

山室信一・岡田暁生・小関隆・藤原辰史編（二〇一四）『現代の起点 第一次世界大戦』全四巻、岩波書店。

吉澤誠一郎（二〇二一）『愛国とボイコット――近代中国の地域的文脈と対日関係』名古屋大学出版会。

渡邊啓貴・上原良子編著（二〇一九）『フランスと世界』法律文化社。

Abbenhuis, Maartje (2019), *The Hague Conferences and International Politics, 1898–1915*, London, Bloomsbury Academic.

Anghie, Antony (2004), *Imperialism, Sovereignty and the Making of International Law*, Cambridge, Cambridge University Press.

Bandele, Biyi (2008), *Burma Boy*, London, Vintage Books.

Barkawi, Tarak (2004), "Peoples, Homelands, and Wars? Ethnicity, the Military, and Battle among British Imperial Forces in the War against Japan", *Comparative Studies in Society and History*, 46/1.

Bayly, Christopher and Tim Harper (2007), *Forgotten Wars: The End of Britain's Asian Empire*, London, Allen Lane.

Best, Antony (2013), "The Leith-Ross Mission and British Policy towards East Asia, 1934-7", *The International History Review*, 35/4.

Best, Antony (2020), *British Engagement with Japan, 1854-1922: The Origins and Course of an Unlikely Alliance*, Abingdon, Routledge.

Bull, Hedley and Adam Watson (1984), *The Expansion of International Society*, Oxford, Clarendon Press.

Burbank, Jane and Frederick Cooper (2019), "Empires after 1919: Old, New, Transformed", *International Affairs*, 95/1.

Ceadel, Martin (1980), *Pacifism in Britain 1914-1945: The Defining of a Faith*, Oxford, Clarendon Press.

Ceadel, Martin (2013), "Enforced Pacific Settlement or Guaranteed Mutual Defence? British and US Approaches to Collective Security in the Eclectic Covenant of the League of Nations", *The International History Review*, 35/5.

Clavin, Patricia (2013), *Securing the World Economy: The Reinvention of the League of Nations 1920-1946*, Oxford, Oxford University Press.

Darwin, John (2008), *After Tamerlane: The Global History of Empire since 1405*, New York, Bloomsbury Press.（秋田茂・山口育人他訳『ティムール以後——世界帝国の興亡 一四〇〇—二〇〇〇年』国書刊行会、二〇二〇年）

Darwin, John (2009), *The Empire Project: the Rise and Fall of the British World-system, 1830-1970*, Cambridge, Cambridge University Press.

Gong, Gerrit W. (1984), *The Standard of "Civilization" in International Society*, Oxford, Clarendon Press.

Gorman, Daniel (2012), *The Emergence of International Society in the 1920s*, Cambridge, Cambridge University Press.

Goto-Shibata, Harumi (2020), *The League of Nations and the East Asian Imperial Order, 1920-1946*, Singapore, Palgrave Macmillan.

Grayson, Richard S. (1997), *Austen Chamberlain and the Commitment to Europe: British Foreign Policy 1924-29*, London, Frank Cass.

Hathaway, Oona A. and Scott J. Shapiro (2019), "International Law and Its Transformation through the Outlawry of War", *International Affairs*, 95/1.

Koskenniemi, Martti (2002), *The Gentle Civilizer of Nations: The Rise and Fall of International Law 1870-1960*, Cambridge, Cambridge University Press.

Ma, Tehyun (2014), "'The Common Aim of the Allied Powers': Social Policy and International Legitimacy in Wartime China, 1940-47", *Journal of Global History*, 9/2.

Manela, Erez (2007), *The Wilsonian Moment: Self-determination and the International Origins of Anticolonial Nationalism*, New York, Oxford University Press.

Onuma, Yasuaki (2000), "When was the Law of International Society Born? An Inquiry of the History of International Law from an Intercivilizational Perspective", *Journal of the History of International Law*, 2.

Overy, Richard (2010), *The Morbid Age: Britain and the Crisis of Civilization, 1919-1939*, London, Penguin.

Pedersen, Susan (2015), *The Guardians: The League of Nations and the Crisis of Empire,* Oxford, Oxford University Press.

Pitts, Jennifer (2018), *Boundaries of the International: Law and Empire*, Cambridge, MA., Harvard University Press.

Rappard, William E. (1925), *International Relations as Viewed from Geneva*, New Haven, Yale University Press.

Spence, Jonathan D. (1998), *The Chan's Great Continent: China in Western Minds*, New York, W. W. Norton.

Steiner, Zara (2005), *The Lights that Failed: European International History 1919-1933*, Oxford, Oxford University Press.

Steiner, Zara (2011, paperback edition, 2013), *The Triumph of the Dark: European International History 1933-1939*, Oxford, Oxford University Press.

コラム | *Column*

戦間期の軍縮交渉

榎本珠良

第一次世界大戦後の列強諸国では、余剰となった兵器の流出が懸念された。同時に、大戦の惨禍と荒廃は、「文明国」が主権国家として最高の意思に基づき遂行すると捉えられていた戦争の正当性を問う動きにも結びついた。また、防衛産業を「死の商人」とみなして批判する世論も興隆した。こうした世論や戦後経済の逼迫を背景に、戦間期には様々な軍縮の試みがなされた。

まず、一九一九年の国際連盟規約第八条には、連盟加盟国は、平和を維持するために、自国の安全と国際義務に基づく共同行動の遂行に支障なき最低限度まで軍備を削減する必要があることを承認する旨が記された。

国際連盟の枠外においても、軍備の削減や制限を特定の大国間で交渉する一連のプロセスが展開した。このプロセスは、国際連盟に加盟しなかったアメリカの呼びかけにより開始され、国際連盟と並ぶ戦間期の軍備削減・制限交渉の舞台となった。そして、二二年にワシントン海軍軍縮条約、三〇年にロンドン海軍軍縮条約が調印された。しかし、三四年には日本がワシントン海軍軍縮条約を三六年末に破棄する旨を通告したたし、ロンドン海軍軍縮条約の失効に伴う後継条約の交渉も失敗に終わった。

戦間期には、武器移転規制の条約を作成する試みもなされた。国際連盟規約第二三条は、「武器・弾薬の貿易を管理することが共通の利益のために必要な諸国との武器・弾薬貿易の全般的監視を、加盟国は連盟に委託する」としていた。そして、この条項に関連して、アフリカ特定地域への武器移転を原則禁止した一八九〇年のブリュッセル協定の規定を見直す形で、国際連盟において条約が起草され、一九一九年に「武器と弾薬の貿易規制のための条約」(以下、一九年条約)が採択された。この条約では、武器移転を原則禁止する対象地域が、アラビア半島やペルシア湾をはじめとする広範な地域に拡大された。

一九年条約を推進した列強諸国は、「野蛮ないし半文明」である禁止地域への武器流入を防ぐことは「文明国」の道徳的義務だと主張した。そして、同時に列強諸国は、この条約に「文明国」間の武器移転規制も盛り込むことを提案した。つまり、彼らは、「野蛮ないし半文明」な人びとへの武器移転を禁止すべきだと論じたと同時に、移転禁止地域以外への無秩序な武器拡散が平和を脅かすのだと主張し、全ての武器移転を原則的に政府による許可制に(つまり、禁止するのではなく規制・監督)したうえで、各国の輸出入情報を報告・登録するための国際的な制度を創設(あるいは各国が情報を公開)することを提案したのである。
　先述のように、当時の列強諸国では、「文明国」間の戦争の正当性を問うたり「死の商人」の活動を問題視したりする世論が高まっていた。国際連盟規約第八条にも、加盟国はその軍備の規模、陸海空軍のプログラムならびに戦争目的に転用可能な産業の状況に関する完全かつ率直な情報を交換することや、加盟国は民間企業による武器等の製造が深刻な反対を受けるべきことに合意する旨が盛り込まれた。そして、一九年条約の第一条は、締約国政府の許可を受けていない武器輸出の禁止を義務付けるものとなり、これは国家による武器輸出管理制度の創設を意味した。また、一九年条約の第五条は、国際連盟に中央国際事務局を設けて、各締約国は自国が輸出を許可した武器の数量や輸出先を記載した年次報告書を事務局及び国際連盟事務総長に提出し、さらに事務局が年次報告書を収集・保管すると定めた。

ジュネーヴ軍縮会議に向けてキャンペーンを張る婦人国際平和自由連盟のメンバー（Wikimedia Commons）

　ただし、一九年条約の交渉には、ロシア帝国から独立して間もないエストニアやラトビアをはじめとする小国も参加していた。そうした小国は、全ての移転を政府による許可制度にする提案や、各国の輸出入情報を公開したり国際的な報告・登録制度を設けたりする提案に対して、概して批判的であった。小国の多くは、こうした提案を、武器の取得を輸入に頼る小国の自衛権を侵害しうる差別的な施策だと捉えたのである。一九年条約は批准した国に対して発効するものとされていたが、批准する国が少なく、事実上は死文化した。次いで交渉が行われ二五年に採択された武器移転規制の条約も、各国の批准が進まず発効しなかった。そして、武器移転規制の条約構想は、三二年からのジュネーヴ軍縮会議に持ち込まれ、会議参加国の一般的な軍備の削減・制限や、化学兵器や生物兵器の禁止などと並行して検討された。しかし、ジュネーヴ軍縮会議は、いずれの問題についても具体的な合意に至ることができないままに瓦解した。

榎本珠良（二〇一七）「武器移転規制と軍備の削減・制限をめぐる歴史」同編『国際政治史における軍縮と軍備管理——一九世紀から現代まで』日本経済評論社、一—三七頁。

問題群 | *Inquiry*

問題群｜Inquiry

オスマン帝国の解体

藤波伸嘉

はじめに

二〇世紀後半以降の宗教復興や地域大国の勃興は、冷戦終結後、単なる主権国家論の見直しを超え、政体の一般理論としての帝国論の隆盛を招いた。西欧の主権国家が域外の植民地化を前提として成り立つ「帝国的」な制度だった以上、その本国のみを対象とする特殊な理論では、現実の理解には不充分だからである。しかも、非西欧における主権国家の名目的な独立はしばしば列強への隷属の一手段として機能したし、それを担うべき国民の範囲設定自体、列強が恣意的に引いた境界線に起因することが多かった。こうした中、西欧近代、特に主権国家体系を規範的に是とする立場が後退するのと並行して、ユーラシアの諸政体を、その中に併存した複数の制度や慣習、そして信仰や正統性が織り成す多法域の集塊として捉え直す法多元主義論が活性化した。本講座第一三巻も示す通り、ユーラシア東西の普遍性を包含し多民族多宗教多言語の人々を支配したオスマン帝国は、この点で好個の研究対象となる。

だが、こうした関心からの近代オスマン帝国への接近は充分になされているとは言い難い。近世オスマン法の理解はそれなりに進んだ一方で、それを西欧近代の法制度に対置し、近世イスラーム的な国制と近代の「世俗的」国際秩

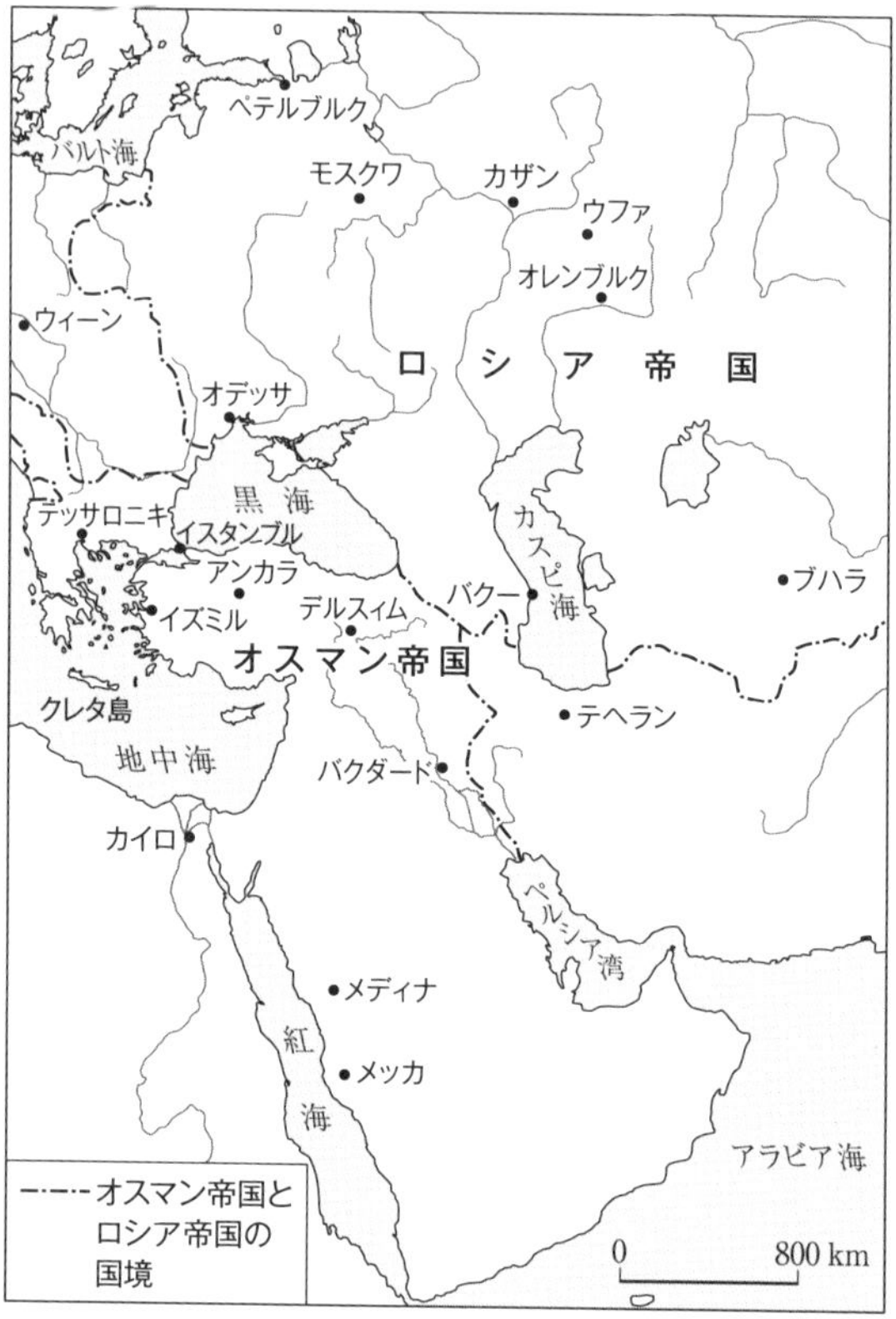

図1　オスマン帝国とロシア帝国(1900年ころ)

序とのあいだの一種の「文明の衝突」として帝国の解体過程を描く（オリエンタリズム的な）論者には事欠かない。民族主義の浸透が帝国の解体を不可避的にもたらしたとする主張も根強いが、今日に至る民族自決と国際協調の（失敗した）起点として第一次世界大戦前後の時期を捉える見方に疑問が呈されて久しい。むしろ昨今の研究は、この時期を世界大の帝国の再編の時代として把握する。英仏日米植民地帝国の拡大、独墺両帝国解体後の中東欧「小帝国」の並立、ボリシェヴィキによる「反帝国主義の帝国」建設、そして清朝滅亡後の中華とモンゴル・チベット圏の再編など、いずれもこうした潮流に棹さす形で議論が深化している問題群である。こうした中、オスマン帝国の解体のみが民族国家形成史の文脈で論じられがちな現状は、同時代の世界史全体の展開を理解する上で大きな障害となっている。かつての普遍帝国は近代法の概念を用いて自らの国制をどう改革しようとし、その経緯は帝国の存続や解体にいかなる影響を及ぼしたのか。これはオスマンが同時代の他帝国と共有した論点である。ましてその多民族多宗教性に鑑みれば、近代オスマン史は、通俗的に想定される「トルコ史」の文脈に閉じ籠ることなく、帝国の内外にわたり、また帝

国後継諸国に至る、跨境的な視座から検討される必要がある。

こうした関心に基づき、筆者はこれまでギリシア史の視点を導入した跨境的な憲法史叙述(藤波 二〇一九)やオスマン史の立場からの国際法史再考の試み(Fujinami 2021)を行なってきた。本稿では、隣国ロシアの視点を導入することで「トルコ史」の連続性や自律性を問い直しつつ、オスマン帝国解体過程の再検討を試みたい。そのための切り口として、法をめぐる当時の思想的営為とその政治的役割に着目する。以下、オスマンからトルコへの変容を生きた二人の同時代人がこのかんの国制転換をどう捉えていたかを論ずることで、近代オスマン法とその遺産を、帝国の再編という同時代の歴史的展開の中に位置付けたい。

一、国民主権とカリフ制

近代オスマン法学

本講座第一七巻の秋葉論文も示す通り、帝国主義列強に伍して主権国家としての自主独立の実を確保することが、近代オスマン帝国の諸改革における最大の関心事だった。列強との主権平等のためには「文明化」が不可欠であり、近代法の導入がその条件と目された以上、タンズィマートと称される一九世紀半ばの一連の改革を経て、オスマン人は積極的に西欧法の継受を試みる。だが、唯一神の命令すなわち聖法《シャリーア》の執行や「イスラームの家」の秩序維持を自らに課したオスマン帝権の下にあって、国制の近代化は「イスラーム的」な正統性を否定することなく、それとの併存を志向する形で進められた。一八七六年の憲法発布もそれに基づく第一次立憲政もそうした努力の成果だったが、このような立場は、近代法に通じたムスリム官人の確保を急務とした。その要請に応えたのが、行政官養成を使命とした行政学院(Mekteb-i Mülkiye)と法曹の育成に当たった法学校(Mekteb-i Hukuk)という、帝都イスタンブルに置かれた二つの高等教育機関だった。そして一八八〇年代以降、この両校を舞台に近代オスマン法学が発展する。

時の君主アブデュルハミト二世の治世(一八七六—一九〇九年)すなわちハミト期は一般に、立憲主義や自由主義が抑圧された時代として知られる。確かに彼は、折から勃発した露土戦争を口実に第一次立憲政を葬り、以後三〇年にわたる君主専制の時代を築いた。そしてアブデュルハミトは、世紀半ば以来、「西洋かぶれ」の外務官僚主体の有司専制が社会各層の反発を招いたことを斟酌し、また、ムスリム居住地域を多く抱える西欧植民地帝国に対する外交的切り札として、一般に「汎イスラーム主義」と称される政策を推進した。しかしこのかん、自国の文明性を誇示し、法治主義に基づく行政の効率化を図るためにも、彼の意向もあって法学教育一般は拡充された。その結果、近代法の諸分野を導入した第一世代を経て、イブラヒム・ハック(一八六三—一九一八年)に代表される第二世代の法学者は、近代法の原則と自らの歴史との調和に意を尽くし、西欧の単なる模倣に陥ることなくまた君主に迎合するばかりでもない、独自のオスマン法学の伝統を形成した。憲法を「凍結」して議会も「停会」し続け、検閲を通じた出版統制も行なった専制君主を憚って、(憲法典の解説に留まらず権力の分立や臣民の権利一般を論ずる)「国法」の講座こそ置かれなかったものの、将来は帝国を担う官僚政治家となることが期待された行政学院や法学校の学生には、「国際法」「国際法史」「行政法」「法学序説」などの講義を通じて、実質的には憲法や議会も含めた国制全般に関わる授業が行なわれた。「イスラーム法」やその専門家の養成は別の教育機関の管轄だったこともあり(Akiba 2003)、行政学院や法学校界隈で定式化された西欧式の法の分類に基づく国制論において、理論上は国法の源の一つとされるイスラームに基づく法規範は、実定的な公法秩序から事実上排除されていく。イスラームは(キリスト教と並ぶ)一「宗教」と位置付けられ、領域国家の枠組みがそれに優越することも当然視される。その結果、西欧諸国と比較可能な「普通」の主権国家としてオスマン国制を記述する型が確立する。この際、君主の恣意から護られるべき基本的権利として列挙された「民族や宗派の別を問わない」臣民の自由や平等は、同時に、対外的に帝国の文明性を示し主権平等を訴えるための論拠の一つでもあった。その意味で近代オスマン法学は、愛国的にして立憲主義的な営為としてあったと言えるだろう(Fujinami 2022a)。

第二次立憲政

だが引き続く専制政治の下、憲法や議会に公然と論及することは憚られる風潮にあって、修めた近代法学を充分には活かせず、立身出世も滞りがちだった少壮の法制官僚のあいだでは現状への憤懣が広まる。それを背景に生じたのが一九〇八年の青年トルコ革命であり、それにより実現した第二次立憲政だった。この革命は、ロシアの一九〇五年革命に端を発しイランや中国にも伝播したユーラシア大の立憲革命の波の一部を成す。近世以来の普遍支配の伝統を持つ諸政体が、西欧法的な定義による立憲的統合という形で自らの国制を再編しようとする中(Sablin and Moniz Bandeira 2021)、自らの学知を政治資源とするオスマン人法学者たちも国制改革への意欲を明らかにした。公教育相や内相を経て大宰相に上り詰めたイブラヒム・ハックの下で行政学院卒業生が五名入閣したのみならず、各種の法学雑誌が創刊され、教育要領は改訂され、各校の教授陣も刷新される。「イスラーム法」の教育課程でも近代法の授業は必須となる中(Akiba 2021)、オスマン的イスラームが世界史上に有した普遍性を擁護すべく、その制度を近代法の文脈に回収して正当化することが試みられた。例えばババンザーデ・イスマイル・ハック(一八七六―一九一三年)やジェラーレッティン・アーリフ(一八七五―一九二八年)ら、新設された「国法」講義を担当した第三世代の法学者は、信徒による「忠誠の誓い《バイア》」に基づくカリフ制は選挙の一種だと論じたのみならず、君主すなわちスルタン＝カリフは法人たる国家の一機関に過ぎないと説く。そもそも実質的な意味において「国民主権は憲法の上位にある」が、形式的な意味でも、一八七六年の欽定憲法は一九〇九年の改正によって事実上の国民主権原則に基づく「革命的」な憲法に生まれ変わった。従って、憲法が規定する通り、君主も含む諸機関の相互関係において権力の分立が保障されるにせよ、主権的な国民の意志は一義的には、その権能を大幅に高めた帝国議会に顕現すると目される(藤波 二〇一五)。

だが革命そのものと同様に、第二次立憲政もまた、特定の集団の意図がそのまま実現する過程ではあり得なかった。法制官僚の夢見る近代的な国制像にしても、それがそのまま実現に移されたわけではない。一九〇八年以降の出来事はしばしば、その全てが統一進歩協会なる一枚岩の政治主体(その構成員は「統一派」と称される)の意志の産物であるかの如くに語られる。そして第二次立憲政期の政治過程は、中間層出身者主体でトルコ化と集権化を進める統一派と、前代以来の上流階級の出身で非トルコ系諸民族の支持を得て地方分権を求めた自由主義的な反対派という、二項対立の図式で描かれることが多い。しかしこれは事実に反する。一九〇八年の革命を統一派が主導したことは確かである。だが同時に、従来は専制を是認しその社会的基盤を成していた各地の名望家層が、事態に乗り遅れまいとして一夜にして革命支持の立場を鮮明にすることがなければ、立憲革命が帝国全土でほぼ無血で成就することはあり得なかった。そしてその背後には、前世紀後半以来成長した中間層の突き上げ、経済力に見合う発言権を得られない非ムスリムの不満、停滞した人事に対する官僚層の反発、世紀転換期以降の不況による全般的な社会閉塞の気分、マケドニア問題など準軍事組織を相手とする内戦的状況の最前線に動員された軍、特に青年将校が抱いた憂慮、一九〇五年以来のユーラシア立憲革命の波に取り残される焦燥感、列強による干渉への恐怖(または期待)といった要素が存在していた。要するに青年トルコ革命もその後の立憲政も、同床異夢のまま何らかの変化を求めて参画した多様な政治主体の離合集散の産物であり、革命直後の多幸感が醒めると当然にも現実的な利害対立が表面化する(藤波 二〇一一)。オスマン帝国ほど広大で複雑な政治空間にあって、政策と政局の関係も政治主体の相互関係も単純ではあり得なかった。

リュトフィ・フィクリのオスマン国制論

本稿の主人公の一人、リュトフィ・フィクリ(一八七二—一九三四年)の言動はそれを象徴する。州知事を歴任した名望家出身の高級官僚を父に持つ彼は、帝都の行政学院とパリの自由政治学院(Ecole libre des sciences politiques)で学んだ後、行政官職を経験した上で反体制運動に参加する。革命後、地盤たるデルスィム選出の代議院議員となった彼は反統一派勢力の中心人物となるが、同時に彼は、法学校で「法学入門」講義を担当してもいた。要するに、リュトフィ・フィクリは名望家政治の資源と法制官僚の心性を併せ持ち、近代オスマン法学の理念を踏まえて政党政治に携わった人物であり、その点で、官僚上がりの統一派主流との共通項は多かった。

例えばリュトフィ・フィクリは、ギリシア人であれアルメニア人であれクルド人であれアラブ人であれ、帝国構成諸民族がその私益を国民の公益に優先させることには批判的だった。「諸民族の統一」は皆が擁護すべき大前提である以上、彼からすれば、オスマン社会の現状において本質的な対立軸は保守、穏健、自由の三類型となるはずであって、政党もそれに応じて整理されるべきである。一方、それが行政面に限定された州県の権限の多寡を意味する限り、集権分権の別は本質的な問題ではない(Lütfi Fikri 1326r: 21-26)。彼はむしろ、地方の権限拡大に際しては住民が特定の民族や宗派に偏しないように行政区画を再編すべきだと説く点で異彩を放っていた(Lütfi Fikri 1327: 102-105)。当時の最大の争点の一つだった「特権問題」に際しても事態は同様である。青年トルコ革命後、オスマン帝国のギリシア人は宗派別の割当制選挙、地方行政や軍務におけるギリシア語使用、そして教育や裁判をめぐる聖職者の権限確保などを求め、メフメト二世の時代(一四四四—四六、一四五一—八一年)以来保障されてきたと彼らが考える「宗教的特権」に基づく正教徒共同体の独立性維持を図った。だがリュトフィ・フィクリは、こうした主張は「オスマンの統一」に有害だと考える。これは、民族や宗派の別を問わない個々人の平等に基づく統合を目指すのか、民族や宗派の連合体として国民を考えるのかという、国制の本質に関わる論点だった。政治的には早くから統一派と訣別したリュトフィ・フィクリだが、この種の問題に関する彼の姿勢は、統一派主流のそれとほとんど変わらない(藤波 二〇一一)。

自らの国制の近代性を自負するオスマン人法学者にとり、単一不可分の主権国家の国民が単一不可分の存在であることは、理論上も国益に照らしても動かせない前提だった。従って連邦制は、国家の領土保全や主権の単一不可分を損なうとして忌避される。多民族多宗教多言語的なオスマン国民なるものが想像の共同体であることは自明だったが、国民が歴史的構築物であるのはオスマンに限った話ではない。血統や言語に基づく原初的な国民論は常に矛盾に逢着する。法の下の平等を定めるイスラームの下、民主的であり続けたオスマン帝国にあって、身分制や封建的特権の残滓がなお見られる西欧諸国以上に、憲法は国民の平等を重視している。特権階級の牙城を前身とする西欧の議会とは異なり、オスマン帝国議会にあっては、議員はあくまで国民全体の代表である。議員は選挙区の代表ではない以上、命令的委任は否定されるが、同じ理由から、民族や宗派に基づく割当制選挙も否定される。比例代表制も専ら政党を対象とするものであり、民族や宗派を人口比に応じて代表する制度ではない。ギリシア人の求める「宗教的特権」にしても、民族や宗派の別を問わない国民の平等のため、いずれは廃絶されるべきものとされた(Fujinami 2022b)。統一派主流に近い法学者の展開する以上のような議論は、リュトフィ・フィクリも原則として同意する内容だった。個人か共同体かという、国制の基盤をめぐる論点が第二次立憲政期に政治化したのは事実だが、それが政治過程を自動的に決定したわけではない。法理論的には両立の困難な立場にあっても、ムスリムと非ムスリム、統一派と反統一派が常に衝突していたわけではない。前代以来の長老政治家や高位聖職者、そして軍指導層の裁定を通じて、玉虫色の妥協により当面の政治的対立を乗り切る知恵をオスマン人は持ち合わせていた。リュトフィ・フィクリもまた、民族問題の重要性を認識するがゆえにこそ、不用意な刺激を避けるべく、できる限り民族や宗派への言及を避けていた。

だが、一九一一年のイタリアによるリビア侵攻を引き金に、翌一二年にはバルカン戦争が勃発する。戦争の連鎖はオスマン立憲政の命運を暗転させた。人口の四分の一近くを占める非ムスリムの地位を国制上どのように保障しそれを国政上どのように実現するかという問題は本来、立憲主義の枠内で、熟議と妥協を通じて長期的に解決されるべきものだった。これは現代の多文化的な立憲主義が今なお直面する課題である。しかしリュトフィ・フィクリも説く通り、「野蛮」な「トルコ」によるキリスト教徒の「弾圧」という陳腐な名目を侵略者たるバルカン諸国が掲げ、しかもそれを西欧列強が是認した以上、非ムスリムの要求がオスマン立憲政の下で実現する可能性は閉ざされた。国土の多くを失う非常事態に際した苦渋の選択として、リュトフィ・フィクリは元来の持論を犠牲とし、共同体を基盤とする国制論に譲歩することも考えていた。現存する国家を護り国益を確保するためには、国制をめぐる従来の合理的な解釈を変更することも視野に入れざるを得ない。第一次世界大戦中、統一派政府が君主大権を再拡張する憲法改正を進めたのも、人口工学的な国土国民の均質化を目指したのも、主観的にはそうした発想の産物だったのだろう(藤波二〇一四a)。とはいえリュトフィ・フィクリからすれば、国家の独立と領土保全が保障される限り、国制は法理論に基づく合理的で実効的なものでなければならない。だからこそ、十年越しの戦争を経て帝国そのものの滅亡が迫った際に彼が訴えたのは、オスマン立憲政の理念とその実効性を踏まえた、一九〇九年改正憲法体制の護持だった。

カリフのいる共和国?

中欧同盟国側で大戦に加わったオスマン帝国は、敗戦後の一九二〇年八月、英仏に屈従する形での延命を図った宮廷の主導により、セーヴル条約を締結した。もはや帝国の解体は既成事実だと目される中、イギリス帝国主義の代理人としてオスマン領に進駐したのが、全ギリシア人の居住地を併合せんとする領土拡張主義、「メガリ・イデア」を奉ずるギリシア王国だった。だが「国民の意志」を掲げてギリシアの侵略に抗する「下から」の動きは、一九二〇年四月にアンカラに招集され、ムスタファ・ケマル(アタテュルク、一八八一―一九三八年)を第一議長とした大国民議会に結実する。同議会は、オスマン帝国議会代議院最後の議長、ジェラーレッティン・アーリフを第二議長に戴くことで、体制の連続性とそれに基づく自らの正統性を示そうとする。やがて同議会は「基本組織法」すなわち一九二一年憲法を制定し、立法執行に関わる全権力を自らに集中させる議会統治制を採用した。一連の経緯は、主権的と目される国民の意志を根拠に自らへの権力集中を正当化する作法が広く共有されていたことを示している。ただしオスマン帝国憲法が明示的に廃棄されたわけではなく、英仏に恭順するイスタンブルと「国民闘争」を推進するアンカラに二つの政府が対峙する「二憲法期」が現出した（藤波 二〇〇九）。だが帝国主義列強に抗する「友邦」ソヴィエト・ロシアの支援も得て、ギリシア軍を駆逐し独立戦争に勝利したアンカラ政府は、一九二二年一一月にスルタン制とカリフ制を分離して前者を廃止する。こうして「非国民」的なスルタンを放逐したアンカラ政府は、翌二三年にはローザンヌ条約を締結して、その主権を対外的にも認めさせた。しかし対内的にはその国制は未だ明瞭を欠いており、「宗教的」な権威だと目されるカリフと主権的な国民との関係はいかなるものであるべきかも自明ではなかった。しかも政権内部ではムスタファ・ケマルへの権力集中が進み、ジェラーレッティン・アーリフも事実上の亡命を余儀なくされる。こうした中、アンカラ政府の専制化に抵抗し、オスマン法学の到達点を示したのがリュトフィ・フィクリだった。

　スルタン制廃止直前の一九二二年、イスタンブル弁護士会長の職にあったリュトフィ・フィクリは、独立戦争中に拙速に定式化された統治形態、すなわち一九二一年憲法による議会統治制を槍玉に挙げ、執行府を廃止し立法執行に関わる全権力を議会に委ねるというのは「今日のロシアにすら類例がない」新説だと嘲弄する。人民統治の名において支配する議会が権力を濫用しない保証はない。権力分立の必要性は不変の真理である。しかもイギリス国王やドイツ皇帝、そしてオスマン立憲政の例が示すように、君主の存在は国民主権に反するものではなく、むしろ国民統合を強固にする。伝統や慣習に配慮し権力分立を保障する立憲君主政こそ、国民主権の実践に最も適していると彼は説く(Lütfi Fikri 1338r)。リュトフィ・フィクリはスルタン制廃止後も立憲君主政の優位を訴え続け、国民主権原則が確立している限り君主の有無は法的には大きな違いをもたらさないと論ずる。一九〇九年改正憲法下のオスマン帝国も含め、西欧の立憲君主政が国民主権の原則に基づいていることは共和政の場合と変わらない。むしろ国民の政治的教養が低い現状では、国民の名における破壊や混乱を防ぐためにも権力の集中ではなく分立が必要であって、そのためには、主権的な国民の統合の手段として君主を存置し、君権と民権の調和に基づき激情に基づく逸脱を回避することが有益となる。そして、チェコやポーランドのように王統が断絶し余儀なく共和政を採用した新国家とは異なり、「トルコ」にはそのための制度が実在する。一九〇九年改正憲法により、単一不可分の国民主権に基づく立憲君主政は達成済みである。しかも「トルコの皇帝を全イスラーム世界が同時に自らのカリフだと見做している」ため、「我々トルコの民衆」はその人口に見合わないほどの地位を得ることができる。伝統に基づく法的安定性を確保し、衆愚の煽動を通じた大統領の専制を予防し、対外的な威信を保持するためにも、カリフを戴く立憲君主政は、国権の擁護や国益の増進に照らして、共和政に優越する統治形態と言えるのだった。以上に明らかな通り、リュトフィ・フィクリは必ずしも「イスラーム的」な見地からカリフ制の存置を訴えているのではない。聖法《シャリーア》の観点からのカリフ論は別様に行なわれるべきことを彼自身が説いている(Lütfi Fikri 1339r)。

　とはいえ民族や宗教に基づく国制の説明にリュトフィ・フィクリは一貫して反対だった。国民が想像の共同体なのはオスマン人法学者には自明の理であって、バルカン戦争敗北後の時点でも彼は、ヨーロッパ領を失ってもオスマン国民が多民族多宗教から成ることは変わらず、ゆえにその統合はやはり立憲主義に基づく公民的な形でなされるべきと説いていた(藤波 二〇一一:第六章)。大戦と独立戦争を経て、アナトリアのアルメニア人とギリシア人はほぼ消滅し(「移送」を名目とする前者の虐殺は一九一五年、ギリシア領のムスリムとの住民交換による後者の放逐は一九二三年)、アラブは英仏の委任統治下に置かれた後も、「トルコ」にはなお多様な民族的出自を持つ人々が存在する以上、議論の構図は変わらない。だがその一方で、自国民の「無知」に絶望するリュトフィ・フィクリは、「知識人階級がこの国の命運に対し発言権を持つ」ことを夢想し、ゆえに、新たに「知識人家族会議」を招集して、そこで共和政か立憲君主政かという国制の決定をすることを求める(Lütfi Fikri 1339r: 29-30)。要するに彼は、名望家を基盤としつつ人民の喝采に応える一党独裁ではなく、あくまで知識人の熟議による「上から」の社会改良を夢見ていた。その意味で彼は極めて自由主義的であって、民族主義も宗派主義も人民主義も彼の理想からは遠かった。頻出する「革命の一五年目」という表現が示す通り、彼にとって革命とはあくまで一九〇八年のそれである。国家は構築物であり国民は想像の共同体だと認めつつ、国民主権に基づく多民族多宗教の公民的統合という理念を担った一九〇九年改正憲法下のカリフを戴く立憲君主政こそ、リュトフィ・フィクリが最後まで殉ずるに足ると考えた体制だった。

二、「トルコ法」の創造

ロシア・ムスリムとオスマン帝国

だがこうした議論はムスタファ・ケマル率いる共和人民党の一党支配の前に圧殺される。一九二三年一〇月にトルコ共和国が成立しケマルが大統領に就任すると、その直後、リュトフィ・フィクリはカリフに退位しないよう求める公開書簡を発表する。だがこれを受けたカリフ制論議の盛り上がりはケマルの容認できるものではなかった。リュトフィ・フィクリの主張からすれば皮肉なことに、インドのムスリムによるカリフ制擁護やそれに象徴される跨境的な宗教的紐帯が、新生トルコの指導層に格好の口実を提供する。「世俗化」を図るアンカラ政府からすれば、「汎イスラーム主義」なるものは内政干渉にほかならず、それを名目の一つとして一九二四年三月にカリフ制が廃止された。続く四月には新憲法が制定され、「上から」の強制的な国制転換によって、独立戦争以来の「二憲法期」に終止符が打たれる。そして翌二五年にクルディスタンで生じた叛乱を契機に、アンカラ政府は祖国叛逆罪法と治安維持法を駆使して、異論を許さない体制を築き上げた。一九二六年には大々的な見世物裁判が行なわれ、一九〇八年以来の統一派の生き残りが多数処刑される。リュトフィ・フィクリはこの過程を生き延び、しかもイスタンブル弁護士会長への再選が示すように法律家からは一定の支持を得続けていたものの、国制をめぐる議論が自由に行なえる状況にないことはもはや誰の目にも明らかだった(Tunçay 1992)。

こうした中、オスマンの過去と訣別し自らの存在を正当化すべく、新生トルコ共和国は学知の根本的な再構成に乗り出した。トルコ歴史学協会発祥の「トルコ史テーゼ」やトルコ言語学協会で練り上げられた「太陽言語説」など、全人類の歴史や言語の始原を古代中央アジアのトルコ人に置く法外に自民族中心主義的な歴史学や言語学の形成はつとに知られている(永田 二〇〇四)。これと並ぶ「革命」が法の分野でも展開された。それを推進したのが、近代オスマン法学の伝統、具体的には今やイスタンブル大学法学部となったかつての法学校に抗すべく、「革命的」「民族的」「世俗的」な法学の担い手として、共和国指導層の肝煎りで一九二五年に新設されたアンカラ法学校だった。そして、「トルコ法制史」「法制史」の授業を通じて同校で特に大きな役割を果たしたのが本稿のもう一人の主人公、ロシアはカザン出身のサドリ・マクスーディ(一八八〇―一九五七年)である。では、なぜロシア出身のムスリムがトルコ共和国の建設に参画し、「トルコ法」の創造に関与するのか。それを理解するためには、少し時間を遡る必要がある。

ロシアの多様なムスリム諸集団の中でも、一六世紀の段階で征服されたカザンのタタール人は、エカチェリーナ二世の時代(一七六二―九六年)の「寛容」を画期に帝国統治に深く組み込まれ、特にロシアの中央アジア進出に際しては、現地のムスリム住民との関係もあり、宗教的にも通商面でも、仲介者として一定の影響力を行使する存在だった。「長い一九世紀」にかけ顕著な経済発展を遂げた彼らのあいだでは、イスラーム諸地域の植民地化への危機感、ロシア帝国自体の改革、そして世界大の蒸気機関と出版業の発展といった要因を受け、ジャディード運動と称されるイスラーム改革の機運が高まる。帝国を跨ぐ学修や情報の流れが活性化する中、オスマン・ロシア両帝国のムスリムの発言は相互に参照されるようになり、イスタンブルはロシア・ムスリムにとって重要な留学先の一つとなった。幼時よりカザンからイスタンブルに移ったユスフ・アクチュラ(一八七六―一九三五年)は陸軍士官学校卒業後パリの自由政治学院で学び、ロシア領アゼルバイジャン出身のアフメト・アーオール(一八六九―一九三九年)は法学を修めたパリで統一派と親交を結ぶなど、一八九〇年代以降、両帝国のムスリムの関係は深まる。サドリ・マクスーディもこうした活動の一翼を担っていた。やはりパリで法を学んだ後、一九〇六年にロシアに戻った彼は、カザン選出の議員として、一九〇五年革命を受け開設された国家ドゥーマに一九〇七年から一二年にかけて参加する。ロシア・ムスリム全体の代表を自負した彼は、二月革命後に至るまで立憲民主党《カデット》と提携して国政の場で活躍した(Ross 2020)。やがて十月革命後になると彼は、カザン周辺の「イデル・ウラル」地域の自治の受け皿として設立された「トルコ・タタール民族議会」の長に選ばれた。しかし引き続く内戦の過程でボリシェヴィキに敗れ亡命を余儀なくされたサドリ・マクスーディは、折から開催中のパリ講和会議に働き掛けることで復権を図る。だがその実現可能性が狭まる中(宇山 二〇一七)、ムスタファ・ケマルの招聘を受けると彼は新生トルコへの移住を選択し、アンカラ法学校の開設に参画した。

「トルコ法制史」

サドリ・マクスーディの「トルコ法制史」講義は、民族ないし人種を歴史の単位とする点で、近代オスマン法学が構想した法制史叙述とは根本的に異なる語りの型を創出した。言語「革命」にも与って力のあった彼にとり、言語こそ、法や歴史に一貫する基本的な要素だった(Toprak 2012)。古代中央アジアの起源に遡る言語と法の連続性が現在のトルコ共和国の基盤を成すことを自明視するサドリ・マクスーディは、トルコ語の中にアラビア語要素を存置するのはトルコ法の中にカピチュレーションを存続させるのに等しいと説き、中央アジア起源の語彙によるトルコ語の「純化」を図った(Arsal 1934)。だからこそ彼は、言語を共有する「トルコ人種」(ırk)にはユーラシア各地に広がる諸人民(halklar)が含まれることを誇示する。この際、モンゴル人はトルコ人とは別人種だが、その帝国はトルコ法に即して統治されていたと彼が強弁するのは興味深い(Arsal 1940: 75)。そして法制史上の画期を説明すべく強調されるのが、時々に出現する「天才」の重要性である。例えば、「イスラーム世界」を支配しつつカリフは名乗らなかったセルジュク朝の初代君主トゥグリル・ベグ(在位一〇三八－六三年)は、その世俗主義によりイスラームの神権政を半神権政に抑え込んだと評価される。だが何よりも賛美されるのはもちろん、オスマン「神権政」に終止符を打ち、近代的な世俗主義の共和国を樹立したムスタファ・ケマルの「天才」である(Arsal 1925; 1925-26: 719-722; 1940: 78, 93-95)。

要するに、「トルコ人種」には国家建設の能力が原初的に備わっていると考えるサドリ・マクスーディからすれば(Arsal 1943a)、「トルコ人種衰退の要因はイスラーム政治の破産にあ」り(Arsal 1925-26: 718)、元来世俗的だった「トルコ人種」は、イスラームの神権政の影響で一時的に衰退したにせよ、現在のトルコ共和国に至って世俗主義という常態に戻ったのだとされる(Arsal 1940: 72-76)。こうした主張を、奇矯な民族主義者の偏狭な妄想だと一蹴するのは正しくない。原初的な「民族=国民」の優越性をその形質から「論証」しつつ歴史的転換の理由を「天才」の指導に帰すのは、同時代の人種論や指導者原理の定番である。しかもサドリ・マクスーディの「トルコ法制史」は、新生トルコが国家的事業として同時並行的に進めた歴史、言語、法の「革命」を代表する。今日では法外に映る議論だとしても、共和国建設に際しそれはなぜ必要とされたのかという、構造的な視座から考察される必要があるだろう。

そこで改めてサドリ・マクスーディの「トルコ法制史」講義の特徴を眺めれば、第一に、近代オスマン法学において国民の多民族多宗教性が自明の前提だったのに対し、オスマン帝国をあくまで「トルコ史」上の一時期と見做すサドリ・マクスーディは非トルコ系諸民族を無視する。ただしこの際、「トルコ史テーゼ」を高唱する一部の論者とは異なり、彼はギリシアやメソポタミアやインドの古代文明までを「トルコ史」に含めようとはしない。彼が意識するのはあくまで中央アジアである。第二に、サドリ・マクスーディは、「トルコ史」研究に対するロシア人学者の貢献を特筆するのみならず、「ロシア人の法学への貢献も大きい」と認める。彼はさらに、ロシアは、スウェーデンやオーストリアの支配下にあったフィン人やチェコ人が独立を得るための触媒の役割を果たしたとすら説く(Arsal 1924-25: 687, 696-697; 1943b: 27)。これに対して、オスマン帝国に真の法学はなく「裁判術」(adliyecilik sanatı)しか存在しなかったと断定され、オスマン人の学問上の独創性は否定される(Arsal 1925-26: 776; 1943b: 20-22, 31)。不変の法に基づくイスラームは停滞をもたらすと断罪され、近代オスマン法学の礎を築いたタンズィマート改革も、神権政の本質を変えはしなかったと一蹴される(Arsal 1940: 90-93)。これは、国民主権とカリフ制の共存を目指した近代オスマン法学の存在意義そのものを否定するに等しい。民族を単位とする歴史叙述の型を構築し、チェコ、フィンランド、ポーランドをトルコと並置するサドリ・マクスーディにあって、多民族帝国から民族国家への移行は必然とされているかの如くである。しかし、「トルコ人種」の優越性を説くその当の彼が、ロシアに高い評価を下す一方で、イスラーム的「神権政」だとしてオスマン帝国を酷評するという事態は矛盾にも映る。この点を理解するためには、当時の国際秩序でオスマン・ロシア両帝国が占めた地位、各々の国制が有した意味を、改めて考える必要がある。

三、帝国の再編、法の変容

オスマン帝国の「トルコ化」?

リュトフィ・フィクリとサドリ・マクスーディ、両者の言動が示すのは、二〇世紀初頭にあってなお、多民族多宗教的な広域秩序が命脈を保つ限り、民族や宗派を単位とした政治主体性の主張は必ずしも唯一絶対のものではなかったことである。リュトフィ・フィクリがクルド国家独立を求めたことはなかったし、サドリ・マクスーディは亡命後に至るまでタタールの独立を求めてはいなかった。オスマン・ロシア両帝国において、民族や宗派の名で求められたのは往々にして帝国内部の高等政治への参加資格であり、またそこでの地位向上だった。「特権」であれ「自治」であれ、現存する帝国の法制はそのための制度体保障として機能すべきものであり、普遍支配の伝統に連なることを自負する各集団の歴史的遺産もまた、そうした文脈における政治資源として活用されていた(藤波 二〇一三)。

だがカザン・タタールとオスマン人が同一の政治路線を追求していたわけではない。つとに新井政美が指摘する通り、両者には大きな発想の違いが存在した(Arai 1992)。アクチュラらカザン・タタールにとって元来の活動の舞台はロシアであり、一時は統一派と協働した彼も、祖国で一九〇五年革命が起きるとカザンでの活動に舵を切る。大戦中、そして二月革命後においてすら、彼が求めたのは刷新されたロシアの中でのムスリムの「自治」だった。サドリ・マクスーディの場合も同様である。彼は、全ロシア・ムスリム大会に関与し全ロシア・ムスリム連盟に参画するなど、「ムスリム」という属性を重視した。それは、正教会の優位を前提としながらも、皇帝への忠誠を共有する公認の諸宗教の併存として構想された「宗派国家」ロシアにあっては、全ロシア・ムスリムの代表という立場こそ、カザン・タタールがその人口に見合わないほどの地位を得るための切り札だったからである(長縄 二〇一七)。

オスマン人の公民的統合なる理念は既に破産した「タンズィマート主義」だと嘲弄するアクチュラがその「トルコ化」を求めた意味も、この文脈でこそ理解可能である。彼の立場からすれば、祖国ロシアにおけるタタール人の地位向上に資する「民族的」後背地として利用されるためにも、オスマン帝国は「トルコ」でなければならなかった。ゆえに、民族問題への言及を意識的に避けるリュトフィ・フィクリに対してアクチュラは、「トルコ」は単一民族から成るのかそれとも複数の民族から成る集合体なのか、その点が明らかにされない限り、トルコ人がトルキスタンの人々と結び付き、ギリシア人が「メガリ・イデア」を奉ずることに反論できはしないと批判する。しかしリュトフィ・フィクリからすれば、トルコ人であれギリシア人であれ、国外の同胞との統一を求める「帝国主義的」心性が有害なのは明らかであり、あくまで現有領土の内部での国民個々人を単位とする公民的統合をこそ求めるべきなのだった。国民も民族もフランス革命以後の構築物だと喝破し、セリム一世やシャー・イスマーイールが活躍した一六世紀に「トルコ」や「イラン」などの近代的な民族性(milliyet)の意識を読み込むのは時代錯誤だと論じる彼は(Lütfi Fikri 1338r: 4-6)、アクチュラ的なトルコ主義には当然に否定的だった。要するに両者のあいだには、立憲的統合の先決問題たる「民族／国民」の範囲設定をめぐり、大きな懸隔が存在していた。「エカチェリーナ二世以来の権利」を論拠に帝政当局やロシア人と対峙したカザン・タタールと「メフメト二世以来の特権」を訴えるキリスト教徒の統合に努めたオスマン人とでは、それぞれの立場もそれがもたらした経験も対照的だった。ただしそれは、双方の政治文化にまつわる本質論的な問題だったというよりはむしろ、自国の法制に誰がどう民族的宗教的要素を位置付けるかにまつわる、両者の立場の非対称性に関わる問題であった（藤波 二〇二一：第六章）。

「文明国基準」とイスラーム

実際、サドリ・マクスーディが提携した立憲民主党《カデット》がオスマン領の分割を既定方針とし、最後までイスタンブル征服を諦めなかったことが示すように、オスマン・ロシア両帝国が国際秩序の中で占めた地位の違いは、両者の志向の差に少なからず影響を及ぼした。「ヨーロッパの憲兵」として他国への干渉を繰り返したロシアとは対照的に、近代のオスマン帝国は西欧列強の干渉の的とされ続けた。通俗的には、一八五六年のパリ条約による「ヨーロッパの公法と協調の利益への参加」がオスマン帝国の主権国家体系への参加の画期だとされる。そして一般に主権国家体系は、主権の平等と不可侵に基づく世俗的な国際秩序だと見做される。だがこうした理解が事実に即しているとは言い難い。実際には近世以来、西欧諸国とオスマン帝国は外交上の規範を少なからず共有していたにもかかわらず(Sowerby and Markiewicz 2021)、近代の国際秩序は、世界を「文明」「野蛮」「未開」の三段階に分け、「文明国」による後二者の支配を正当化する「文明国基準」を強調した。この際、「文明」と「野蛮」を実質的に分けたのはキリスト教信仰の有無であって、同じくムスリムと正教徒を包含する帝国だといっても、正教国ロシアが「ヨーロッパの協調」を左右する立場にあったのとは異なり、イスラームのカリフを戴くオスマン帝国はいわば「野蛮」の象徴となり、列強から対等に遇されることはなくなった(Minawi 2021)。換言すれば、宗教横断的な交渉術の共有は近世にはほとんど自明の前提だったにもかかわらず、近代に入ると、「文明」の名の下に、宗教を基準とする法的不平等が正当化されていく。

この不平等性を象徴したのが、主権国家体系への包摂過程で創出された三つの「特権」だった。キリスト教徒居住地域に対する主権が順次否定される過程で大宰相府の実効支配から離れた自治的領域が「特権諸州」と称される一方、外来のキリスト教徒にはカピチュレーションに基づく「外国人特権」が広汎な治外法権を認めた。そしてクリミア戦争を画期に、オスマン帝国の「ヨーロッパの協調」への参加の条件として一八五六年の改革勅令で確立した「宗教的特権」は、教育から裁判に至る広汎な分野において、領内の非ムスリム共同体をあたかも一種の「国家の中の国家」の如きものとした(藤波 二〇一四b)。自らの統治権を制約する特権が、列強がその施行を保障する制度として埋め込まれていた近代オスマン帝国にあって、主権は実態として単一不可分でも不可侵でも至高でも平等でもなかった。

だが当事者たるオスマン人がそれを甘受したわけではない。むしろ彼らは、近代法の理念を学びその用語を駆使することで、自らの伝統が持つ文明史的な意義を訴えつつ、自主独立を護ろうとした。例えば、オスマン的イスラームの普遍性はキリスト教的ヨーロッパのそれと対等だと自負する彼らは、宗教戦争に明け暮れ封建的特権に縛られた後者に対し、前者が世界法制史上で果たした「進歩的」な役割を誇示する(Fujinami 2017)。他方で彼らは、「国教」たるイスラームと「宗教的特権」を持つ公認宗教との組み合わせとして自国の宗務行政を整理し、信教の自由に基づく国家と教会の関係という、近代法に一般的な制度の一類型として非ムスリムの地位を描く。スルタン＝カリフが聖俗両権を兼ねるのはイギリス国王が聖俗両権を持つのと同様であり、何ら臣民の自由や平等を損なうものではない。単一不可分の近代国家において、その源が複数だとしても国法は全体として単一であって、イスラームが法源の一つであることは主権の単一不可分を否定する理由にはならない。すでに国制に埋め込まれている特権それ自体を否認することはできないにせよ、至高の主権の下、その運用に外国が干渉することがあってはならない(Fujinami 2022a)。

オスマン人法学者は与野党の別を超えてこうした主張を共有した。だが、「イスラーム法」しか知らない「野蛮」

なムスリムの下では国民の平等は不可能だと信ずる列強は、キリスト教徒保護のための制度体保障として、「特権」という形での法多元主義の導入に固執する。ただし、本国と植民地の格差が明らかで、従ってムスリム差別を法多元主義の論理で容易に正当化し得た英仏とは異なり、多くのムスリム臣民を抱え、古くよりオスマン法制に想を得たムスリム統治を行なっていた大陸国家ロシアでは、イスラームの地位はより複雑な問題を内包した。列強国ロシアのムスリム代表として、オスマン人に対する優越意識を隠すこともなかったカザン・タタールが、両帝国を往還する政治的思想的遍歴の中、民族や宗教にまつわる語彙を駆使し、その争点化を主導したのも偶然ではない(長縄 二〇一三)。

民族的紐帯の行方

しかしその過大な自己評価にもかかわらず、カザン・タタールが内外のムスリムを真に代表していたわけではない。一九一七年五月の全ロシア・ムスリム大会で、ムスリムの一体性を前提とした彼らの文化的自治論が各地域の自律性保持を求める領域的自治論に敗れたことは、それを良く示している。カザン・タタールと隣接するバシキール人は特に、タタール人の優越性を前提とする文化的自治には反発した(長縄 二〇一七：三〇二頁)。同様に、カザン・タタール流の民族主義がオスマン人の意識を代弁していたということもあり得ない。近代トルコを代表する女性作家にして内外のトルコ主義者との交流が深かったハリデ・エディプ(一八八四―一九六四年)の言を借りれば、「アクチュラはオスマン・トルコ人に対するロシアのトルコ人の優越性を信じ」ていたが、「彼らの文化を構成する要素や影響は極めてロシア的なのに対し、オスマン・トルコ人のそれは極めて西洋的」なのだった(Adıvar 1926: 315, 322)。

サドリ・マクスーディの「トルコ法制史」も、祖国ロシアの法制に基づく自らの過去の実践を亡命先トルコにおける正の遺産として保持しようとする企図の表れであり、そこにはそれ特有の矛盾が存在する。例えば彼が説く「トルコ人種」の(民族的言語的な)一体性なるものは、かつてロシアで彼が訴えた「ムスリム」の(宗教的文化的な)一体性の焼き直しにほかならない。また、理論的には古代中央アジアに発する「トルコ法」の連続性を訴え「トルコ諸人民」の親近性を誇示する彼は、実際には現有領土たるアナトリアに局限された共和国の正統性の弁証に汲々とする。ボリシェヴィキを断罪する一方で彼は、カザン・タタールがその一角を占めたロシア帝国の歴史上の役割を高く評価せざるを得ない。しかも、民族意識に「未覚醒」だったとしてオスマン人を見下しその知的営為を黙殺する彼は、それに「覚醒」したカザン・タタールに教導される客体の地位をオスマン人に割り当てる。だがトルコ共和国の指導層にはバルカン出身者が多く、国民も多様な地域から流入した多民族多言語の人々から成るという現実から目を背け、ソ連支配下の中央アジアとのつながりに固執するサドリ・マクスーディの語りは、一種の未練史観だとも言えるだろう。非トルコ系諸民族の視座からのオスマン史叙述の再構成は緒に就いたばかりであり、トルコ民族主義的な歴史叙述は今なお健在である。だが、数世紀にわたる多民族多宗教的なオスマン時代を世俗主義的な「トルコ史」上の「例外」として矮小化しつつカザン・タタールの貢献を特権化する語りは、共和国建設に際して推進された歴史、言語、法の「革命」の成果にほかならない。後付けの民族史の枠組みに呪縛されないためにも、それが生み出された文脈を知る必要がある。

跨境的対立の遺産

そこで改めてオスマンからトルコへの転換期に目を向けると、一九一一年以降の戦争の連鎖は、単に領土の縮減をもたらしたのみならず、多民族多宗教の公民的統合という、一九〇八年以来の国制の正統性自体に深刻な傷を負わせるものだった。「二〇世紀の十字軍」とも称されるバルカン戦争に際し、キリスト教徒保護という陳腐な建前を掲げる周辺諸国の侵略によってオスマン立憲政の試みが否定されたのみならず、戦前の現状維持の約束が敗戦後には反古にされたことは、現行国際秩序のキリスト教中心主義に対するオスマン人の不信を新たにした。ハリデ・エディプも、

「同等の数のトルコ人やムスリムがバルカン戦争中に虐殺されたが、世界は犯罪的にも沈黙を守った」ことを踏まえ、「マケドニアやアルメニアの指導者は決して時機を逸することはない」という意識の下にアルメニア人「移送」に踏み切った統一派指導層の言に共感する(Adıvar 1926: 386-388)。そして引き続く総力戦の中、民族や宗派に基づく友敵関係が前景化するヨーロッパ大の内戦的状況を経て、「民族=国民」こそ主権の担い手たるべきとする民族自決論が浸透すると、かつてオスマン帝権が体現した自律的な広域秩序も、その下で種々の民族や宗派が必ずしも主権的ではない形で併存することを保障すべく活用された法制度も、ともに意識的な忘却の対象となる。

　戦勝国たる英仏日米が推進する帝国支配の再編の中、国際連盟の存立根拠たる「文明国基準」により委任統治という名の植民地支配が正当化されると、英仏の「文明」に浴する以前のオスマン支配が「野蛮」だったことは、いわば証明不要の公理となる(Pedersen 2015)。オスマン旧領の分割統治に邁進する英仏は、その協力者たるべき在地の非ムスリムがその人口に見合わないほどの地位を得ることを正当化するため、「ミッレト制」神話を活用した。すなわち、近代法と共約不可能な「イスラーム法」の下では国民の平等は不可能なため、ムスリム非ムスリム混住地域の統治は法多元主義によってのみ可能であり、しかもそれは従来オスマン帝国が非ムスリム支配に適用した(とされる)「ミッレト制」の延長線上にあるとする神話である。こうして、近代オスマン法学が蓄積した公民的統合の営為にもかかわらず、実際には存在しなかった「ミッレト制」なる架空の制度を根拠に、ムスリムのアラブ人は「イスラーム法」の領域に閉じ込められる(秋葉 二〇一六。「ミッレト制」神話の批判も含め、オスマン帝国の非ムスリムについては本講座第一三巻の上野論文も参照)。新たな「小帝国」が叢生した中東欧にあっても、国際連盟が課す「少数派保護」の義務を骨抜きにすべく、ムスリムは(「民族的」ならぬ)「宗教的」な存在だとして、法多元主義の文脈でその隔離や差別を正当化する政策が進められた(Račius and Zhelyazkova 2018)。そして発展段階論に基づく科学的無神論を教養とするボリシェヴィキの支配下、自決権を有する民族国家の同盟という擬制が確立すると、ロシアでも中央アジアでも、その民族政策に反する文化的自治は禁句となる。「汎イスラーム主義」や「汎トルコ主義」は政敵摘発のための便利な標語となり、かつてオスマン・ロシア両帝国を往還したムスリムは粛清の対象となった(マーチン 二〇一一)。他方、一九二三年のローザンヌ条約は、外国人特権や宗教的特権を廃止する条件として、ムスリム非ムスリムの同権を求める。憲法によりそれは実現済みだと考えるオスマン人法学者とは異なり、不変の「イスラーム法」と近代法は共約不可能だと考える西欧人にとってこれは、法の完全な「世俗化」すなわち西欧化を意味した。だからこそ、「普通」の主権国家としての再生を図るトルコ共和国には、「世俗主義」を国是とする必要があった(Özsu 2010; 新井 二〇一三)。

オスマン法からトルコ法への変容の背景にはこうした事情が存在した。西欧キリスト教由来の普遍性のみが唯一絶対の真理だと信じる列強諸国に伍して自主独立を護るためには、普遍宗教イスラームと分かち難く結び付いたオスマンの遺産は殊更に否定されなければならなかった。また、西欧近代文明の前衛としての社会主義の威信が高まる中、隣国ソ連の脅威にさらされる地政学的位置にあったトルコ共和国は、ボリシェヴィキが提供する以上の民族国家としての自律性や文明性を内外に示さねばならなかった。だからこそ、かねてよりオスマン帝国の「トルコ化」を求めていたロシア・ムスリムの存在は、過去との訣別を必要とした新生トルコの指導層にとって貴重な政治資源となる。「トルコ法」の創造は、利害の一致した両者の共同作業である。歴史や言語の「革命」がトルコでもソ連でも進められる中、かつて全ロシアのムスリム代表を自負したカザン・タタールは、今や「トルコ人種」の世俗主義の使徒として、民族に基づく共和国とその法制度の現有領土の枠内での正当化に奉仕する。その営為が伴った集合的記憶の再構成の中で、オスマン・ロシア両帝国を跨ぐカザン・タタール中心史観もその命脈を保つことになる。

ゆえに新設されたアンカラ法学校では、サドリ・マクスーディの「トルコ法制史」「法制史」に加え、アクチュラが「政治史」、アーオールが「国法」の講義を担当するなど、ロシア・ムスリムが強い存在感を示した。この際、「黄海から地中海まで」広がり、「同一人種に発し慣習や言語が互いに極めて近い」「トルコ世界」の現況を示すアクチュラは、「民主的なトルコ共和国の起源はトルコ民族主義の原則に胚胎する」とした上で、これを多民族多宗教的なオスマン国民形成の「失敗」に対置したが(Akçuraoğlu 1928: 5-7, 290)、その定式化を推し進めたのが、歴史学協会長アクチュラの統括の下、一九三二年に開かれた第一回トルコ歴史学大会だった。この場でサドリ・マクスーディは、バシキール人歴史家ゼキ・ヴェリディ・トガン(一八九〇―一九七〇年)に対し、彼は「学術的問題の解明に資するのではなく、それとはまったく別の目的に努めている」と一方的に攻撃する。これは、かつてカザン・タタールが鼓吹した文化的自治とタタール支配に抗する領域的自治とのあいだで生じた対立のトルコにおける再演だった(TTK 1932: 389-400)。ロシアでは文化的自治論は敗れたものの、「トルコ史テーゼ」の「勝利」を既定路線とするトルコでは、共和国指導層の圧力もあり、孤立したトガンは再亡命を余儀なくされる。その翌年、一連の思想統制の総仕上げとも言うべき「大学改革」が行なわれ、近代オスマンの学統を継ぐ教員の多くが失職に追い込まれると、サドリ・マクスーディはイスタンブル大学法学部にも進出し、アンカラとの掛け持ちで「法制史」を担当する。アクチュラもこれを機にイスタンブルに移った。これと前後して共和人民党一党独裁への反発を強めたアーオールは失脚するが、サドリ・マクスーディは入れ替わるように大国民議会に選出され、アクチュラもその死まで議席を守り続ける。そしてその講義録を『トルコ史と法』と改題して公刊したサドリ・マクスーディは、「共和国期まで我が国では「トルコ法制史」など何人も関知するところではなかった」のであり、自らの講義こそ「トルコ世界初」のものだと誇示する(Arsal 1947: xi-xii)。だが、「トルコ法制史」と対になる彼の「法制史」講義は「ギリシア・ローマ」から西欧近代への「進歩」を特権化する「普遍史」の焼き直しであって(Arsal 1926-27: 3-5, 24-27)、「トルコ法」は実質上、「普遍的」な西欧法に対する「特殊」な各国法の一つという地位に矮小化される。要するに、オスマン的イスラームが持つ普遍性の否定と表裏一体で進められた「トルコ法」の創造は、西欧近代との一体化の願望に基づくものでもあった。

おわりに

ほとんど定義上、近代法学はヨーロッパが掲げる普遍性の枠内で展開する。従って世界史上における法の理論も実践も、ヨーロッパ的かアジア的か、近代的か前近代的か、世俗的か宗教的か、公民的か民族的か、国民的か帝国的かといった二項対立図式に即して語られることが多い。だが主権国家体系におけるオスマンの地位も近代オスマン法学の意義も、こうした仮構の図式から離れたところで考察されるべきものである。カリフ制の存置を求めるリュトフィ・フィクリの国制論は、新生トルコの世俗主義的な法学に比して明確に公民的だった。カリフを戴く立憲君主政を「神権政」として否定するサドリ・マクスーディの民族主義的な法制史叙述は、「宗派国家」ロシアにおけるムスリムの代表としての実践をその背景に有していた。大戦前後にオスマン、ロシア、そしてトルコを跨ぐ形で生成された法をめぐる語りを、国民国家という理念型に反する帝国的な「例外」とか主権国家体系に反する「イスラーム的」な事例とかいって片付けるだけでは、何も説明したことにはならない。世界史上における法の在り方を価値中立的に論ずるためには、なぜ近代オスマン法学は忘却され、なぜロシア起源の法制史叙述が「トルコ史」の枠組みに定着し、なぜ「イスラーム法」は西欧法という一般に対する特殊と見做され続けるのか、その要因をこそ検討すべきであろう。

近世以来、ヨーロッパの国際法学は常にオスマンの「例外性」を明記した。それは、「ヨーロッパ公法」がキリスト教世界に局限されない普遍性を持つことを訴えるためには、イスラームを奉ずる「野蛮」なオスマンにも、「例外的」な形であればそれは適用可能だと示す必要があったからである(Pitts 2018)。そして西欧列強による(半)植民地化に際して、非ヨーロッパ諸地域に自生した種々の普遍性とそれに基づく秩序は、オスマンの処遇を先例に、唯一絶対の普遍性に基づく「文明的」な西欧法とは共約不可能な、「野蛮」「未開」で「例外的」な法制だと一方的に見下された(Anghie 2005)。両者の格差を固定化すべく、キリスト教徒保護のための法多元主義の実践が強制されると、そうして埋め込まれた制度自体がしばしば循環的に「野蛮」「未開」の証と見做されることで、ヨーロッパ非ヨーロッパの対等は否定され続けた。オスマン国制にどのような特権をいつどのように埋め込むかをめぐって展開した「東方問題」が列強相互の「勢力均衡」を実現するための制度として機能する中、近代オスマン法学は、西欧人が是とする概念を用いて自主独立を護ろうとする試みだった。だがその営為にも、また西欧人の自意識にもかかわらず、「長い一九世紀」以来の国際秩序は結局、イスラームを国教としカリフを立憲君主として戴く多民族多宗教的で自主独立の国民国家なるものを「普通」の存在と認められるほどには、世俗的でも普遍的でもなかった(藤波 二〇一六)。

西欧列強による世界分割の完了後、オスマン帝国が解体し、ロシアは社会主義化し、アラブは植民地支配の下に置かれ、トルコが世俗主義に傾くと、国際法や国際関係を語るに当たり、非西欧の普遍性、とりわけイスラーム的なそれに配慮する必要性はますます感じられなくなる。だが在地の主体がこうした過程に対して受動的であり続けたわけではない。自律的な広域秩序としての帝国の存続を求めた人々は少なくなかったし、大戦後にも、旧帝国で養成された法学者たちは、新国家への法の承継や戦勝国による法制の「押し付け」の有無を超えて、法や思想や政治の連続非連続を強く規定した(石川 二〇一四、Wheatley 2018)。オスマン法からトルコ法への変容も、こうした文脈で理解されるべきものである。時の国際秩序に容認される語彙によって新政権の正統性を弁証すべく、トルコ共和国の建設に際し、オスマン立憲政を「神権政」として断罪する語りが創出されたが、その定式化に当たっては、旧帝国以来の跨境的な経験が少なからぬ役割を果たした。その過程は不可避的でも単線的でもなかったし、唯一絶対の普遍性を持つ西欧の法制度が予定調和的に広まる「進歩」の物語でもあり得なかった。

ヨーロッパの「地方化」の必要が叫ばれて久しいが、「東洋史/アジア史」と「西洋史/ヨーロッパ史」という二項対立の発想は今なお強固である。そうした現状を匡正するためにも、共約不可能性の神話を超え、西欧由来の主権国家体系に囚われない形で、世界史上における法や政体の一般理論を構築する必要があるだろう。普遍支配の伝統を受け継ぐ諸政体が自らの国制を西欧法的な定義の下に記述し直そうとした試みは、近世近代を通じた世界法制史の分析に好個の素材を提供する。この際、ユーラシア東西の普遍性を共有したオスマン・ロシア両帝国の比較は有用性を失わない。しかも、カリフなき世界で伸長するイスラーム主義の実態や、人民の喝采に立脚して専制化する大統領が各地に叢生する現状に鑑みれば、近代オスマン法学が提示した、主権国家の枠組みの下での多民族多宗教的な立憲君主政としてのカリフ論には少なからぬ今日的意義がある。従って、世界大の帝国の再編が行なわれた大戦前後にあって近代オスマン法学は何をどこまで達成したかという問題にも、オスマン史家のみの関心事には留まらない世界史的な価値があるだろう。法はなぜどのように存立し、その根拠はいつどのように変容するのか。近代オスマン法学とその盛衰は、こうした普遍的な課題を西洋中心主義的ではない形で考えるための一助となるはずである。

参考文献

秋葉淳(二〇一六)「帝国とシャリーア――植民地イスラーム法制の比較と連関」宇山智彦編『ユーラシア近代帝国と現代世界』ミネルヴァ書房。

新井政美(二〇一三)『イスラムと近代化――共和国トルコの苦闘』講談社。

石川健治(二〇一四)「窮極の旅」同編『学問／政治／憲法――連環と緊張』岩波書店。

宇山智彦(二〇一七)「ロシア・ムスリムの革命と「反革命」――「想像の帝国」との協力と闘い」同編『ロシア革命とソ連の世紀5　越境する革命と民族』岩波書店。

永田雄三(二〇〇四)「トルコにおける『公定歴史学』の成立――「トルコ史テーゼ」分析の一視角」寺内威太郎ほか『植民地主義と歴史学――そのまなざしが残したもの』刀水書房。

長縄宣博(二〇一三)「ロシア・ムスリムがみた二〇世紀初頭のオスマン帝国――ファーティフ・ケリミー『イスタンブルの手紙』

を読む」中嶋毅編『新史料で読むロシア史』山川出版社。
長縄宣博（二〇一七）『イスラームのロシア——帝国・宗教・公共圏　一九〇五—一九一七』名古屋大学出版会。
藤波伸嘉（二〇〇九）「国民主権と人民主義——トルコ「一九二一年憲法」審議過程における職能代表制論議」『日本中東学会年報』第二五巻第一号。
藤波伸嘉（二〇一一）『オスマン帝国と立憲政——青年トルコ革命における政治、宗教、共同体』名古屋大学出版会。
藤波伸嘉（二〇一三）「オスマンとローマ——近代バルカン史学史再考」『史学雑誌』第一二二編第六号。
藤波伸嘉（二〇一四a）「オスマン帝国と「長い」第一次世界大戦」池田嘉郎編『第一次世界大戦と帝国の遺産』山川出版社。
藤波伸嘉（二〇一四b）「主権と宗主権のあいだ——近代オスマンの国制と外交」岡本隆司編『宗主権の世界史——東西アジアの近代と翻訳概念』名古屋大学出版会。
藤波伸嘉（二〇一五）「ババンザーデ・イスマイル・ハックのオスマン国制論——主権、国法学、カリフ制」『史学雑誌』第一二四編第八号。
藤波伸嘉（二〇一六）「仲裁とカピチュレーション——一九〇一年オスマン・ギリシア領事協定にみる近代国際法思想」『史学雑誌』第一二五編第一一号。
藤波伸嘉（二〇一九）「転換期の憲法」小松久男編『一九〇五年　革命のうねりと連帯の夢』〈歴史の転換期10〉、山川出版社。
マーチン、テリー（二〇一一）『アファーマティヴ・アクションの帝国——ソ連の民族とナショナリズム、一九二三年—一九三九年』半谷史郎監修、荒井幸康ほか訳、明石書店。
Adıvar, Halide Edip（1926）, *Memoirs of Halidé Edib*, New York: The Century.
Akçuraoğlu, Yusuf（1928）, *Türk Yılı*, İstanbul: Yeni Matbaa.
Akiba, Jun（2003）, “A New School for Qadis: Education of *Sharia* Judges in the Late Ottoman Empire”, *Turcica*, 35.
Akiba, Jun（2021）, “Muallimhane-i Nüvvab’dan Mekteb-i Kuzat’a: Osmanlı Kadı Okulunun Yarım Yüzyıllık Serüveni”, in *Sahn-ı Semân’dan Dârülfünûn’a: XIX. Yüzyıl Osmanlı’da İlim ve Fikir Dünyası. Âlimler, Müesseseler ve Fikrî Eserler, XIX. Yüzyıl*, İstanbul.
Anghie, Antony（2005）, *Imperialism, Sovereignty and the Making of International Law*, Cambridge: Cambridge University Press.
Arai, Masami（1992）, *Turkish Nationalism in the Young Turk Era*, Leiden: E. J. Brill.

Arsal, Sadri Maksudi (1924-25 [2017]), "Milletlerin İntibahında Tarih ve Eski Edebiyatın Tesiri (Finler ve Çekler)", reprint in *İstanbul Üniversitesi Hukuk Fakültesi Mecmuası*, 75.
Arsal, Sadri Maksudi (1925 [2017]), "Ankara Hukuk Mektebinin Tarihî Ehemmiyeti", reprint in *İstanbul Üniversitesi Hukuk Fakültesi Mecmuası*, 75.
Arsal, Sadri Maksudi (1925-26 [2017]), "Türk Hukuku Tarihi", reprint in *İstanbul Üniversitesi Hukuk Fakültesi Mecmuası*, 75.
Arsal, Sadri Maksudi (1926-27), *Hukuk Tarihi Dersleri: İkinci Sene*, Ankara: Kader Matbaası.
Arsal, Sadri Maksudi (1934 [2017]), "Dil Düzeltme İşinde Yazıcıların Borçları", reprint in *İstanbul Üniversitesi Hukuk Fakültesi Mecmuası*, 75.
Arsal, Sadri Maksudi (1940), "Teokratik Devlet ve Laik Devlet", in *Tanzimat*, I, İstanbul: Maarif Matbaası.
Arsal, Sadri Maksudi (1943a), "Beşeriyet tarihinde Devlet ve Hukuk mefhumu ve müesseselerinin inkişafında Türk Irkın rolü", in *II. Türk Tarih Kongresi, 20-25 Eylül 1937, İstanbul*, Ankara: Türk Tarih Kurumu.
Arsal, Sadri Maksudi (1943b), "Hukuk İlmi ve Sosyoloji", *Ankara Üniversitesi Hukuk Fakültesi Dergisi*, 1(1).
Arsal, Sadri Maksudi (1947 [2014]), *Türk Tarihi ve Hukuk*, Ankara: Türk Tarih Kurumu.
Fujinami, Nobuyoshi (2017), "The First Ottoman History of International Law", *Turcica*, 48.
Fujinami, Nobuyoshi (2021), "The Ottoman Empire and International Law", Anthony Carty (ed.), *Oxford Bibliographies in International Law*, New York: Oxford University Press.
Fujinami, Nobuyoshi (2022a), "A Constitutional Reading of Despotism: İbrahim Hakkı on Ottoman Administrative Law", *International Journal of Turkish Studies* (forthcoming).
Fujinami, Nobuyoshi (2022b), "Progressive Conservatives? The Young Turk Lectures on Constitutional Law", Denis Herman and Erdal Kaynar (eds.), *Histories of Constitutionalism in the Ottoman and Qajar Empires, 1830-1914*, Leiden: Brill (forthcoming).
Lütfi Fikri (1326r [1910]), *Selanik'te Bir Konferans*, İstanbul: Matbaa-i Ahmet İhsan ve Şürekası.
Lütfi Fikri (1327 [1911?]), *Mebadi-i İlm-i Hukuk*, İstanbul: Matbaa-i Ahmet İhsan.
Lütfi Fikri (1338r [1922]), *Hükümdarlık Karşısında Milliyet ve Mesuliyet ve Tefrik-i Kuva Mesaili*, [İstanbul]: Akşam-Teşebbüs Matbaası.
Lütfi Fikri (1339r [1923]), *Meşrutiyet ve Cumhuriyet*, [İstanbul]: Ahmet İhsan ve Şürekası Matbaacılık Osmanlı Şirketi.

Minawi, Mostafa (2021), "International Law and the Precarity of Ottoman Sovereignty in Africa at the End of the Nineteenth Century", *The International History Review*, 43(5).

Özsu, Umut (2010), "'Receiving' the Swiss Civil Code: Translating Authority in Early Republican Turkey", *International Journal of Law in Context*, 6(1).

Pedersen, Susan (2015), *The Guardians: The League of Nations and the Crisis of Empire*, Oxford: Oxford University Press.

Pitts, Jennifer (2018), *Boundaries of the International: Law and Empire*, Cambridge: Harvard University Press.

Račius, Egdūnas and Antonina Zhelyazkova (eds.) (2018), *Islamic Leadership in the European Lands of the Former Ottoman and Russian Empires: Legacy, Challenges and Change*, Leiden: Brill.

Ross, Danielle (2020), *Tatar Empire: Kazan's Muslims and the Making of Imperial Russia*, Bloomington: Indiana University Press.

Sablin, Ivan and Egas Moniz Bandeira (eds.) (2021), *Planting Parliaments in Eurasia, 1850-1950: Concepts, Practices, and Mythologies*, Abingdon: Routledge.

Sowerby, Tracey A. and Christopher Markiewicz (eds.) (2021), *Diplomatic Cultures at the Ottoman Court, c. 1500-1630*, New York: Routledge.

Toprak, Zafer (2012), "Antropolojik Dilbilim, Dil Devrimi ve Sadri Maksudi", in *Darwin'den Dersim'e Cumhuriyet ve Antropoloji*, İstanbul: Doğan Kitap.

TTK (1932), *Birinci Türk Tarih Kongresi*, İstanbul.

Tunçay, Mete (1992), *T.C.'nde Tek-Parti Yönetimi'nin Kurulması(1923-1931)*, İstanbul: Cem.

Wheatley, Natasha (2018), "Making Nations into Legal Persons between Imperial and International Law: Scenes from a Central European History of Group Rights", *Duke Journal of Comparative & International Law*, 28.

コラム | *Column*

アブデュッレッザーク・ベディルハーン
——親露派クルド・ナショナリストの足跡

山口昭彦

一九世紀末、オスマン帝国東部辺境に暮らすクルド人の間にもようやくナショナリズム思想が芽生え始める。すでに同世紀初頭から帝国支配下のキリスト教徒諸民族にナショナリズムが浸透し、世紀後半にはムスリムの間にも民族意識の覚醒が見られるようになっていた。クルド人もまたこの潮流に加わったのである。

ただし、初期のクルド・ナショナリズム運動はあくまでもオスマン帝国の支配を前提とするもので、分離主義的傾向はあまり見せなかった。ナショナリストたちの多くは、当時帝国内の知識人や支配層に広がっていた立憲主義思想に共鳴し、立憲体制の確立こそがクルド社会の抱える諸問題、すなわち教育や発展の遅れを克服する鍵だと考えていたからである。

そうしたなか、アブデュッレッザーク・ベディルハーン(Abdürrezzak Bedirhan)は早くからクルディスタン(「クルド人の土地」の意)の独立を目指したという点で異彩を放つ。ここでは彼の足跡をたどることで草創期のクルド・ナショナリズム運動の一断面に光を当ててみたい。

アブデュッレッザークは、ジャズィーラ地方(現在のトルコ＝シリア国境周辺)のクルド系領主一族の最後の棟梁ベディルハーン・ベグの孫である。一九世紀半ば、帝国政府による集権化政策によって統治権を奪われたベディルハーン一族は、その後、帝国各地で官職を与えられてエリート家系のひとつとして生き延びる。さらに、同世紀末になると一族は青年トルコ人運動とも連携しながらクルド・ナショナリズム運動の中心的担い手となっていくのである。

一八六四年に帝都イスタンブルに生まれたアブデュッレッザークは、官立学校で高等教育を受けたのち一五歳で官途に就いている。国費によるパリ派遣を望んだが、彼自身の言によれば時のスルタン・アブデュルハミト二世がこれを認めず、まずは外務官僚としての訓練を求めたという。かくてアブデュッレッザークは一八八五年秋から外務省で働き始めた。

一八八九年、彼が派遣されたのはかねてから望んでいた西欧ではなく、ロシア帝国の都サンクトペテルブルクであった。しかし、そこでの大使館三等書記官としての勤務が、後に親露派ナショナリストとなる決定的刻印を与えることとなった。

おそらく、すでにサンクトペテルブルク滞在中からロシアの支援によるオスマン帝国からの独立を構想していたのだろう。いったん本国に戻されたのち一八九一年にイランの在テヘラン大使館勤務を命じられたが、どういうわけか赴任途上で呼び戻されている。これを無視したアブデュッレッザークは、そのままジョージアのティフリス(トビリシ)に向かって

アブデュッレッザーク・ベディルハーンの肖像
(https://www.amidakurd.net/ku/nuce/lehengekî_jibîrçûyî_mîr_evdirrezaq_bedirxan)

いる。自伝によれば、オスマン帝国に対する反乱を画策するためアルメニアのエレヴァンに居を定めるつもりだったという。しかし、この時点ではロシアの賛同を得られず、一八九四年、父を通じて政府から帰国を促され、翌年、スルタンの住むユルドゥズ宮での儀典長補佐の職を与えられている。

アブデュッレッザークが本格的に政治活動を開始するのは一九一〇年である。それより前、一九〇六年にイスタンブル市長ルドヴァン・パシャ殺害に連座してリビアの監獄に送られ、この年ようやく釈放されたばかりであった。イスタンブルに戻るや早速ロシア大使館に亡命を申請、同年秋にはティフリスに到着し、その後はクルド地域各地を回りながらロシア保護下でのクルド国家設立構想を広める宣伝活動に着手するのである。

一九一二年五月、アブデュッレッザークはクルド系在地有力者らを集めてイルシャード(指導)という組織を立ち上げる。クルディスタン解放のために何よりも必要なのは諸部族を連帯させることであったが、そのための枠組みとして機能させることを狙ったのである。ところが、事態が彼の思惑通りに進むことはなかった。確かにこの時期、中央政府による在地社会への介入や過重な税金への不満からクルディスタン各地で反乱が連鎖的に起きていたが、それらが統一された運動となることはなかったからである。

他方、一九一三年秋、彼はイラン北西部のホーイの町に当地のロシア領事の援助を得て三〇人ほどのクルド人の子弟を対象に学校を開設している。若いクルド人たちがロシアの文化や言語に触れて自らの教育、生活、文化水準を高めることでクルド社会に文明をもたらすことができると信じていたからである。

第一次世界大戦の勃発とオスマン帝国の参戦はクルド地域をめぐる政治状況を流動化させたが、アブデュッレッザークがこうした状況を生かすことはついになかった。大戦が始まると、彼はロシアから得た資金をばら撒いてクルド系諸部族を募りロシア軍に協力しながらオスマン帝国に侵入する。しかし、ロシアからの武器供与が不十分であったこともあってさしたる成果を上げられず、率いていた部族からもロシア軍からも見限られている。結局、ロシア革命の勃発でアブデュッレッザークの夢は潰え、一九一八年夏、ジョージアにいたところをオスマン軍によって捕らえられ処刑されたという。

問題群｜Inquiry

中華民国における民主主義の模索

中村元哉

はじめに――「民主」とは何か?

本稿は、二〇世紀前半の中国史という場に即して、中国語の「民主(主義)」を理解し、現在へとつながる近現代中国の普遍性と固有性を紐解きながら、「民主」なるものとは距離をとってきたはずだとイメージされる近現代中国を再考したい。自由を享受するためには独裁と無政府状態の間にある「狭い回廊」(アセモグル、ロビンソン 二〇二〇)のなかで国家と社会がせめぎ合わなければならないと理解される時、中国は独裁の政治文化を変えようとしなかった事例として扱われるが、果たしてそうなのか。また、民主主義すなわちデモクラシーの非西洋起源(グレーバー 二〇二〇)という課題設定の重要性は認めるが、それと同時に、私たちは近現代中国の西洋的「民主」をめぐる経験値にもしっかりと耳を傾けるべきではないのか。

こうした目的をもつ本稿では、まず断っておきたいことが二つある。第一に、本稿は、二〇世紀前半の清朝末期(―一九一二年)から中華民国期(一九一二―四九年)までの「民主」をめぐる歴史の整理を主眼とするのであって、中国をケーススタディーとしてデモクラシーの新たな理論化を試みるわけではない、ということである。当然に、白書

表1　中国主要紙及び基本文献のデータベースにみる「民主」「憲政」「議会」の掲載回数(19世紀後半～20世紀半ばまで)

データベース	民主*	憲政(立憲を含む)	議会(国会を含む)**
『申報《しんぽう》』(上海版，漢口版，香港版／1872-1949)	1,188	34,473	219,915
全国報刊索引	583	6,912	32,525

＊「国民主権」など別の用語を含んでしまうため，暫定的に「民主主義」で検索した．全国報刊索引での初出は，1916年の「黎元洪《れいげんこう》大総統は民主主義を重視する」との見出しである．その後の用法は1940年代に偏っており，その大半は中国共産党の新民主主義という意味である．

＊＊地方レベルの「省議会」や「参議会」を含むため，また，「救国会」という別の政治組織を含むため，この数値は正確ではない．

『中国の民主』(二〇二二)のように、デモクラシーに新たな解釈を施そうとするわけでもない。第二に、中国語の「民主」は、一九世紀後半以降に欧米諸国や日本から受容された近代的な概念ではあるが、その欧米諸国のデモクラシーにも様々なバリエーションがあり、それらのデモクラシーを近代西洋としてひとまとめに括ることは最大限に慎みたい、ということである。それは同時に、その対の概念として多用されてきた伝統中華なる概念も極力使わないようにする、ということでもある。[1]

それでは、本稿でいう中国語の「民主(主義)」とは、どのような意味なのか。ここでは、次のような意味で使用する。すなわち、憲法に基づく政治という意味の憲政(近代立憲主義に基づく憲政よりも広い概念)を機能させるための概念であり、憲政を機能させるために整備された制度としての議会(広義には、選挙で選出された立法機関=議会のみならず、諮問機関も含む様々な代表機関を指すこともある)と重なり合う概念である。二〇世紀前半の中国語の史料や文献に「民主憲政」という日本の読者からすれば少し奇異に感じられる概念が頻繁に登場する理由は、ここにある。事実、「民主」という語が民主主義(デモクラシー)という意味で単独で用いられるよりも、憲政や議会(国会)の語が「民主」の類義語として多用されてきた。あくまでも一つの目安にしか過ぎないが、一九世紀後半から二〇世紀半ばまでの主要紙および基本文献を網羅するデータベースで検索すると、**表1**のようになる。

このような傾向を指摘するにあたり、本稿との関係で一点だけ強調しておくならば、一九〇〇年代に主に使われていた立憲という中国語は、一九一〇年代から一気に減少して、憲政という中国語に取って代わられた、ということである。そして、その憲政は、一〇年単位で整理すれば、一九四〇年代、一九一〇年代、一九〇〇年代、一九三〇年代、一九二〇年代の順に使用され、とりわけ一九四〇年代が突出して多かった、ということである。

以上のように、本稿の「民主」は、二〇世紀前半の中国史という場から導き出される憲政や議会と重なる概念であり、実質としては制度である。二〇世紀前半の中国史のうち、そのほとんどを占める中華民国史は、一九一一年の孫《そん》文《ぶん》を中心とする辛亥革命、一九二〇年代後半の中国国民党(国民党)を中心とする国民革命、一九四九年の中国共産党(共産党)による「新中国」革命というように革命の歴史を含み、さらには、国共内戦や日中戦争などのように戦争の歴史も含んでいる。しかし、他方で、君主国(王朝)の清朝が共和国の中華民国に移行したことに象徴されるように、憲政を追求し続けた時代でもあった。世界史のなかに位置づけ直すならば、中華民国は、帝国主義に圧迫され、二度の世界大戦に巻き込まれながらも、革命と戦争のなかで憲政という目標を掲げ続けた、ということになる。この中国内部から溢れ出てくる歴史は、日本の読者にどれほど知られているのだろうか。近代中国にこのような自発的な歴史などあったはずがなく、それ故に近代日本のほうが優れていたはずだとする中国観が、いまだに残り続けていないだろうか。

中華民国の憲政史を扱った研究は、日本、中国(大陸中国)、香港、台湾および欧米圏で積み重ねられてきた(中村編二〇一八など)。それらのなかで、中国語の先駆的な研究を指摘するならば、胡春惠(一九七八)となるだろう。同書は、共産党の革命史を相対化するために国民党の歴史観をやや強調しすぎているきらいはあるが、一九七〇年代という米ソ冷戦下の国共イデオロギー対立の時代において、実証性を最大限に貫こうともしていた。そして、さらに注目されるべきことは、この先駆的な業績よりもはるか前に、日本において現在もなお参照に値する研究成果が出版されていたことである。それらは高橋勇治(一九四八)や稲田正次(一九四八)や石川忠雄(一九五九〔初版一九五二〕)であり、とりわけ石川の業績が重要だった。同書は、当時の冷戦イデオロギーから距離をおきながら、憲政史をメインテーマに据えて中華民国史を総合的に解説しようとした。その姿勢は、同書「はしがき」にある「憲法史的現象は、総合的な社会現象を形成する他の諸現象との関連において存在するのであり、われわれは憲法史を学ぶうえにこの点を忘れてはな

表 2　憲法(準じるものも含む)の変遷

1908	憲法大綱
1912	中華民国臨時約法〔旧約法〕
1914	中華民国約法〔新約法〕
1923	中華民国憲法〔曹錕《ソウコン》憲法〕
1931	中華民国訓政《クンセイ》時期約法
1936	中華民国憲法草案〔五五憲草〕
1946(制定) 1947(公布・施行)～現在	中華民国憲法

表 3　代表機関の変遷

1909-12	(諮議局《シギキョク》**)
1909-12	**資政院《シセイイン》***
1912-13	臨時参議院
1913-14	**第一期国会** **〔衆議院と参議院の二院制，旧国会〕
1913-14	政治会議
1914-16	参政院
1916-17	**復活した第一期国会**
1918-20	**第二期国会** **〔新国会〕
1921	(〈未召集〉第三期国会**〔一部の地域で選挙を実施〕)
1922-24	**再復活した第一期国会**
1926	(〈未召集〉国民代表会議*〔一部の地域で前年から選挙を実施〕)
1928-48	訓政期立法院
1937	〈召集延期〉**国民大会** ** 〔第一段階の選挙はほぼ完了〕
1938-48	国民参政会
1946	政治協商会議
1946	制憲国民大会(憲法制定のための国民大会) 〔1937 年選出の代表含む〕
1948-2005(停止)	**行憲国民大会** **(憲政実行のための国民大会)
1948～現在	**憲政期立法院** **
1948～現在	(憲政期監察院*〔間接選挙制は 1992 年に廃止〕)

＊＝間接選挙制または職能代表制による選出を含む
＊＊＝＊のうち直接選挙制(複式制を含む)による選出も含む
・太字は選挙制に基づく立法機関＝議会
・(　)は選挙史にとって重要な事項

らないと思うのです」（一頁）というフレーズに集約されている。憲法史を基盤とする憲政史は、リベラリズムもナショナリズムも、中央も地方も、そして憲政史と対を為すとされる戦争や革命の歴史をもすべて包み込むものとして理解されている。

それでは、以上のような歴史のなかで育まれてきた中華民国の「民主」は、どのように制度化され、どのように実践されたのだろうか。**表2**と**表3**に、中華民国における憲法と議会の主要な変遷をまとめておく。本稿を読み進める際の参考にして下されば幸いである。

一、世界の憲政潮流と議会の開設——憲法大綱から中華民国臨時約法へ

「民主」と共和と憲政

中国語の「民主」は、『漢語大詞典』や『大漢和辞典』といった一定の権威をもつ辞書によれば、民の主宰者つまり帝王や君主を指して使われてきた、とある。この古代以来の「民主」の意味が「国家の主権＝人民に属する政体」へと変化したのが、二〇世紀初頭の清末民初と呼ばれる時期だった。中国史研究者や歴史学を基盤とする中国地域研究者は、一九世紀以前の王朝体制下の政治文化が「民主」概念の変容にどのような作用をもたらしたのかを解明すべきだと考えるだろうが、二〇世紀以降の「民主」がすこぶる近代的な意味で使われてきたことは、やはり素直に認められるべきだろう。

とはいえ、この近代的な「民主」概念は、清末民初と呼ばれる時期に相当に混乱していた。それは、『大漢和辞典』の「民主」の項目に「共和制の政治」という解説文があることからもわかる。つまり、この混乱ぶりを便宜的に憲法学の国体と政体という区分を用いて説明するならば、主権のあり方を意味する国体は君主か共和かであり、主権の運

用方法を意味する政体は専制か「民主」かとなるはずだが、この時期の中国は、その有力なモデルとなった明治期の日本と同じように、つまり、国体をもっぱら天皇制という意味で使用して国体と政体の定義そのものを争っていた当時の日本と同じように、この二つの概念を曖昧に理解し使用していた。

この典型的な事例は、中国に共和の語を定着させた梁啓超の訳文にあらわれている。梁啓超は、加藤弘之の文章を訳して「共和政体」とした際に、「旧訳為民主之国」と注をつけた。これは、「民主之国」すなわち君主のいない国すなわち共和国という等号関係の存在を意味し、共和と「民主」が混用され始めていたことがわかる。それ故に、孫文――東京で中国同盟会を組織して君主国の清朝から共和国の中華民国へと歴史を動かすことになった――の *The True Solution of the Chinese Question* ですら、その本文にあった Republic of China が「支那共和之政体」という具合に訳され、democracy に至っては訳出されないという不思議な現象が生じた(狭間 二〇一二)。

以上のような混乱した状況下で、憲政(立憲)なる概念が注目されるようになった。当時の政治家や知識人たちは、基本的には、立憲君主か立憲共和かを争い、それまでの専制に代わって立憲君主制と立憲民主制のどちらを採用すべきかを争ったわけである。政治家や知識人たちの実質的な対立点は、専制から「民主」へとどの程度移行するのか、ということだった。しかし、その際に、立憲君主制すなわち専制(政体)であり、それに対抗する立憲民主制すなわち共和制(国体)だとの論点の不一致が生じた。ここにさらに、当時の中国政治の論理が加えられることになった。すなわち、清朝は立憲君主制によって自らの延命を図ろうとし、それに対して孫文らは君主国から共和国への抜本的転換を図ろうとしたため、前者が立憲派と呼ばれ、後者が革命派と呼ばれるようになった。こうして「立憲＝保守／共和＝革命」というイメージが広まっていった。確かに立憲派と革命派は君主国か共和国かをめぐって決定的に対立したが、それでも、双方ともに憲政に立脚したのであり、立憲派と革命派という呼称が当時の政治制度改革のポイントをかえって見難くさせてしまった。いずれの立場であれ、そのポイントは、それぞれが想定する憲政の下で「民主」制度をどのように設計し運用するのか、ということだった。

それでは、なぜ当時の清朝は憲政を目ざそうとしたのだろうか。

その理由の一つは、清朝がイギリスの議会政治という概念に触れて憲法概念や憲政概念を造り出そうとし(王徳志二〇〇五：七頁)、そのイギリスが立憲君主制を採用していたからだ、というものである。しかし、この説明は十分に論証されているわけではない。仮にこの説が正しかったとしても、やはり、より重視されるべき理由は、清朝も明治期の日本と同じように不平等条約の改正のために政治の近代化を図らなければならず、その有力な方策として憲政を導入するほかなかったという当時の世界情勢と、その受動的な世界情勢認識のなかで同時に芽生えつつあった能動的な政治改革の意識であろう。また、受動的か能動的かを問わず、中国という新たな国民国家を創出するためには憲法や憲政を活用することが有効だとする、いわば同時代の世界が共有していた論理も作用していた。

こうして清朝は、オスマン帝国(トルコ)やペルシア(イラン)あるいは明治期の日本のように、憲政を通じて君主国を維持するのかそれともそれを変更するのかという世界の憲政改革の潮流のなかに身を投じることになり、その具体的な制度化に懸命に取り組んだわけである。二〇世紀初頭の光緒新政とよばれた一連の政治改革は、世界史的動向の一コマだった。その際に、ターニングポイントになったのが、日露戦争での日本の勝利だった。なぜなら日露戦争の結末は、清朝からすれば、日本のように立憲君主制を採用しなければロシア帝国のように衰退してしまう、と映ったからである。だからこそ清朝は、世界各国に憲政視察団を派遣し、とりわけ日本の憲政を導入しようとした(曽田二〇〇九：iii頁)。

議会制の始動

以上のような経緯をたどって、憲法大綱が一九〇八年に公表された。「皇帝大権」と附録の「臣民の権利と義務」

から成るこの大綱は、「大清皇帝は大清帝国を統治し、万世一系にして、永永に尊戴される」と高らかに宣言した。確認するまでもなく、この条文は大日本帝国憲法を意識したものだった。確かにこの憲法大綱は皇帝の権力を一部制限したが、それでも、その権力を日本の天皇以上に認めるものだった。まさに皇帝主権を体現した「欽定」憲法大綱だった。したがって、この日本要素を色濃く帯びた憲法大綱は、立憲君主制のなかでも君主制に重きを置いたものだ、と評価できる。

とはいえ、この憲法大綱が立憲君主制の立憲(憲政)を基盤としたことも事実であり、それ故に、清朝が米国(アメリカ)、英国(イギリス)、フランス、ドイツなどと比較しながら日本の憲政文化を吸収して、中国で憲政の土台を築く第一歩ともなった——中国憲政史が二〇世紀初頭に始まったといわれる理由である——。そして、憲法大綱は、議会を即座に開設したわけでも、また責任内閣制を即座に採用したわけでもなかったが、当時の中国での議会観や責任内閣制をめぐる理解がどうであれ、民意という権力の正統性を「天命」にかわって制度として集約する議会が重視され、皇帝の権力に制約をかけるための一つの手段として責任内閣制が注目されるようになった。

だからこそ、地域エリートに支えられて自立性を高めつつあった地方は、皇帝権力を温存しようとした中央の改革に反発した。こうした地方からの圧力の下、諮議局(のちの省議会)が、一定の学歴、職歴、財産などをもつ満二五歳以上の男子による制限選挙によって、各省に設置されていった。その後、中央レベルでも、資政院が皇族や貴族から成る議員と諮議局から選出された議員によって構成され、民選の議会の早期開設と責任内閣制の採用を求める声がますます高まっていった。清朝は、一九一一年の「憲法一九信条」で、ようやく「皇帝の権力は憲法が規定するところに限る」(第三条)と明言し、イギリスの責任内閣制に通じる制度を採用したが、もはや時すでに遅しだった。辛亥革命とよばれる一連の政治変動を経て、一九一二年に中華民国が南京に成立し、孫文が臨時大総統に就任すると、共和国が中国に誕生した。

強い議会制

この中華民国——正確にいえば暫定議会としての臨時参議院——が制定した中華民国臨時約法は、主権、国民、領土という近代国民国家にとっての不可欠な概念を明記し、袁世凱《えんせいがい》が孫文にかわって臨時大総統に就任した翌日に公布された。この約法は、フランスの第三共和政に近いと評価されており、「中華民国の主権は国民全体に属する」(第二条)として、民族、宗教、階級の区別をなくして、不十分ながらも基本的人権を保障し、司法の独立も明記した。さらに、参議院の権力を強化して臨時大総統の力を抑え込もうとする、やや変則的な内閣制——臨時約法には内閣という言葉はない——を採用した。つまり、総理大臣(「国務総理」)と各大臣は、参議院の同意を得て臨時大総統によって任命され、臨時大総統に責任を負うとはされたが、もし参議院から弾劾されれば臨時大総統によって罷免される仕組みだった。内閣は、参議院の解散権をもたなかったことから、事実上、臨時大総統ではなく参議院に責任を負うような不思議な仕組みとなった。ちなみに、臨時大総統も、参議院によって弾劾されたとしても、その解散権をもたなかった。こうして、梁啓超がつとに予測していたように、「議会専制」とでも呼ぶべき強い議会制が誕生した(金子 二〇一九：二四頁)。

では、その議会(国会)の議員はどのように選出されたのだろうか。この時の国会は衆議院と参議院の二院制であり、任期三年の衆議院は国民の選挙によって選出される地域代表であり、任期六年の参議院の大部分は各省議会から選出され、その残りはモンゴル、チベット、海外華僑などから選出される特殊代表だった。選挙権は当時の日本と同じく一定の条件、すなわち直接税年納二元以上、五〇〇元以上の不動産所有、小学校以上の学歴のいずれかを満たした満二一歳以上の男子に限定されたが、有権者は約四〇〇〇万人にものぼった。多くの政党が雨後の筍のように結成され、激しい選挙戦が繰り広げられた。

こうした選挙制とさきに指摘した強い議会制を重ね合わせると、中華民国は共和国として「民主」制度を着実に根付かせていったかのようにみえる。確かに、この選挙で第一党となったのは、辛亥革命のリーダー孫文の系統に属した国民党だった。

ところが、この「民主」制度の運用は、その制度を担う議員への不満が高まり続けた結果、なかなか安定しなかった(王奇生 二〇一五：六〇頁)。加えて、次のような理由も、その運用を当初から不安定なものにさせた。すなわち、選挙前の臨時参議院が透明な議会運営を怠り、議会の権威を十分に確立できていなかったこと、有権者の国民が選挙戦において打算を働かせる議員に幻滅したこと、強い議会制が内閣の頻繁な交代劇を引き起こし、かえって政治を空転させ、議会制に対する不信感が強まってしまったこと、である(ヒル 二〇一五：四一頁)。

この時の国会は、「第二革命」(2)後も、臨時約法で付与された憲法制定権に基づいて正式な憲法の制定を目ざし(「天《てん》壇《だん》憲法草案」)、強い議会制を維持しようとした。だからこそ、すでに正式な大総統に選出されていた袁世凱は、国民党を解散して国会そのものを解体し、一九一四年の中華民国約法で行政権を強化しようとしたのだった。

二、世界の「全民政治」化と議会の再建――中華民国約法から中華民国憲法草案へ

第一次世界大戦後のデモクラシーと中国

中華民国約法(新約法)は、中華民国臨時約法(旧約法)の制度的欠陥だった「議会専制」を解消するための試みであり、アメリカの大統領制を参考にしたともいわれている。しかも、ここで制度化された強い行政権は、袁世凱の恣意的な政治判断のみならず、袁の憲法顧問を務めたアメリカのグッドナウ(Frank Johnson Goodnow)や日本の有賀《ありが》長雄《ながお》らによっても支持されたものだった。中国近代政治史のなかで理解すれば、清末の立憲君主制(憲法大綱)が復活し、民

初の立憲民主制（旧約法）が否定された、ということになる。この新約法下の大総統は、グッドナウも認めたように、大日本帝国憲法下の天皇以上に強い権力を掌握した。事実上、清末の立憲君主制が復活したわけである。

ところが、皇帝への即位を宣言した袁世凱は、元号を「洪《おお》いなる憲政」を意味する洪憲としたことに表れているように、民意という正統性を制度として獲得するための議会制については否定できなくなっていた。新約法下でも、国民の選挙による議会は構想されていたのである。この議会は袁の死去によって実現をみなかったが、やがて新約法にかわって旧約法が復活すると、以前の国会が復活した。

こうした議会制の継続は、当時の第一次世界大戦が総力戦の様相を呈するなかで、ヨーロッパ各国やアメリカが戦中から戦後にかけて選挙権を拡大していった世界的な動向とも符合するものだった――日本の男子普通選挙もこの世界史の流れの一端を示すものだろう――。この一九一〇年代から一九二〇年代にかけての世界的なデモクラシーの拡大傾向は、中国の政治家や知識人からみれば、社会の末端に位置するすべての人びとを含む「平民主義」を実現するかのような時代として理解され、イギリスやアメリカで実現された男女普通選挙もさることながら、ドイツのワイマール憲法やソ連のソヴィエトのような、主権者の国民（人民）がすべての決定権を掌握するという「全民政治」化を促しているようにも映った（鄧麗蘭 二〇一〇：一三二頁）。中華民国は、このような世界情勢認識のなかで、何とか議会制を維持し運用しようとしたのだった。

しかしながら、この議会制の継続は、「民主」制度の発展に寄与したというよりも、むしろその後退をもたらしてしまった。

まず復活した国会は、第一次世界大戦参戦案の承認をめぐって深刻な政治対立を引き起こし、その混乱した事態を収拾できないと悟った当時の大総統は、国会の機能を再び停止させた。その直後には清朝を再興しようとした企てが北京で発生し、他方で孫文の政治グループに属する議員らが南方に拠点を移したことによって、中華民国は南北分裂の様相を呈した。この分裂下で、北京では新たな国会の召集が目ざされ、新たな選挙法に基づく衆参両院の選挙が実施された。しかし、この新国会の選出過程で不法選挙や買収選挙が横行し、新国会が民意に基づく正当(統)性を確保できるはずもなかった。しかも、依然として「議会専制」の傾向を帯びた新国会は、制度を逸脱した議会運営をおこなうなどしたため、国民からの信頼を勝ち取れず、わずか二年で消滅した。かわって、旧国会が再び復活したが、その旧国会も、あろうことか、新たな大総統を選出するにあたって買収選挙に応じてしまった。その直後に先進的な曹錕憲法が公布されたが、皮肉なことに、この憲法は「賄選」憲法としかみなされず、旧約法の権威さえもが徹底的に破壊された。

こうして一九二〇年代半ばには、旧国会は解体を余儀なくされ、中華民国における議会制は一旦途切れてしまった。

職能代表制

以上のような経緯だけをみると、中華民国の「民主」制度は、同時代の世界における「全民政治」化の流れから遅れをとっていた、ということになる。いや、この「民主」制度の後退は、ヨーロッパが第一次世界大戦後に破綻したと理解した一部の中国世論からすれば、むしろ自然な流れだったのかもしれない(王奇生 二〇一五:六一頁)。

ところが、この時点での中国における「民主」制度の後退は、大局的にみた場合、「全民政治」化の流れにすべて逆行していたわけではなかった。むしろ、「民主」制度そのものとその制度を担う人びとの問題点が明らかになったことから、それらを改善して「全民政治」化を定着させようとする動きが現れ始めた。事実、中国の各省は一九二〇年代初頭に独自の憲法を制定して連邦制の実現を目ざし、そうした憲政潮流のなかで、新たな「民主」制度が模索されつつあった。共和国を樹立した孫文その人も、一九二四年の「三民主義」連続講演のなかで、「全民政治」をより明快に主張するようになった(秦孝儀 一九八九、深町 二〇一二)。

この一連の新たな動きのなかで注目されるべきは、第一次世界大戦後のドイツやポーランドなどヨーロッパ各国で注目されていた職能代表制に関する議論だった。当時の中国も、職能団体(商会などの職業団体とも呼ばれる一種の中間団体)に一定の議席数を割り当てる職能代表制を積極的に採用すべきか否かを議論していた。なぜなら、共和国としての中華民国の正統性とそれを支える新たな民意の制度的調達が一九二〇年代半ばから模索され、「〇〇界」という新しい中国語が登場したように、各界の職能団体が社会のなかでますます力を発揮するようになったからである(孫宏雲 二〇一五：八七－八九頁)。

こうして一九二〇年代半ばの中国では、憲法制定権をもった国会(旧国会と新国会)に対する不信感が社会全体に広まったことを背景として、国民が主体となって、あるいは国民の意思を代弁し得る各界の職能団体を介して憲法を制定すべきだとする機運が急速に盛り上がっていった。孫文による国民会議の提唱は、その一例である。この運動は、第一次世界大戦後も世界各地に残り続けた植民地支配に対する反発、つまり反帝国主義運動の高揚を社会的基盤としていたが、国民(人民)の意思を新たな方法で汲み取ろうとした社会主義と親和的だったかどうかとは別に、政権を新たに統一するために必要な「全民政治」を世界の潮流とみなす中国側の認識にも支えられていた。孫文の「国民会議を実施して三民主義と五権(立法、行政、司法、監察、考試《こうし》)憲法を実現せよ」(3)との永眠前日の談話(一九二五年)は、蔣介《しょうかい》石《せき》を新たなリーダーとした国民党に引き継がれた。

「民主」制度改革と満洲事変

国民党は、ソ連や共産党と協調や対立を繰り返しながら、国民革命によって新たな政権を南京に樹立した。中華民国の新政権を担った国民党は、孫文の五権分立に依拠しながら、訓政と呼ばれる過渡的な一党独裁体制を経て憲政への移行を目ざすと宣言した。国民党は、確かに一党独裁を志向する勢力を党内に抱えていたが、憲政を最終目標としたという意味では、やはり共産党とは同列に論じられるべきではない。実際、国民党は、ソ連とは違う新たな「民主」制度を構想し、それを実践した。

では、中華民国の政権を担った国民党は、どのように議会を制度化したのだろうか。国民党政権は、まずは訓政という政治方針の下、自らが指導する政府に五院（立法院、行政院、司法院、監察院、考試院）を設置し、立法院を立法の専門機関として位置づけた。訓政期の立法委員は、立法院長によって候補者として選出され、その後に国民党の事実上の審議と承認を経て、政府によって任期二年で任命された。つまり、訓政期の立法院は、それまでのような選挙制に基づいて組織された議会とは性格を異にした。

しかし、訓政期立法院も、民意の代表性という圧力にさらされ続けた。そのため、国民党政権は、立法委員を任命する際に、地域の代表性や民族、宗教（とりわけモンゴル、チベット、イスラーム）の代表性、職能団体の代表性など様々なバランスに配慮せざるを得なくなった。また、立法委員は国民党内で一定の政治キャリアを積むことを求められていたが、実際には、必ずしもそうとはいえない著名な専門家や地域エリートたちが含まれるようになり、国民の納得できる専門家が任命されるようになった。経済学者の馬寅初《ばいんしょ》や法学者の呉経熊《ごけいゆう》などの名前を挙げれば、十分であろう。

したがって、立法委員の選挙による選出とその権威の向上は、政権の外部から求められていたことはもちろんのこと、政権の内部からも求められるようになった。この要求は、一九三一年の中華民国訓政時期約法の制定によって、ますます強まった。なぜなら、同約法は、訓政期立法院が共和国に相応しい新たな憲法草案を作成し、それを選挙によって構成される国民大会で可決するとしたからである。つまり、選挙によって民意を代表する国民大会の開催が求められ、訓政期立法院の民意も否が応でも問われざるを得なくなったのである。こうして訓政期立法院を任命制から選挙制へと改革する議論が加速し、その委員の半数を職能代表制によって選出する案が提示された。

ところが、この「民主」制度改革に大きな衝撃を与えたのが、同年九月の満洲事変とその後のファシズムの台頭という世界情勢の変化だった。おそらく日本の読者は、戦争の足音が迫るなかで中国の「民主」化の流れが日本と同じように頓挫したはずだ、と想像するだろう。しかし、ここでいう大きな衝撃は、まったく逆向きのものだった。中国は、満洲事変を契機にして、自らのナショナリズムの結束をますます意識せざるを得なくなり、議会はそのための有効な手段としてむしろ重視され、憲政への移行準備は加速した。もちろん、一九二〇年代末の人権論争や一九三〇年代前半の「民主・独裁」論争が物語るように(野村ほか 二〇一〇)、自由や人権の保障を目的とする憲政論の高まりとファシズムへの対抗意識もその底流にはあり、そのなかで民意を表出する議会制への関心が高まったことも、正確に把握しておかなければならない。

ちなみに、孫文の長子孫科《そんか》は、当時の立法院長として国民党内で憲政論を牽引していた。彼は、立法院の議会化に難色を示した孫文の権力構想に、必ずしも固執していたわけではなかった。

中国の「全民政治」化と世界情勢

一九三〇年代前半の中国は、国民党政権の下で、中華民国憲法草案(五五憲草)のとりまとめに着手した。選挙制に基づく新たな議会として、国民大会の開設も決まった。この一連の憲政への準備過程で、憲政期の立法院が選挙制によって構成されるべきか否かが争われたが、それはそもそも訓政期立法院が実質的に議会化を志向し始めていたことによる必然的な結果だった(聂鑫 二〇一四)。

以上のような新たな「民主」制度を創出しようとする過程は、同時代の日本の学者たちの知的関心をかき立てた。たとえば、憲法学者の宮澤俊義《みやざわとしよし》らは、次のように分析してやや否定的に評価した。国民党は訓政から憲政への移行を見据えているため、中華民国は「独裁政とは本質的に両立しがたい」のだが、だからといってリベラリズムを重視した「一九世紀的立憲主義に徹底することは到底できない」ようであり、各国の憲法が二〇世紀に入ってから行政権の強化を容認し始めていることからしても、五五憲草では「立法権の優越的傾向は決して見られぬであらう」、と(宮澤・田中 一九三六：一四―一六頁)。

確かに五五憲草は、大まかに整理すれば、総統に強い権力を与え、その下に立法院と行政院を含む五院を配置する仕組みとなった。しかし、総統はそもそも国民大会で選出されるのであり、その国民大会は、「普通、平等、直接、無記名投票」の満二〇歳以上の男女(国民)による直接選挙(選挙の第二段階)――男女普通選挙制は日本よりも中国のほうが早い――を経て選出される全国の県・市およびそれらと同レベルの区域の地域代表、モンゴル、チベットおよび海外華僑から選出される特殊代表、そして第一次世界大戦後から注目されていた職能代表によって、任期六年で構成されることになった。この国民大会の代表は外形的には間接選挙制によって選出されたとはいえ、第二段階の選挙制を考慮すれば、国民大会は民意を汲み取った最高の権力機関であり、それ故に憲法改正権も付与されることになった。いわば国民大会は、民意を基盤として立法権も行政権もすべてコントロールできる「全民政治」型の議会として構想されたのだった。ちなみに、立法権の最高機関である立法院の委員もその半数が国民大会で任期三年として選出されることになり、立法院も間接選挙によって構成される一種の議会として構想された(金子 二〇一九：一四四頁)。

むろん、立法院が議会化される可能性があったとはいえ、この「全民政治」型の「民主」制度は、おおむね孫文特有の権力構想を具体化したものだった。ところが、この「民主」制度には、ある別の特質も含まれていた。それは、孫文の遺訓に忠実であろうとした国民党員張知本《ちょうちほん》の憲政論などを読み解けばわかるように、ドイツのワイマール憲法の影響が含まれていたことである。つまり、理念上すべてを国民(人民)が掌握するという権力構造は、好意的なワイマール憲法観、すなわちドイツの「全民政治」のほうがソ連の「全民政治」よりも独裁化を防止できるはずだとの憲法観に支えられていたのである(中村 二〇一八：一〇五頁)。

こうして中国は、一九三〇年代半ばに国民大会選挙を段階的に実施していき、新たな「民主」制度を確立するはずだった。ところが、そのプロセスは、一九三七年の日中戦争によって中断してしまった。加えて、中国の一部の政治家や学者が好感をもっていたドイツの「全民政治」があろうことかヒトラーという独裁者を生み、その彼が日本と同盟関係を結ぶに至ったことから、国民大会に強大な権力を与えるはずだった外的な論理や根拠が大きく揺らいだ。やがて中国は、ファシズムに対抗する「民主」勢力のなかでも、アメリカやイギリスの議会制を参照するようになった。ちなみに、蔣介石のドイツ人政治顧問は、日中戦争勃発前の一九三七年二月に、蔣介石に対して「民主」制度の取り消しを助言し、もし取り消さなければ「計り知れない災いを後に残すことになる」と伝えていた(孫宏雲 二〇一五:九九頁)。

三、戦後世界の新秩序と議会の復活——中華民国憲法

日中戦争下の議会化の加速

清末から一九三〇年代までの中国には様々な主義が乱立し、リベラリズムやナショナリズムがここまでの「民主」制度の展開に大きな影響を与えてきた(中村 二〇一七)。

一九三七年に日中戦争が始まると、戦時期の準議会と評価された国民参政会が新設された。この国民参政会は、厳密にいえば準議会と呼べるような組織ではなく、諮問機関でしかなかった。しかし、国共両党および第三勢力とよばれる政治グループの代表、モンゴル、チベット、海外華僑の特殊代表、そして各界から選出された職能代表などによって構成された国民参政会は、戦時下で一種の民意機関のようにも機能していた。同会に参加した一部の政治家や知識人たちは、党派の違いを超えて、戦時下にもかかわらず憲政運動を二度高揚させるなど、いわば中華民国という共和国の生き残りとその発展のために力を尽くした。当時の日本もこの運動の推移を注視しており、たとえば、『中国

憲政運動の発展と最近の動向（翻訳）』（東亜研究所、一九四〇年）[4]は、同運動が「中国現代民主運動の最も中心的内容であり、又中国現代革命運動の最も主要な課題である」（一頁）と日本社会に紹介していた。

この日中戦争期の憲政運動は、中国の「民主」制度をめぐる議論に大きな影響を与えた。具体的にいえば、同運動はイギリスをはじめとする一般的な欧米諸国の議会制を五五憲草に組み入れようとし、それを阻みたい国民党は、その防戦の過程で、むしろ立法院を議会化する道を開いてしまった、ということである。曲解を恐れずにいえば、蔣介石を中心とする国民党の主流派は、孫文の構想に忠実であろうとし、それ故に国民大会を権力の核とする「全民政治」の制度化を維持して、立法院の議会化を否定しようとしたのだが、党外の政治グループは、国民大会にかわって三権分立に基づく議会制を構想し（金子 二〇一九：一七九頁）、立法院長孫科を含む国民党内のリベラル派も、国民大会の形式化（「無形化」）と立法院の議会化を後押しするようになった、ということである。こうして国民大会と立法院のどちらにより大きな力をもたせるのか、そして、どちらを事実上の議会として機能させるのかが、戦後中国の「民主」制度をめぐる最大の争点となった。

ここで見逃してはならないことは、国民大会を重視するにせよ立法院を重視するにせよ、どちらの立場も、第二次世界大戦の「民主」勢力、とりわけ連合国の中心国アメリカがファシズム勢力を打倒して戦後の新しい世界秩序を構築するはずだ、とする世界情勢認識を共有していたことである。一九四三年、コミンテルンの解散が決定され、さらにイタリアが降伏したことで、中国は「民主」勢力の連合国がファシズム勢力を圧倒するのは時間の問題だと理解するようになった。とりわけ、ローズヴェルト大統領の四つの自由、すなわち表現の自由、信仰の自由、欠乏からの自由、恐怖からの自由に濃縮される、アメリカのリベラリズムを基調とするデモクラシーが戦後世界を席巻するはずだ、と予測した。だからこそ、国民党政権も、戦後五大国として中国に期待を寄せるアメリカからの圧力を感じながら、戦前からつづく憲政への移行準備を再び加速させた。

その政治的転換点となったのが、一九四三年九月の国民党第五期中央委員会第一一回全体会議だった。この大会は、戦後の速やかなる憲政の実施を公約に掲げ、戦後を構想し始めた。この中国政治の展開は、当時の日本の状況と比較すると特異にも映るが、世界の潮流からすれば、自然な流れでもあった(中村 二〇一七:一七四―一七五頁)。

第二次世界大戦後の憲政と新たな「民主」制度――二つの議会?

国民党政権は、以上のような世界情勢の推移をうけて、日中戦争および第二次世界大戦の終結前後から、憲政への移行を本格化させた。その際に見逃してはならない国内要因が、共産党の連合政府論(一九四五年)だった。当時の共産党が独自の戦後構想を提示したため、政権を運営する国民党は、党内が憲政への移行で結束できているかどうかにかかわらず、共産党の戦後構想に対抗するためにも、憲政という自らの戦後構想を推し進めるほかなくなった。それ故に、戦後に入ると、「民主」制度をどのように実行するのかが国共両党の緊張関係のなかで争われることになった。

当時の中国政治の詳細は省くが、「民主」制度に注目した場合、まず重要になってくる戦後中国政治の出来事は、一九四六年の政治協商会議の開催だった。この会議は、国共両党や第三勢力の政治的対立を話し合いによって解決しようとしたものであり、その過程で五五憲草に対する修正原則をまとめた。この修正原則は、「人民の権利、義務にはおおよそ民主国家の人民が有する一切の権利および自由が含まれるべきである。法の規定は(自由と権利を)保障する精神から出発して、制限を目的とすべきではない」とした。そして同時に、国民大会を選挙によって構成するとはいえ、その権力を大幅に縮小し、かわって憲政期立法院(以下、立法院)でも選挙を実施して、その立法院を三権分立下の議会に相当する機関に改変し、行政院との間に議院内閣制を導入しようとした。総統制は維持されたが、五五憲草のような総統を中心とする行政権優位型の権力構造は、根本から見直されることになった。

その後、この修正原則にもとづいて政協憲草(「政治協商会議の五五憲草に対する修正草案」)が完成した。この政協憲草はさきの修正原則を大筋認める内容だったが、議院内閣制を「変則的な」制度へと変更した点は大きな違いだった。ここでいう「変則的な」議院内閣制とは、立法院の行政院長に対する不信任投票に制限が加えられ、行政院長の立法院解散権にも制限が加えられた、ということである。理由は、多党制によって政局が不安定になることを回避するためだった。これは、別の見方をすれば、総統制の下で三権分立に基づく議会政治の力を弱め、「権力は総統にあり、責任は内閣にある」という清末の憲法大綱以来の発想を残そうとした表れでもあった。こうして中華民国憲法の土台が完成し、それを制定するための国民大会(制憲国民大会)が開催される運びとなった。

国共両党は、制憲国民大会の開催をめぐって、交渉を重ねようとした。しかし、両党は、戦後中国をめぐる米ソ対立を背景にして、すでに内戦を再開しており、円滑な交渉をおこなう余地をほとんど残していなかった。結局、国民党は、敵対していた共産党や第三の道を模索してきた政治グループを排除して、一九四六年一一月に制憲国民大会を断行した。この時に国民党に協力した政党はわずかに青年党と民社党だけであり、制憲国民大会は全国の民意を新たに調達できたわけではなかった。同大会の代表は青年党および民社党の代表、特殊代表、職能代表などを含み、そのなかには日中戦争直前に選出された地域代表も含まれていたとはいえ、それらの地域代表は戦後直後の民意を反映していたわけではなかった。さらに、この時の代表には「当然代表」と呼ばれる国民党の要職者が数多く含まれ、彼・彼女らは民意を反映した存在ではなかった。こうして憲政への移行は、出だしから躓いた。

しかし、それでも、制憲国民大会でまとめられた中華民国憲法とその体制は、五五憲草よりもはるかに「民主」的な内容となった。なぜなら、国民大会の代表が選挙で選出される以外にも、立法院の委員も選挙で、さらに監察院の委員も選挙(間接選挙)で選出されることになったからである。また、司法の独立が謳われ、自由と権利も従来以上に憲法で直接保障されたからである。さらに、国民大会は、総統を選出し憲法改正権をもつ機関とはなったが、立法権を民選の立法院に一元化することになり、また、国民大会によって選出された総統も、その権力を大幅に削減されたからである。こうして中華民国憲法が一九四六年一二月二五日に制定され、翌年一月一日に公布、同年一二月二五日に施行されることになった。

中華民国憲法は、前文で「中華民国を創立した孫中山〔孫文〕先生の遺教に依拠」するとして、中華民国の正統性を継承する立場を強調した。また、第一条は「中華民国は、三民主義にもとづく民有、民治、民享の民主共和国とする」として、孫文の三民主義を明記した。これは特定イデオロギーの強要にもみえるが、リンカーンの「人民の、人民による、人民のための」に相当する中国語訳だとも解釈された。さらに、第二条は、旧約法と同じように「中華民国の主権は、国民全体に属する」と謳い、国民を主役にした。

また、中華民国憲法は、政協憲草の「変則的な」議院内閣制をさらに修正して、やはり「変則的な」議院内閣制を採用した。同憲法では、五五憲草のように行政院は総統に対して責任を負う必要はなくなり、立法院に対して基本的に責任を負うことになったが、立法院は行政院に対して不信任投票をおこなえず、行政院も立法院を解散できないとされた。ちなみに、立法委員は大臣職などの官吏を兼任できないとされ、総統が行政院長を指名し——立法院の同意を経て任命——、その他の内閣構成員を任命することになった。

この「変則的な」議院内閣制を民意という観点から整理し直せば、行政院の正当性は民選の国民大会によって選出された総統に由来するだけであり、国民大会と総統を介してしか民意を調達できない行政院が、民意を直接反映する立法院によって十分には牽制されない仕組みになった、ということである。別の言葉で表現すれば、間接的民意(国民大会→総統)と直接的民意(立法院)という二つの民意が行政院で衝突するような不安定な制度設計になった、ということである。

以上のように、中華民国憲法は、立法権と行政権との間に新たな制度上の問題を生んだ。それは、二つの民意ルートの背後にある「民主」制度から把握し直すと、国民大会と立法院という二つの議会が誕生し、国民大会が形式的な議会となったかわりに、立法院が実質的な議会になった、ということである。

それでは、なぜこのような「民主」制度が誕生したのだろうか。その理由は、立法院の権力強化を後押しする内外情勢が既述のように推移してきたからだったが、それは、裏返せば、「全民政治」型の強い国民大会を支える外的な論理や根拠が脆弱になったからだった。その論理や根拠が弱まった理由の一端は、強い国民大会制の維持にこだわった国民党系の憲法学者の世界情勢認識から読み取れる。一部の憲法学者たちは、「全民政治」のドイツはファシズムへと変質して第二次世界大戦で敗戦し、もう一つの「全民政治」である社会主義ソ連は事実上の一党独裁を維持して戦後世界の新しい秩序に合致していない、と認識した。敗戦国のドイツ(西ドイツ)、イタリア、日本がアメリカを中心とする戦後世界の新しい秩序に適合していくなかで、戦勝国の中国が「全民政治」型の国民大会制を積極的にアピールすることは至難の業だった(中村 二〇一八：一一二頁)。

迷走する新たな「民主」制度

それでは、中華民国憲法の「民主」制度はどのように運用され、機能したのだろうか。

もしかしたら多くの読者は、憲政実行のための国民大会(行憲国民大会)と立法院の選挙が国共内戦下で成功したはずがなく、そんなことを論じるのは時間の無駄である、と考えるかもしれない。しかし、戦後中国政治の最大の目標は、共和国としての中華民国のあり方を決定づける憲政とそこに民意という正当(統)性を付与する選挙にあった。これは、一九一〇年代から持ち越されてきた未解決の政治課題に取り組むということでもあった。だからこそ、研究者は、この歴史的出来事にきちんと目を向けなければならない。ちなみに、この時の選挙も満二〇歳以上の国民による「普通、平等、直接、無記名投票」となり、国民大会の任期は六年、立法院の任期は三年と定められた。

もちろん、結論からいってしまえば、一九四七年秋から翌年初めまでに実施された国民大会と立法院の選挙は混乱し、憲政は失速した。この時の「民主」制度も、民初と同じように定着しなかったのである。

では、その原因はどこにあったのだろうか。国共内戦下での憲政断行という理由を除けば、次の二つが重要であろう。

第一の理由は、憲政がそもそも中国文化に馴染むのか、という清末から続く社会の懐疑的な反応だった。一九一〇年代からの「民主」制度が実際のところ混乱してしまっただけに、この反応はより深刻なものとなった。

明清期の自治のあり方を活用できると考えた知識人たちは、中華民国憲法のイギリス流の「民主」制度の仕組みに期待を寄せていたが、社会民主主義者やマルクス主義者たちは、経済発展を基礎にして社会や文化が変容すると考えるようになっていたため、「民主」制度ありきの議論に違和感を覚え始めていた。さらに、清末以来の近代化の過程で文化的基盤がすべて崩壊したと考えた知識人たちは、文化を再生しない限り「民主」制度を軌道に乗せることはできない、と主張するようになった。なかには梁漱溟《りょうそうめい》のように、憲政は中国の文化的土壌に合わず、儒学を規範とする独裁型の賢人政治しか選択肢はないのだ、と主張する知識人も現れた。

こうした冷めた視線が社会に広がるなかで、「民主」制度をめぐる高尚な政治ゲームが疲弊した農村社会をどのように救出するのか、という批判もみられた。つまり、伝統規範にかわる法規範が確立されていない文化的アノミーのなかで選挙を実施したところで、それは利害対立をむき出しにするだけであり、なんとか糊口を凌いでいる農民に対して何一つ恩恵をもたらさない、とする根本的な疑義だった。知識人や大学生に愛読されていたリベラルな政論誌『観察』ですら、農民を代弁する時評を以下のように掲載したほどだった。

内戦以来、兵士と食糧が徴発され、秩序もぐちゃぐちゃに破壊されたため、民衆は生きていくこともままならず、死ぬにもどこに身を葬ればいいのかもわからない。民権だとか選挙だとか、こんなくだらないものは何の役に立つのか。

（厳仁賡《げんじんこう》「私たちの時局に対する幾つかの認識」『観察』第二巻第二三期、一九四七年八月二日）

第二の理由は、選挙に様々な限界があったとしても、その限界のなかで調達された民意すら踏みにじられてしまったことである。

国民大会代表選挙は、各区域から選出された地域代表、モンゴル、チベット、海外華僑などから選出された特殊代表、職業団体から選出された職能代表で構成され、全体の約一割を女性枠に充てた。そのうち、戦時期の国民参政会でも部分的に採用された職能代表制は、内憂外患の時期にあっては合理的な制度とみなされ、また世界基準ともみなされたが、他方で、国民党政権が操作可能な仕組みでもあった。というのも、団体資格の承認、選挙権と被選挙権の制限、代表枠の配分、投票方法といった選挙にかかわるルールは、国民党の意向を反映しやすかったからである。したがって、一部の民意は国民党にコントロールされていた可能性がある。

しかし、それよりも深刻だったのは、国民大会代表選挙のうち地域代表選挙だった。この選挙は前代未聞のトラブルを引き起こし、新しい「民主」制度はもちろんのこと、憲政の権威そのものを失墜させた。

候補者は、国民党、青年党、民社党の公認候補か、選挙権をもつ五〇〇名の署名で推薦された署名候補だった。地域の有力者の大多数は国民党員だったことから、三党は事前に公認候補者数を調整して、選挙結果が民意を反映していることを演出しようとした。ところが、そのような選挙プロセスは不透明だったことから、多くの国民が抵抗の意思を示すために投票を放棄するなどした。その結果、青年党、民社党の公認候補が大量に落選し、国民党の公認から外された有力者が署名候補として次々に当選していった(陳謙平 二〇〇六:六〇頁)。そのため国民党は、この選挙結果を国民党独裁と批判されるのを恐れ、国民党の署名候補の当選を一方的に取り消し、落選した青年党と民社党の公認候補を繰り上げ当選させた。共産党と民盟が参加していない選挙結果は、そもそもすべての民意を反映しているとはいい難かったが、その限られた民意さえも、国民党の事後操作によって踏みにじられてしまった。

こうした混乱を経て、行憲国民大会は、一九四八年三月二九日に、首都南京で開催された。本来なら、この開催によって、中華民国は名実ともに共和国になるはずだった。しかし、この国民大会は、選挙結果に粉飾を重ねた政治的茶番のようにしか国民には映らなかった。同大会は中華民国総統と副総統の選出を主要な任務としたが、その選出前に総統の権力を強化する反乱鎮定動員時期臨時条項（「動員戡乱《かんらん》時期臨時条款」）(5)をわずか数日の審議で可決し、その上で蔣介石を初代総統に選出した。

国民党政権は民意を新たに調達するために選挙を実施したわけだが、結局のところ、その不完全さがかえって社会からの信任を遠ざけ、社会の分断を加速させてしまった。当時は、各地方にも参議会が整備され、地方自治が少しずつ実践され始めていたが、それぞれの地域内部にも類似の状況が生まれていた（笹川 二〇一一：九一頁）。加えて、漢族を除く民族対立も誘発されてしまった。モンゴル族とチベット族は、制憲国民大会から行憲国民大会まで代表枠で優遇されてきたが、蔣介石がすでに漢化したとみなした満洲族は、同じようには処遇されなかった。満洲族は、行憲国民大会において、その他の民族枠でかろうじて一七名を確保したという状況だった。さらに、この選出過程で、満洲族の内部では亀裂が深まってしまった。この時の「民主」制度は、民族間の対立および民族内部の摩擦をかえって深めてしまい、中華ナショナリズムの形成やその強化には必ずしもつながらなかった（深町・張 二〇一五：二一八頁）。

中華民国憲法下で事実上唯一の議会となった立法院の状況も、概ね同じだった。立法委員は、各省および直轄市の地域代表、モンゴル、チベット、辺境地区の各民族、海外華僑から成る特殊代表、職業団体から選出される職能代表によって構成された。選挙によって総計七五九名が当選し、その内訳は、三五の省と一二の直轄市から六二一名、モンゴル二二名、チベット一三名、各民族六名、海外華僑八名、職能代表八九名だった。ただし、政党別にみると、国民党七〇七名、民社党一八名、青年党五名、無党派二九名で、国民党が圧倒的に多数派だった。また、選挙過程で混乱もみられ、立法院の開院時に実際に到着届を出した委員は六四八名にとどまった（といわれている）。

こうしてみると、立法院をとりたてて分析する理由は無さそうに思えてくる。ところが、この時の立法院が興味深いのは、国民党が多数派だったにもかかわらず、総統や行政院の政策にしばしば反対したことだった。国民党中央機関紙ですら、議会に相当する立法院に「反対党」が存在しているかのようである、と指摘したほどだった（社論「施政方針は立法院にあり」南京『中央日報』一九四八年六月一二日）。その理由は、どこにあったのだろうか。国民党内部の派閥対立や民意を反映させようとした立法委員の意欲がそうさせたことは間違いないが（山本 二〇〇一：二〇四頁、中村 二〇〇四：九四頁）、「議会専制」という民初以来の新しい政治文化が立法院をそう振舞わせていたことも一因だった（金子 二〇一九：二二四、二四四頁）。

おわりに

既述したように、第一次世界大戦から第二次世界大戦までの戦間期中国においては、「全民政治」型の「民主」制度が注目され、ソ連の政体もそのモデルの一つとみなされた。その理念と制度の導入の主体となったのが共産党であり、共産党は一九三〇年代から四〇年代にかけて様々な試行錯誤を繰り返した。本稿の趣旨からすれば、その詳細を整理することは生産的ではないので控えるが、共産党の存在が中華民国における「民主」制度の展開にどのような影響を及ぼしたのかについては、簡潔にまとめておく必要があるだろう。

まず、中華民国期の共産党は、国民党政権の「民主」制度を批判したり、あるいは、政治戦略の一環としてそれを逆手にとって利用したりしたが、いずれの場合であれ、「民主」という概念を意識せざるを得ず、その共産党と政治的に対立していた国民党政権も、だからこそ「民主」の概念をおろすわけにはいかなくなった。つまり、共産党は、毛沢東の「新民主主義」（一九四〇年）を基調とする「連合政府」論（一九四五年）を提起し、そうすることで中国社会の民意を国民党と争った。だからこそ、政権を担っていた国民党は憲政下の「民主」制度の実施と改良に強くこだわったのであり、共産党はそれに参加しないことで政治的動揺を引き起こそうとしたのだった。結果として、共産党を指導者とする中華人民共和国が一九四九年に北京で成立し、各政治勢力の連合(「新民主主義」)段階を経て、地方および中央の人民代表大会代表が、社会の最末端では直接選挙によって、それよりも上位の行政単位では間接選挙によって選出された。こうしたソ連の直接選挙方式とは異なる、いわば一種の下からの積み上げ方式によって全国人民代表大会が組織され、中華人民共和国憲法が一九五四年に制定された。この一連の選挙過程で、選挙に動員された人民は国家の主人公として演出され(張済順 二〇一五:一七〇、一七二頁)、商工業者たちも淡い期待を抱きながら社会主義建設に貢献していった(水羽 二〇一五:一六五頁)。

もう一つの重要な論点は、「全民政治」の主要なモデルがドイツ(ワイマール憲法)もしくはソ連だと認識されていたことからも推測可能なように、国民大会に強い権力を与えようとした「民主」制度の発想が、全国人民代表大会を最高権力機関とするプロレタリア独裁(「人民民主独裁」)の「民主」制度の発想と酷似していたことである。一九三〇年代(中華民国期)の国民大会の制度設計は、一九五〇年代(中華人民共和国期)の全国人民代表大会のそれにスライドしたかのようだった(平野 一九五六:三―四頁)。だからこそ、その中間に位置する一九四〇年代(中華民国期)の立法院を強化した「民主」制度はかなり異質であり、そのように中国近現代史を動かした力学がその後の中国あるいは中華圏という広がりのなかでどのように作用したのかは、是非とも考えなければならない。

最後に、このことと深く関連する一九五〇年代以降の台湾政治との関連性についても言及したい。

一九四〇年代後半に大陸中国で選出された国民大会の代表や立法院の委員は、やがて台湾で改選を迎えることになった。しかし、中華民国が実効統治する範囲は台湾に限られたため、大陸中国を含む全土で選挙を実施することは不可能だった。こうして台湾では国民大会代表や立法院委員の改選が困難となり、彼・彼女らが一体いつの民意を反映しているのかがやがて問題視されるようになった。と同時に、中華民国が大陸中国を含む全土を本当に回復できるのかという根本的疑義や、中華民国が現に実効統治している台湾の民意は十分に汲み取られているのかという深刻な問題が次々と浮上することになった。だからこそ、中華民国の民主化と台湾化が台湾内部から促されたのだった(若林二〇二一)[6]。

注

(1) たとえば、マゾワー(二〇一五)からは、近代西洋と一括りにはできないヨーロッパ各国の動向がわかる。
(2) 国民党の急進的な勢力は、権力を強化しようとした袁世凱を武力で打倒しようとしたが、最終的に袁によって鎮圧された。
(3) 監察とは官吏の不正を監督すること、考試とは官吏の採用を含む人事制度を指す。
(4) 同書は、香港で出版された邵翰斎『憲政問題読本』(一九四〇年)の翻訳本である。
(5) 一九九一年に台湾で廃止された。この廃止と一九八〇年代からの大法官(憲法解釈をおこなう)の活発な活動が、中華民国憲法に基づく台湾のデモクラシーを定着させていった。
(6) ただし、中華民国の台湾化という視角がすべてを説明し尽くせるわけでもない(五十嵐 二〇二一)。

参考文献

アセモグル、ダロン、ジェイムズ・A・ロビンソン(二〇二〇)『自由の命運――国家、社会、そして狭い回廊』(上・下)、櫻井祐子訳、早川書房。

五十嵐隆幸(二〇二一)『大陸反攻と台湾――中華民国による統一の構想と挫折』名古屋大学出版会。

石川忠雄(一九五九(初版一九五二))『中国憲法史』慶應通信。

稲田正次(一九四八)『中国の憲法』政治教育協会。

王奇生(二〇一五)「「神聖」から「唾棄」へ――国会への期待と幻滅」張玉萍訳、深町英夫編『中国議会一〇〇年史――誰が誰を代表してきたのか』東京大学出版会。

金子肇(二〇一九)『近代中国の国会と憲政――議会専制の系譜』有志舎。

グレーバー、デヴィッド（二〇二〇）『民主主義の非西洋起源について――「あいだ」の空間の民主主義』片岡大右訳、以文社。

笹川裕史（二〇一一）『中華人民共和国誕生の社会史』講談社。

曽田三郎（二〇〇九）『立憲国家中国への始動――明治憲政と近代中国』思文閣出版。

孫宏雲（二〇一五）「地域代表か？　職能代表か？――国民党の選挙制度」衛藤安奈訳、前掲『中国議会一〇〇年史』。

高橋勇治（一九四八）『中華民国憲法』有斐閣。

張済順（二〇一五）「「国家の主人公」の創出――第一回人民代表普通選挙」杜崎群傑訳、前掲『中国議会一〇〇年史』。

陳謙平（二〇〇六）「一党独裁制から多党「襯託」制へ」小野寺史郎訳、久保亨編『一九四九年前後の中国』汲古書院。

中村元哉（二〇〇四）『戦後中国の憲政実施と言論の自由　一九四五―四九』東京大学出版会。

中村元哉（二〇一七）『対立と共存の日中関係史　共和国としての中国』講談社。

中村元哉編（二〇一八）『憲政から見た現代中国』東京大学出版会。

中村元哉（二〇一八）『中国、香港、台湾におけるリベラリズムの系譜』有志舎。

野村浩一ほか編（二〇一〇）『新編原典中国近代思想史　国家建設と民族自救――国民革命・国共分裂から一致抗日へ』第五巻、岩波書店。

狹間直樹（二〇一二）「東アジアにおける〝共和〟思想の形成」辛亥革命百周年記念論集編集委員会編『総合研究　辛亥革命』岩波書店。

平野義太郎（一九五六）『人民民主主義憲法への史的展開――ワイマル憲法の崩壊から新中国憲法の成立まで』日本評論新社。

ヒル、ジョシュア（二〇一五）「「選挙運動は不当だ！」――第一回選挙への批判」家永真幸訳、前掲『中国議会一〇〇年史』。

深町英夫編訳（二〇一一）『孫文革命文集』岩波文庫、岩波書店。

深町英夫・張玉萍（二〇一五）「民族／民主――国共両党政権と満族の政治参加」前掲『中国議会一〇〇年史』。

マゾワー、マーク（二〇一五）『暗黒の大陸――ヨーロッパの二〇世紀』中田瑞穂・網谷龍介訳、未来社。

水羽信男（二〇一五）「実業界と政治参加――第一回全人大と中国民主建国会」前掲『中国議会一〇〇年史』。

宮澤俊義・田中二郎（一九三六）『中華民国憲法確定草案』中華民国法制研究会。

山本真（二〇〇一）「全国的土地改革の試みとその挫折」姫田光義編『戦後中国国民政府史の研究――一九四五―一九四九年』中央

大学出版部。

若林正丈（二〇二一）『台湾の政治――中華民国台湾化の戦後史〔増補新装版〕』東京大学出版会。

鄧麗蘭（二〇一〇）『西方思潮与民国憲政運動的演進』南開大学出版社。

胡春恵（一九七八）『民国憲政運動』正中書局。

聶鑫（二〇一四）「国民政府時期立法院的地位与権限」『歴史研究』第六期。

秦孝儀編（一九八九）『国父全集』近代中国出版社。

王徳志（二〇〇五）『憲法概念在中国的起源』山東人民出版社。

問題群｜*Inquiry*

第二次世界大戦後ラテンアメリカ民主化の「春」

高橋　均

第一次世界大戦はラテンアメリカでは影が薄い。実質的には一カ国も参戦していない。一〇〇年前から独立国なのでインドのように宗主国の戦争につきあわされることもなく、オスマン帝国や中華民国のように戦中・戦後の激動に見舞われることもなかった。

第二次世界大戦は違う。ブラジルは参戦し、アルゼンチン以外は連合国側の戦争遂行に積極的に協力した。その過程で様々な影響が及んだ。各国国軍は格段に強力となった。戦前の「善隣外交」時代からあった互恵通商協定やアメリカ輸出入銀行からの貸付に加えて、戦略物資部門を中心に政府開発援助（ＯＤＡ）が供与され、諸国は大いに潤った。戦後にできた国際連合憲章で「地域的取極」を結ぶことを認められ、米州機構（ＯＡＳ）ができた。国連ラテンアメリカ・カリブ経済委員会（ＥＣＬＡＣ）には「構造派」の経済学者たちが集って工業化の夢を育んだ（Humphreys 1981-82）。

だが、この稿ではもうひとつ別の側面に注目したい。ラテンアメリカは戦後の「民主化の第二の波」を欧米世界と共有した。非ヨーロッパ世界でそういう余裕があった国はまれで、他にはトルコ共和国のみだった。

「民主化の波」は政治学者Ｓ・Ｐ・ハンティントンが一九九一年に提唱した概念である。かれは一九世紀の西欧・北米の民主化を「第一の波」、第二次大戦後のドイツ・イタリア・日本の民主化を「第二の波」、そして二〇世紀末冷戦終結前後に新興国を巻きこんで起こった民主化を「第三の波」と規定した(Huntington 1991)。ハンティントンの力点はもちろん「第三」にあるのだが、ここでは「第二」に注目する。ドイツ・イタリア・日本と平行して「第二の波」は中南米にも到来したのである。(1)

「ラテンアメリカの春」はなぜ到来したか

どうして戦後のラテンアメリカとトルコ共和国だけに民主化が起こりえたのか。実は逆の質問をすべきなのである。全世界を巻きこんだ戦争に民主主義を旗印にした陣営が勝ち、敵側陣営も降参して民主化を遂げた。だとすれば民主化は全世界に及んでもよさそうであるのに、なぜラテンアメリカとトルコ共和国にしかそれは起こらなかったのか。答えは、戦後直ちに、非ヨーロッパのそれ以外の地域には脱植民地化をめざす武装闘争が起こったからである。武装闘争が起これぱかならずマルクス主義勢力が一枚かんできた。それ以外の勢力との間に軋轢を生じると、これら勢力は直ちに東西冷戦の東側に支援を求め、西側もまた対抗措置をとったため、国内政治が両極化して民主化どころではなくなったのである。インドシナ・朝鮮・中国(脱植民地化でなく対日戦争だが)などの例が即座に思い浮かぶが、マレーシアやビルマ(ミャンマー)もこれに準ずる。

すでに述べたがラテンアメリカ諸国はとうの昔に独立しており、トルコはそもそも植民地になったことがないので、いずれもこの時期に武装闘争が起こる余地がなく、したがって両極化も起こらず、戦後の機運を反映して民主化が起こったのである。

ところが、不幸なことにアメリカがこの情勢を見誤った。「中国の喪失《ロス・オブ・チャイナ》」に狼狽して猜疑心に凝り固まったアメリカ政府は、ラテンアメリカに起こった民主化の胎動を「ラテンアメリカの喪失」の端緒ではないかと疑った。今にしてみればそれは取り越し苦労だったのだが、アメリカは実力を行使してグアテマラの民主化をつぶしてしまった。それをまのあたりにしたキューバのフィデル・カストロ(Fidel Castro)は、のちに政権を取ると一切のためらいなく民主化を放棄して東側に与した。

その結果できてしまったキューバの一党支配体制は、ソ連崩壊と冷戦終結をも生きのびて今なおそこにある。そもそも一党支配体制はいったんできると簡単には倒れないものなのである。とすれば、今なお店晒しのようになっているキューバの体制こそは、この時期のアメリカの取り越し苦労と勇み足の残した迷子石だといえる。

かくして短命に終わった「第二の波」を仮に「ラテンアメリカの春」と呼びたい。その兆しと盛りと終わりを代表する人物として、ここではブラジルのジェトゥリオ・ヴァルガス(Getúlio Vargas)とカストロとチリのアウグスト・ピノチェット(Augusto Pinochet)をとりあげよう。

一、ヴァルガス失脚

第二次世界大戦が始まるとラテンアメリカ諸国は、アルゼンチン一国をのぞいて、こぞって連合国側に味方して軍事協力したことはすでに述べた。その最大の功労者はといえば、誰が見てもブラジル大統領ジェトゥリオ・ヴァルガスがその人であった。ところが戦争が終結する頃にはヴァルガスは独裁色が強すぎると内外で目されるようになり、戦勝直後の一九四五年一〇月にクーデターで倒されてしまった。「ラテンアメリカの春」の日差しの中で、ヴァルガスの冬服はすでに場違いになっていたのである。

「旧共和制」とヴァルガスの「新国家」

ヴァルガスの話をするにはラテンアメリカにおける民主化の「第一の波」から始めなくてはならない。キューバ一国をのぞいて一八二〇年代に独立を遂げたのち、ラテンアメリカ諸国は約半世紀にわたる政情不安と経済停滞を経験した。社会の支配層はしばしばカウディリョと呼ばれる軍人の専制者に政権を白紙委任したので、その間民主化は起こりえなかった。

一八七〇年代前後になってようやく主要国の政情は安定して投資環境が整い、先進国の第二次産業革命がひきおこした一次産品・鉱産物ブームの中で大量の資本が投下された。同時代の日本のようにラテンアメリカ諸国はにわかに「一等国」を演じ始めた。支配層だけしか政治参加しないという前提のもとで政党が形成され、手続きとしての選挙政治が始まったのである。

この民主化の「第一の波」はブラジルにも及んだが、旧スペイン領諸国とはかなり様相を異にした。宗主国ポルトガルの王室から王族を迎え立憲君主制の「帝国」として独立し、旧スペイン領諸国に比べて格段に早く政情安定を達成した。一八五〇年前後にはコーヒーのブームが始まり、経済も好転した。しかし一八八八年に奴隷制廃止を強行し、それへの反発から帝政は倒れてしまった。

帝政の後を継いだのは「旧共和制」だが、その中身は民主政治としてはお粗末なものだった。コーヒー景気に沸く最強の州サンパウロとそれ以外の州との間で選挙ごとに中央政権をたらい回しにするという慣行ができ、そのもとで政情は安定したが、たとえば全国レベルの政党政治は全く発達しなかった。

一九三〇年、世界恐慌のさなかに「旧共和制」に叛旗を翻したのは南部辺境の州知事ヴァルガスであった(Skidmore 1967)。政権を掌握するとヴァルガスは軍部内の青年将校と組んで各州の内政に介入し、中央集権の実を挙げようとした。しかし経済不況の中で社会は現状への不満を募らせ、左右両極の急進主義政治運動が台頭し、ヴァルガス政府を板挟みにした。

この情勢に対しヴァルガスが示した解答が一九三七年の「新国家」体制だった。軍部と結んで全権を掌握、新憲法のもと議会を廃止、州自治を停止、全政党を解散させた。同時に政策面では労働者優遇と外資規制と反移民民族主義を謳いあげたので政権は安定した。

いかにも枢軸くさいこの独裁体制のもと、しかし真珠湾攻撃後の一九四二年一月、リオデジャネイロに誘致した米州外相会議において、ヴァルガスはラテンアメリカ諸国から連合国への戦時協力をとりつけ、八月には宣戦布告、実戦部隊をイタリアに送った。

ところが戦争が進むうちラテンアメリカに春が来た。「新国家」の看板を掲げたままでは戦後の新時代を迎えられないとの気運が高まり、軍部はクーデターを起こしヴァルガスはあっさり退陣した。選挙が実施され軍人の新大統領が当選した。一九四六年に新憲法を制定して、一九五〇年に女性を含めた普通選挙が実施されることとなった。こうしてブラジルにも春が到来したのである。

一九五〇年選挙を目標にブラジル史上初めて全国的政党政治が展開された。ところがこの選挙に当選したのはヴァルガスその人だった。もともとヴァルガスは練達の地方政治家であり、その実績に照らせば「新国家」もぬぐいがたい汚点とは見なされなかったのである。

しかし結果的に、ヴァルガスは二期目を全うできなかった。再び左右両極の対立が高まり、ヴァルガスは今度はやや左寄りに舵を切ったが、これに対し軍部が、制度的軍部としてではないが将校個々人が署名した声明の形で圧力をかけてきたので、あえなく一九五四年に自殺を遂げてしまった。その後ヴァルガスの後継政権をめぐって様々な政争があり、ついに軍部は一九六四年に全権を掌握し、長期軍政を布くこととなった。

さて、ここで疑問が浮かぶ。一九三〇年代以前と一九五〇年代以後とでブラジル軍部の態度が一変した。三〇年代には軍部はヴァルガスの「新国家」を容認したのに対し、五〇年代には遥かに小さな政策のぶれを厳しくとがめた。それはなぜか。

そこにはブラジル軍部の制度的成長の異なった局面が反映されている、と私は思う。以下、ごく短く結論だけ述べる。

ブラジル軍部の制度的成長と第二次世界大戦

ブラジル軍部はラテンアメリカでは例外的な対外戦争を戦える軍部である。その能力と自信の原点にあるのは隣国パラグアイとの間で一八六〇年代に戦った戦争であった。パラグアイという国は、独立時に支配階級を排除した結果、木訥な庶民階級が親子二代の独裁者に絶対の忠誠を誓う国家となっていた。しかもマテ茶ブームで財政資金も潤沢であり、開戦時に六万の兵力を擁していた。対するブラジルは一万七〇〇〇に過ぎず、急遽国力を傾注して軍備を拡張し、足かけ六年間の死闘を辛うじて勝ち抜いた。

この戦争で一時兵力二〇万に膨張したブラジル陸軍では必要に迫られて職業化が進み、国民の信頼をも勝ちえた。旧スペイン領諸国の軍部は、各国の文民政治が事態収拾困難に陥った時にだけ登板を求められる言わば控え投手である。ところがブラジルの軍部は先発もいけると自任し、国民からもその期待を集めた。

ところが、職業化の進んだ軍部というものはそもそも政権担当には向かないのである。戦争に勝つことにすべてを集中する技術合理主義は、多様な勢力の妥協・取引・抱込みを必須とする政権運営とは相容れず、後者に手を出すと戦争に弱くなってしまう(細野・恒川 一九八六：二九九―三〇一頁)。

一八八九年にクーデターで帝政を倒したとき、ブラジル軍部はつい勇み足をした。政権担当の意欲を見せ、それなのに「旧共和制」勢力との政争にあっさり後れをとったのである。軍部内に敗北感と復讐心が残り、それは一九二〇年代に青年将校《テネンテ》たちの反体制運動をひきおこした。

制度的軍部はこの下克上に慄然とし、発作的に政治介入を自らに厳に戒めるに至った。このためにヴァルガス政権に対してはテネンテたちを助っ人として貸し出すにとどめ、軍部本体は「新国家」を容認したのである。
ところが、ヴァルガスが連合国側につき、アメリカとの緊密な軍事協力のもとイタリアに派兵したことで、軍部は実力的・制度的に著しく強化された。いわばそれはパラグアイ戦争の再演であった。民主主義のための十字軍の一員となったブラジル軍部は、対照的に枢軸色を帯びてしまったヴァルガスを、テネンテたちともどもあっさり切り捨てた。その結果実現した戦後の民主政治の中で、今度はヴァルガス始め左翼色が強いと見なした政権に対しては、容赦なく介入するようになった。その最終形態が一九六四―八五年の長期軍政であった。

政治学者が「軍部官僚型権威主義体制」の典型と呼ぶこの長期軍政には、少し遅れて旧スペイン領諸国も追随したが、ブラジルほどの完成度を示した国はひとつもなかった。要するに、戦争に勝てる軍部は軍事政権運営にも実力を発揮するのである。

原理的に制度的軍部と政権担当とは相性が悪いという事情はこの長期軍政でも同じだったが、ブラジル軍部はこの点でも模範解答に近い解答を出した。一九四五年以降の「ラテンアメリカの春」の時期に発達した政党政治は、軍政下でも議会を中心に周到に保護育成されていた(同：三〇四―三〇七頁)。そのためにひとたび民政復帰を遂げると、これら政党はあたかも活動中断がなかったかのように生き生きと動き出した。しかしそれもまた、そもそも社会全体の軍部に対する高い信頼度に支えられてのことであった。

ブラジルという国では軍部と民主政治は目に見えないところで信頼関係を結んでいる。だから、たとえば目下《もっか》の政権がアメリカの真似をして選挙結果を無視して居座りを決めこもうとしても、軍部がそれを支持することは決してないだろう。そのあたりが、たとえばベネズエラのような制度化の度合いの低い軍部とは根本的に違うのである。

二、カストロ革命

キューバ革命の立役者といえばフィデル・カストロとエルネスト・「チェ」・ゲバラ(Ernesto "Che" Guevara)だが、かれらこそは「ラテンアメリカの春」に自己形成を遂げた典型的な若者であった。その自己形成の過程でかれらはグアテマラにおける「春」の盛衰を息を殺して見守っていた。

グアテマラの「春」と冷戦

キューバもグアテマラも小国であり、一九五〇年時点でそれぞれ人口五五〇万人と三〇〇万人に過ぎない。ブラジルの五二〇〇万人とは比較にならない。ちなみに中米五カ国の合計は八三〇万人、独立時にグアテマラは五州から成る連邦国家の盟主だったが(他の四州はエルサルバドル・ホンジュラス・ニカラグア・コスタリカ)、連邦は二〇年ももたずに五つのミニ国家に割れてしまったのである。

一九三〇年代の不況が到来するとコスタリカ以外の四カ国では、支配層が旧態依然の独裁者に丸投げで政権を委任した。グアテマラでは一九三一年にウビコ将軍が擁立された。しかし「春」の到来によりウビコは一九四四年に倒れ、自由選挙によりアレバロ文民政権が樹立された。

アレバロ政権は労働者の権利保障と国家の経済介入による工業化推進を目指した。一九五〇年に後を継いだアルベンス(Jacobo Árbenz Guzmán)政権は、一九五二年に農地改革法を制定して土地所有の偏りを本腰入れて是正しようとした。最大の地主であった米系ユナイテッド・フルーツ社の所有地もまた収用された。アメリカは公然とアルベンス政権を敵視し、CIAは隣国エルサルバドルを基地として編成されつつあった反乱軍に潤沢な武器援助を与えた。

反乱軍の祖国侵攻によりアルベンス政権は倒れ、反乱軍指導者アルマスが独裁政権を樹立した。

「ラテンアメリカの春」が東西冷戦の文脈のもとアメリカの介入によって潰された最初の事例がグアテマラである。アメリカがこのような取り越し苦労をした原因は、ソ連軍占領下の東欧の社会主義化ではなかった。誰の目にもそれは想定内だったからである。アメリカの不意を打ったのは一九四九年の「中国の喪失」であり、アメリカ外交は一九五〇−五四年にかけてマッカーシー上院議員の活動に代表される正統性危機に陥り、そのことでやや見当識を喪失したのである。

すでに述べたように、はるか昔に脱植民地化を遂げたラテンアメリカでは脱植民地化まっただ中のアジア・アフリカとは違い、国際共産主義が介入する余地はほぼなかった。にもかかわらずアメリカ外交当局がグアテマラに介入する決断をしたのは、ひとつには正統性危機の中で何でもいいから具体的成果を上げたいという切迫感に駆られていたため、そしてもうひとつには、グアテマラが人口三〇〇万の小国だったためである。実際、グアテマラの革新勢力は強権下に抑えこまれ、軍部と保守政党の連携のもと一応の政情安定が達成された。

しかしグアテマラの事件の影響は大きかった。それは「ラテンアメリカの春」の終わりを告げる事件であり、それが終わったことをカストロをはじめとするキューバの急進派の心に銘記したからである。もはや何ひとつ民主化に期待すべきものはない。

キューバも人口五五〇万の小国だが、国民ははるかに金持ちで教育水準が高く、しかもアメリカ在住ディアスポラという隠し資産がある。しかしこの国にはひとつ致命的な弱点があった。独立の時期が他のラテンアメリカ諸国からずっと遅れ、米西戦争後の一九〇二年にずれこんだことである。

経済では最先進国なのに政治は未熟

そもそもキューバ島は一八一〇―二五年の旧スペイン領諸国の独立戦争中、これを鎮圧しようとするスペイン側の策源地だったのである。首尾よく独立を遂げた後もこの島に遠征して解放する力量のある国はなかったのでキューバは植民地にとどまった。

ところがそれより少し先、すぐ隣の島でハイチ革命が起こり、ヨーロッパへの最大の砂糖供給地が壊滅的かつ不可逆的な打撃をうけた。それに代わる供給地としてキューバは注目を集め、島の西側部分を覆っていた平地林が片端から開墾されて砂糖農園と化した。それまでカリブ海航路の要衝ハバナ港ばかりが栄えていたこの島に、分厚い農業ブルジョアジーが突如として出現した(Pérez 1999; 高橋 二〇二二)。

この社会層の特徴は、宗主国スペインに対する態度が最初からごく冷淡だったことである。植民地であるキューバに比べても、社会的保守主義が強く経済的にも後進的だと思っていたからであり、この点はキューバに限ったことではなかった。メキシコなどラテンアメリカ諸国の知識人もまた旧宗主国の知識界を侮り、フランスの方ばかり見ていた。スペイン国内でも経済的先進地域バスクやカタルーニャは、全国政府を掌握するカスティーリャを侮っており、米西戦争後これら地域の知識人がにわかに情報発信を始めたのが「一八九八年の世代」と呼ばれる現象である。

キューバ経済が宗主国より先進的になったのは、隣国アメリカとの密接な経済関係のためだった。大農園も鉄道も公益事業も進出企業はアメリカ資本であり、その文化的影響は大きかった。野球が人気スポーツとなり、多くのキューバ人がアメリカに移住して学んだり働いたりした。世紀後半になると独立を目指す武装闘争が始まったが、その最大の武器は米国在住のこのディアスポラと、そこで発達していたスペイン語ジャーナリズムであった。独立の父マルティも十余年にわたりそこを文筆・政治活動の拠点としたのである。したがって、独立キューバはほぼ全面的に親米的な国としてその歩みを始めたのである。

さて、ラテンアメリカ諸国がアジア・アフリカと違い一九四五年頃に民主化の時期を迎え得たのは、一八二五年に脱植民地化を済ませていたためだと前に述べた。キューバでは脱植民地化が一九〇二年にずれこんだためにこの優位性が希薄であった。他のラテンアメリカ諸国が独立後に経験した約半世紀の政情不安・経済停滞の時期をスペインの植民地として過ごしたために経済的には域内最先進諸国と肩を並べていたが、キューバは独立後一転して、それら諸国がはるか昔に卒業した政情不安と独裁政治（一九二五―三三年）を一世紀遅れで経験することとなった。

そのように政治的に未熟なのに経済的には最先端なので労働者階級もホワイトカラー中間層も分厚く育っており、この時期のキューバ政治はたとえばヴァルガスが対処したような二〇世紀的課題を扱いかねた。一九三三年に独裁者を倒して成立した民主政府は、いきなりそれへの対処を迫られてあっさり崩壊してしまった。

さて、キューバの軍部もまた民主政府同様、たとえばブラジルとは段違いに制度的にひよわだった。軍隊組織は、一番上に将官、その次に佐官・尉官、その下に軍曹など下士官がいる。一九三三年革命では、独裁者の後を追って将官が全滅、続いて佐官・尉官も一掃、最終的に軍部の舵を取ったのは速記係をしていた軍曹フルヘンシオ・バティスタ(Fulgencio Batista)であった。かれがこれ以後キューバ政治の黒幕《ストロングマン》となる。

ここまでのキューバ政治運営の不調について、従来の専門家はキューバ憲法の「プラット修正」条項に責めを負わせることが多かった。キューバの独立を認めるにあたり、アメリカ議会は、キューバの内政が混乱し、どこぞの外国勢力に乗っ取られそうになった場合、アメリカには武力介入する権利があるとの条項を憲法に書きこませた。

一九三〇年代の世界経済のブロック化を前にしてF・D・ローズヴェルトはにわかに「善隣外交」に転じ、武力干渉下においていた中米・カリブ諸国からの兵力引き上げを通じてラテンアメリカ諸国との関係改善を図った。この過程でキューバ憲法の「プラット修正」条項も一九三四年に廃止された。

この条項が有効だった期間キューバはある意味アメリカの「保護国」であり、自立的な政権運営が妨げられたと見る向きもあるのだが、ハイチ・ドミニカ共和国・ニカラグアなどアメリカ軍部隊が進駐していた場合とは違い、「プラット修正」が現実化したのは独立直後の一九〇六―〇九年の再占領期だけで、その後はキューバ人政治家に一任されていた。アメリカに手落ちがあったとすれば、「プラット修正」などという実効性に乏しく、かつキューバ人の誇りを甚だしく傷つける政策を国内受けを狙って採択したことである。

八年間に少し足りない民主政治の効き目はどれほどであったか

さて、まぐれ当たりだったかも知れないが、バティスタは「ラテンアメリカの春」に対して驚くべき先見力を発揮した。ヴァルガスが「新国家」を盾にとって一息ついていた頃、バティスタは労組や共産党員に接近して軍部外の味方を募り、一九四〇年に新憲法のもと民政に復帰する政治日程を定めた。労働者の権利や社会福祉の規定を惜しみなく盛りこんだ一九四〇年憲法の下で普通選挙を実施するにあたり、バティスタは一九三三年革命の指導者だったグラウを亡命先から呼び戻して正直な選挙を演出し、みずから立候補して勝ち、大統領として四年間政権を担当した。続く一九四四年選挙では、連合国側の民主化志向が逆風となり、バティスタが立てた後継候補は、再び立候補したグラウに敗れた。バティスタは雌伏し、二期八年間にわたるキューバの民主政治が始まった。

この八年間の実績がキューバ人の心をとらえていたならば、カストロ体制はたとえば一九九一年のソ連崩壊の時に倒れていただろう。あの時、かつて実質的な民主政治を運営した国民的記憶をもつ東欧諸国は、チェコ共和国以下こぞって民主化を遂げた。そういう記憶をもたない旧ソ連構成国だけが一党支配下にとどまった。このときキューバはあっさりと後者の範疇に収斂したのである。

グラウの後継プリオ・ソカラス政権になってからがとくに良くなかった。政府高官が連座した汚職事件が幾つも起こり、それだけでなく腐敗は国家機構全体をむしばむ構造的なものになっていた。たとえばボテリャと呼ばれる公務員の縁故採用が票集めに使われた結果、バティスタ政権下で六万人だった公務員は一八万人に膨張し、人件費は国家予算の八割を占めた。これほどに大きな利権が選挙に勝てば手に入るのだから、政争は暴力化し、政党がそれぞれ子飼いにする武装集団が首都ハバナの街頭で頻々と衝突するに至った。

一九五二年の選挙が迫り、腐敗一掃を綱領とする野党候補が勝ちそうだったが、与党側の暴力集団からよほどの圧力をかけられたのであろうか、定例のラジオ番組の放送後に自殺してしまった。キューバ国民は勢いを殺がれて選挙に関心を失い、そのタイミングを見計らって泡沫候補であったバティスタが軍部を動かしてクーデターを起こした。選挙の三カ月前のことである。

このクーデター自体は手際よく、ほとんど流血をともなわずに遂行され、これを非とする政治運動もすぐには起こらなかった。しかし、一九五四年にバティスタが公平性が疑わしい選挙で大統領に選出された頃から潮目が変わった。政党政治下で各党が育成していた暴力集団がこぞってハバナの街頭に出て、急進主義を掲げて武装闘争に及び、一九五八年末にはバティスタ政府は深刻な正統性危機にみまわれた。

選挙政治が衰退し、急進主義と直接行動が台頭したのは、ブルジョアジーが意気消沈して政治に関心を失っていたからである。一九世紀の砂糖景気から生まれたこの階級はこの時期にもかかわらず国の支配階級であったが、事態の進行ごとに幻滅を深めた。宗主国スペインより先進的だということがかれらのアイデンティティのよりどころだったのが、いざ脱植民地化を遂げてみると、経済面での卓越性は政治面の混乱にたちまち足をすくわれ、宗主国スペインの独裁政治(一九二三—三〇年)に自分たちも追随せざるを得なくなった。続く一九三三年革命では、制度的軍部が飴細工のように溶け去って、一人の下士官の意のままにされた。一九四〇年憲法下の八年間の民主政治もその期待に背いた。一九五二年のクーデター後はこの階級はすでに政治に関心を失い、バティスタに丸投げして経済に専念したいと思い始めていた。

一九五八年の正統性危機のまっただ中に武装集団を率いて乗りこんできて、バティスタを倒し、ハバナ市内の武闘派をも圧倒して、すべてをさらっていったのがカストロである。一九四五年時点では一九歳、ハバナ大学法学部の新入生だった。武装した学生政治団体がしのぎを削るこの環境下で「ラテンアメリカの春」の洗礼を受け、一九四八年にはコロンビアのボゴタ暴動を現場で体験した。バティスタのクーデターに接すると仲間百余人を糾合し、一九五三年七月二六日に東部サンティアゴ市郊外のモンカダ兵営を襲撃、失敗に終わったがその大胆不敵さで後に政治資産となる勇名を馳せた。恩赦後一九五六年に亡命地メキシコから東部に侵攻、山地に根拠地を築き、軍隊や警察との間で小競り合いを続けていた。ところが一九五八年の正統性危機で軍隊も警察もまたもや飴細工のように溶け去った。フィデルのゲリラは山地から降りてくると雪だるまのように膨張しつつハバナに進軍し、唯一生き残った暴力装置として事態を掌握した。

一九五九年一月一日のバティスタ大統領出国後、約一年ほどの間、キューバ世論は革命の成就に高揚し、国論はひとつにまとまっていた。同じ年の暮れ頃ににわかにそれが暗転し、両極化が始まるのである。

革命政府は最初の九カ月間に一五〇〇もの法令を発して改革を進めた。五月には農地改革法が発せられ、労組の要求に応じて賃金は引き上げられ、薬価や公共料金は引き下げられた。低所得層中心の消費ブームが起こり、この年の後半は好景気となった。

一方で「祖国《パトリア》」を合言葉に一種の国粋主義が台頭し、これまでのアメリカべったりの主流文化に異を唱えた。「キューバ性《クバニダー》」促進の議論が盛んになり、アメリカ車など耐久消費財・奢侈財の輸入が制限される。クリスマスからはサンタクロースが姿を消し、昔ながらの東方三博士がリバイバルする。

こうした政策を立案・実施したのはカストロのゲリラ部隊ではない。ゲリラにそんな能力はない。かねてからそういう構想を抱いていたハバナの知識層がこぞってカストロのもとに馳せ参じたのであり、その志向はリベラルであった。つまり、にわかに開かれたこの機会を利用して懸案の事案を一挙実現するが、いずれは既成政党とは一線を画するとはいえやはり政党を作り、選挙を実施して政党政治に復帰しよう、という立場である。ところがこれらの政策に対し、アメリカ政府が異を唱えてきた。

公共料金引き下げといっても、この当時のキューバで公益事業はすべて民営、ほとんどがアメリカ資本の企業であった。農地改革免除の上限三三三エーカーに抵触する砂糖農園はやはりアメリカ資本であり、アメリカは激しく抗議した。アメリカのこの拒否的姿勢に対し、計画立案にあたっていたリベラル派の間には信じがたい、という憤慨の感情が沸き起こったが、これは時代遅れの反応であった。「中国の喪失」前のグラウ政権に対してならばリベラル改革はある程度まで認められただろう。しかし、アレバロには許されたことはアルベンスには許されなかった。フィデルだけが「春」の終わりを心に銘記していた。

他方においてアメリカもキューバを見誤っていた。後に公開された文書によると、大使館も国務省も、五九年一一月の時点でカストロ一派を相手にする必要はなし、との判断を下していた。それは何よりも、この一派と話をするチャンネルを一つも持っていないという理由からだった。この判断の過ちは、カストロに対する過小評価ではなく、それら既存のチャンネルが通っていたキューバの既存の政治社会の復元力に対する過大評価にあった。実はその復元力はグアテマラに比べてもずっと弱かったのであり、リベラル改革の蹉跌で競争者を失ったカストロを止められる勢力は、もはやキューバ現地にはいなかった。

五九年秋からカストロはソ連に関係強化の意向を伝え、六〇年二月にソ連副首相ミコヤンを迎えて二国間貿易協定を締結し、そこからの対米関係悪化は逆落としであった。この年のうちにキューバはアメリカ人所有の全資産一〇億ドル相当を接収、これに対してアメリカはキューバ糖の輸入割当をゼロにした。六一年四月にカストロが社会主義革命を宣言すると、その翌日にはピッグズ湾侵攻があり撃退される。一年半前の五九年末に始まった富裕層・中間層の出国が堰を切ったようになるのがこの頃である。キューバ・ミサイル危機があった六二年までの累計は二〇万人といわれる。

なぜこのような規模の大量出国が発生したのか。ひとつには、革命前のマイアミにはすでに二万の定住人口があり、それに数倍する人数がひっきりなしに出入りしていた。その中に親戚友人がいる人は多かった。いまひとつには、アメリカが間もなく介入してカストロを倒すだろうという他力本願の期待があった。亡命は六カ月か、せいぜい二、三年で終わると多くの人が思っていた。

しかしこの二〇万人の出国こそが、カストロ体制を盤石たらしめたのである。経済学者A・O・ハーシュマンが『離脱・発言・忠誠』の中でこう言っている。現状を変革するうえで離脱《エグジット》という選択は経済では有効だが政治では無効どころか逆効果である。ある商品を消費者が買わなくなれば企業は品質改善か低廉化を迫られる。ところが国民が現体制を見限って出国しても現体制は困らない。むしろ国内にとどまっていれば発言《ヴォイス》によって政治を変えていく意思と能力を備えた人間の数を減らすばかりだからである(Hirschman 1970)。この命題の正しさを証明する上で、その数目下二〇〇万を数え、島にいる親戚への海外送金を通じて崩壊に瀕したキューバ経済を支え続けているキューバン・アメリカン以上に有効な材料はないであろう。

ゲリラ「根拠地」による革命戦術の輸出

キューバ革命の成就はラテンアメリカに絶大な影響を及ぼした。ゲバラが提唱した「根拠地《フォコ》」(英語の同義語はフォーカス)革命戦略がそのひとつである。これまでラテンアメリカの共産党はソ連の指令に忠実に従い、都市部における労働運動の成熟を待って、しかるのち初めて革命、という方針を堅持していた。ところがゲバラはこれに叛旗を翻し、客観情勢の成熟を待っているのではダメで、とりあえず少数の同志で武装蜂起し、山間部にたてこもってゲリラ戦を展開していれば客観情勢は後からついてくる、と主張した。

この新戦略は同時代のラテンアメリカの進歩的な青年に熱狂的に迎えられ、多くが実際にゲリラ戦に身を投じ、各国軍部はこの動向に警戒感を抱いて続々と長期軍政を布くに至った。今の時点でのその評価はどうであろうか。一九七〇―八〇年代に中央アメリカにおいてそれは一定の効果を挙げた。ニカラグアでは独裁政権を倒して政権を奪取したし、エルサルバドル、グアテマラでも有利な和平交渉に持ちこんだ。しかし中米以外に目を転じるとそれはほぼ無効であった。

それは何よりも、第二次世界大戦下のアメリカとの軍事協力で、前節で述べたブラジルだけでなく、ラテンアメリカ諸国の軍部が、それまでとは比較にならない実力をつけていたからである。

その意味で最良の例はメキシコである。この国の農村部には深刻な不具合があり、そのために、独立戦争、レフォルマ内乱、メキシコ革命と、約五〇年のサイクルで全国を巻きこんだ内戦が起こり、その都度地方軍閥の割拠に陥っていた。二〇世紀のメキシコ革命下でもそれは同じであったが、しかし地方軍閥の反乱は、一九三八年のサン・ルイス・ポトシ州軍閥S・セディリョの蜂起を最後に後を絶った。革命政権の大統領は全員が各地の軍閥代表の軍人だったのだが、一九四六年以来現在に至るまで文民政権が続いている。メキシコ軍部は他の主要国が軍政を布いた一九六〇―九〇年の時期にさえ、いっさい政権担当の意欲を示さなかった。

キューバ革命の体制がカストロを中心に固まる過程で、ゲバラは身をひいて、自分の革命戦術の有効性を実証すべく、南米ボリビアにおけるゲリラ戦に身を投じた。ボリビアの軍部はたとえばブラジルとは比較にならない。しかしやはり世界大戦下のアメリカとの軍事協力で力をつけており、一九六七年にゲバラはほとんど実績をあげることなく戦死した。

筆まめなゲバラは死に至るまでの山中の日常を記録しており、『ゲバラ日記』(邦訳〔新訳〕は平岡緑訳、中公文庫、二〇〇七年）は当時ベストセラーになり、先進国の反体制若者文化の文脈でももてはやされた。半世紀を経た今日においても、ゲバラの肖像は定番の意匠として全世界の若者のTシャツを飾っている。

しかし『ゲバラ日記』のゲバラは、すでに自分の信奉する革命戦術に殉じる覚悟を固めた殉教者である。むしろゲバラという人の真骨頂はのちに発見された『モーターサイクル日記』（邦訳は棚橋加奈江訳、角川文庫、二〇〇四年）に覗えるのではないか、と私は思う。一九五二年から翌年にかけて「ラテンアメリカの春」のただ中の南米諸国をさまよい、様々な社会問題やそれに取り組み人々に心を震わせる喘息持ちの若者の姿の方が、民主化を経た今日の感受性には合致しているのではないか。

三、ピノチェット独裁下のチリ

この原稿を書いている今は、二〇二一年一二月のチリ大統領選挙決選投票の二週間後である。過去二年間のチリ政治の展開は、一九六〇–九〇年代の激動がこの国に残した傷跡がいかに深いかをまざまざと示すものであった。二〇一九年一〇月に、一九八〇年代以来かつてなかった規模のプロテストが首都サンティアゴで起こり、同月二五日には一二〇万人の規模に達した。プロテストは地方都市に拡大し、年末にかけて首都でも反復され、警官隊との衝突で死者数十名、負傷者・逮捕者各数千名を出し、地下鉄など都市インフラに甚大な被害が及んだ。ピニェラ中道右派政権はこれに対し、軍政下一九八〇年に制定された現行憲法を改正するか否かを問う国民投票を約束し、その結果をうけて二一年五月に憲法制定会議の選挙が行われ、現在審議に入っている。審議中に大統領選挙が行われ、いずれも既成政党以外から立った左右両極の候補者の間で決選投票が行われ、左派の候補者が勝ったところである。

この状況を見てしみじみ思うのは、一九九〇年の民政復帰に至るチリ国民の合意はまさに針の穴を通すようなあやうさで辛うじて達成されたのだ、ということである。一九七三年のチリはそれほどに深く分断されていたために、その一五年後に民政復帰の受け皿となった政党連合「コンセルタシオン」(一九八八―二〇〇九年)を組むに至る過程は困難を極めた。歴史家S・スターンが数多くのインタビューを踏まえて著した三部から成る大著に主に依拠してその大枠を示そう(Stern 2004; Stern 2006; Stern 2010)。

スターンがインタビューを行ったのは主に、チリ軍事政権(一九七三―九〇年)の首班であった軍人アウグスト・ピノチェットが陸軍総司令官を辞職したあとロンドンで療養中に逮捕された一九九八年に少し先立つ時期、一九九六―九七年頃である。スターンは各種世論調査を総合して、この時点でなおチリ人の五人に二人が、一九七三年のクーデターは「救国《サルベーション》」の挙であったと思っていた、とする(Stern 2004: 7; Stern 2010: 90)。私もそれで間違っていないと思う。だからこそ一九八〇年憲法は現在まで生きのび、それを廃止する過程が緒に就くためだけにあれほどの社会の大発熱を要したのである。

チリには一九三八年に「春」が到来

チリは右派・中道・左派が鼎立する堅牢な政党システムを持つ国であった。ご存じ南北に長い国だが、独立時の北部は人跡まれな砂漠、南部は先住民マプチェ人の領域だったので、実質的国土はごくコンパクトにまとまっていた。そのために早くも一八三〇年に政情が安定した。ペルー・ボリビアと争って得た北部砂漠地帯では一八八〇年代に硝石ブームが起こり、一九一〇年代にはエル・テニエンテ、チュキカマタなど銅鉱山が外貨を稼得し始める。一八八〇年代に大統領権限強化の企てがあったが阻止され、支配層の握る議会優位の体制が一九三〇年まで続いた。

硝石・銅などの輸出部門に牽引され、首都・港湾・鉄道に強力な労働運動が育ち、ラテンアメリカでは珍しいことだが共産党指導下に全国労組を結成した。これに対抗して中道の急進党が組織され、曲折ののち社会党もまた結成されて左派に加わり、保守勢力も結束を固め、かくして一九二五年憲法で成立した六年任期の強力な大統領制のもと、鼎立する三陣営が政権を争うことになった。「春」はチリには早くも一九三八年に到来していたのである。

第二次世界大戦を迎えたのは一九三八—五二年の中道・左派連立政権のときであった。アメリカの輸出入銀行借款などを原資として一九三九年には政府系信用供与機関である生産勧奨公団(CORFO)が設立され、投資資金を製造業に流し、輸入代替工業化が始まった。しかしチリの市場は狭く、製造業の成長は早くも五〇年代半ばに鈍化してしまった。

一九五二年からは中道と左派が別の候補を立てるようになり、この選挙と続く一九五八年の選挙では右派が勝った。しかし五八年には左翼連合のサルバドール・アジェンデ(Salvador Allende)候補に紙一重で負けるところだった。五〇年代に中道の急進党は力を失い、キリスト教民主党にとってかわられた。

キリスト教民主党にはなじみのない読者が多いかも知れない。カトリック教会の政治的立場は、たとえば教皇ピウス九世(在位一八四六—七八年)の時代は自由主義批判一色であった。しかし時代が進むと一八九一年に回勅「レルム・ノヴァールム」、一九三一年に同じく「クアドラジェジモ・アンノ」を発して、同じ反近代化でも資本主義批判に重心を移した。キリスト教民主党は第二次世界大戦後、最初はイタリアで台頭し、その後ドイツで安定した支持基盤を得た。ドイツは北がプロテスタント、南がカトリックの国だが、現在では北のプロテスタント圏が社会民主党、南のカトリック圏がメルケル前首相のキリスト教民主同盟の地盤である。ラテンアメリカでもベネズエラなどで旗揚げしたが根付いたのはチリと、もう一国メキシコでも中道右派政党の一翼をなしている。一九六四年の選挙では右派は候補を立てず、キリスト教民主党のフレイ候補の支持に回った。フレイは農地改革など革新的政策を実施した。

スターンが一九九〇年代半ばに話を聞いた人の中に、一九七三年九月一一日を回顧して、あの日自分は大統領官邸を攻撃するチリ空軍のジェット戦闘機にサンティアゴ市内の自宅の窓から声援を送ったものだ、と語った高齢女性がいる(Stern 2004: 7-34)。典型的な右派の人だが、彼女の意見では五八―六四年の右派政権はとても良かった。その後は、アジェンデは論外として、すでにフレイ政権からしてとても嫌だった。農地改革で農村部が大混乱に陥っていると田舎の親戚から聞いた、という。

それもそうなのである。敗戦も革命もなく政権が交代したというだけで農地改革を実施したのだから、当時のチリ農村部の行政能力からしても現場は大混乱にならざるを得なかった。一三〇〇余の農園が接収されたが、その選択の根拠は何なのか、近代的で儲けの出ているところが標的になったのではないか、などと疑惑が募り、とくに南部の地域社会には重大な分断が起こった。

このため、一九七〇年の大統領選挙では、右派政党はその支持層の怒りに押されて、キリスト教民主党とは別個の候補を立てるしかなかった。その結果、左派連合のアジェンデ候補が今度こそ当選してしまった。

アジェンデはこの年六五歳、一九三三年の社会党旗揚げ時点からの古参幹部で、大統領選挙ごとに左派連合の候補として立ってきた。政権につくとまず五割の賃上げで労働者を沸かせ、七一年には長らく懸案だった銅産業の国有化を断行し、この決断は国民的喝采を浴びた。しかしアジェンデは「社会主義へのチリの道」を掲げてさらに進み、すべての金融機関を含む多数の企業を国有化し、農地改革をも加速させた。たちまち生産現場に混乱が起こった。その結果は物不足であり、商店の店頭から商品が姿を消した。

左派側は当時これを資本家側のストライキだと宣伝したが、ベネズエラの目下の情勢からもわかるようにこれは不当である。企業というものは互いに競争しつつ、わずかな利ざやを争って企業努力を傾けている。突如当局からそれとは別の基準で動けといわれても、政権交代があればこの指示は反故になるのではないかとの不安があるかぎり、とりあえず損失が出そうな現場の生産を縮小するのが株主に対する責任ある対応だろう。

しかしアジェンデの支持基盤である左派連合、とくに膝元の社会党からは、こうなれば労組を動員して工場を占拠するしか物不足を解消する手段はない、との主張が出てきた。工場占拠をしたらその自主管理組織を母体にロシア革命時の「ソヴィエト」のような二重権力をうち立てる含みである。こうなるとアジェンデその人の弱点が露呈した。アジェンデは最初からチリの安定した選挙政治の中で生きてきた人なので、社会党内部の跳ね上がり者を強面で抑えつけるようなことは苦手なのである。

一九七二年一〇月、ついにトラック運転手のストライキが起こった。この時期のラテンアメリカの自営業者の中でおそらく非政治的技能集団として最強の職種である。かれらを怒らせたら生産現場とは関係なく物流が停まってしまう。また、この時期の反政府プロテストには物不足で家政を脅かされた中流以上の主婦たちが目立った。

一九七三年九月一一日、ついにチリ軍部が動いた。大統領官邸での抵抗ののちアジェンデは堂々たる告別のラジオ放送を残して自ら命を絶った。

政府の支持者たちの組織的抵抗は乏しかった。むしろ自発的投降が多かったとスターンは言う。職業化の進んだチリ軍部ならば逃げ隠れするよりその方が生存率が高いと、全く疑いなく思い込んでいた人が多かったのである。逮捕者の総数は最終的に少なくとも八万二〇〇〇人に達した。

ところが逮捕者のうち一〇〇〇人ちょっとがそのまま消息を絶った。「行方不明《デスアパレシド》」と当時呼ばれたが、逮捕した当局者が逮捕の事実を上に報告せず、秘密裡に殺害して死体を湮滅したのである。死者・行方不明者の総数は少なくとも三〇〇〇。

このことを命令・遂行したのは陸軍司令長官ピノチェット直属の、のちに情報機関「ＤＩＮＡ」の構成員となる比較的少数の将校とその直属部隊だった。しかし逮捕から殺害までの過程で多くの下士官・兵が手伝わされ、後に真相を知ったときかれらの心痛と後悔は大きかった。

この集団の動機は推し量るしかないが、かれらがこの時期大いに宣伝した、社会党・共産党には密かに武装し訓練を積んだ下部組織があり(そのこと自体は間違っていなかった)、軍部が動けばそれに倍する抵抗行動を起こして首都を内戦状態に陥れるつもりだった、というメッセージの内容をかれら自身が本気で信じていた面は確かにあった。

しかしこの一〇〇〇人余の「行方不明」を、軍政当局はその何十倍もの数の活動家と活動家予備軍を「萎縮させる《インティミデート》」ために効果的に利用した。具体的には、治安当局者が任意同行を求め(応ぜざるを得ない)、役所の取調室で身元確認の上いろいろ質問し、十分に相手が怖じ気づいたなと思ったらこわい顔のまま無罪放免にするのである(それだけではすまず、実際に拷問を受けた人もバチェレ元大統領以下少なくとも一万人以上いたが)。その効果は絶大だった。ちなみに言うと、続くアルゼンチンの長期軍政(一九七六―八三年)がこの手法に大々的に追随した。行方不明者の数はチリの一〇倍、約三万人と言われ、「汚い戦争」という呼び方はこの国で発生した。

さて、この状態からどうやって民政復帰したらいいのか。右派の人々はそもそも民主政治に対する信頼感を根本から揺るがされ、長期軍政を心から支持している。左派と中道は、それぞれに政権担当した結果深甚な挫折感を抱くにいたり、今なお互いに相容れない怨恨と拒否感を抱いている。

「ビカリア」と民政復帰への道

このとき立ち上がったのが、政治色のない宗教系人権団体であったことが重要である。「ビカリア・デ・ラ・ソリダリダ」(この名称になったのは少し後だが)はチリ・カトリック教会の一部局である。「ビカリア」とは、カトリック教会のヒエラルキーの中で司教代理に相当する位階を占めるが、しかし特定の教区民をうけもたない遊軍的な下部組織、という含みである。「ソリダリダ」(連帯)はかつてなら「チャリティ」と呼んだ活動を、最近のカトリック教会は上から目線の呼び方だとの批判に応じてこう言い換えている。サンティアゴ大司教の後ろ盾があるから軍政当局もうかつには手を出せない。しかしある限度を超えて動けばヴァティカン自体から切られるおそれがある。

この瀬戸際に立ってビカリアが選んだのは「行方不明」に全力を傾注することだった。政治的に深く分断されたチリの現情勢にあって、少しでも政治色を出せばそれ以外の勢力からそっぽを向かれる。しかし「行方不明」はもし事実であれば歴然たる人権侵害であり、これを容認すれば、チリは民主主義国の間で、今で言うパリア・ステートになってしまう。いかに分断されていても、ラテンアメリカにおける民主政治の優等生だという自負心だけは右派を含めてどの勢力も共有しているので、その追及は有無を言わせない正義でありえた。

そしてこのアプローチには無類に強力な支持母体があった。闇に葬られた活動家たちにはそれぞれ肉親がいる。その悲痛な訴えにビカリアは耳を傾け、団体を作るよう促し、治安当局に捜索願を出した。治安当局は受理せざるを得ないがもちろん実のある捜査はしない。しかし一定の件数が集まるごとに、ビカリアは捜索願を執拗に出し続けた(のちにアルゼンチンで「五月広場の母たち」がこのアプローチに追随する)。

この時期ビカリアで働いていた女性がスターンの情報源の中にいる(Stern 2004: 50-67)。Vさんといい、四〇年代後半くらいにサンティアゴ市の中間層の家に生まれた。一男九女の一〇人兄弟でこぞってキリスト教民主党支持者である。一家のオピニオンリーダーは姉のTさんでその夫は南部でフレイ政権の農地改革の実働部隊をしていた。しかし一九七〇年にVさんと姉妹の一人はキリスト教民主党を割って出たMAPU党に転向し、アジェンデ支持に回った。

Vさんには夫の郵便局員Rさんとの間に四児があり、当時チリカトリック大学で教務補佐をしていた。アジェンデ政権下転職して経済省の事務官となり、一方でスラム街のキリスト教基礎共同体で支援活動をした。アジェンデ政権が混迷を深めると、家族も、近隣も、深く分断された。勤め先の経済省でもキャリア官僚は全くアジェンデ支持ではなかった。

クーデターの日が来た。Vさんは職を失い、夫婦ともに近隣社会で孤立し、一〇月には密告によってRさんが三日間勾留された。物不足下、夫婦がスラム街で運営していた物資調達互助組織から生活物資をもらってきたのを武器の運搬だと誤認されたのである。釈放されたがこの三日間の勾留でRさんは深刻な心的外傷を負い、一切の人権活動から身をひいた。Rさんの勾留はVさんの思想に染まったためだとしてRさんの親族はVさんを責めた。

一二月、失職したVさんにビカリアから勤めないかと打診が来た。Rさんの反対を押し切ってVさんは応じた。頼ってくる遺族と面談し捜索願を出し続ける活動は非常な感情的負担を伴った。七五年末にはビカリアの法務部長ほかスタッフ数名が逮捕され、法務部長は国外追放となった。緊張と心痛のもとでかれらはどのように精神衛生を保ったか。

Vさんは回顧して、スタッフは昼ご飯とおやつに集まると必ず歌を歌ったという。革命歌などでなく六〇年代から七〇年代前半のフォーク調で叙情的な「ヌエバ・カンシオン」(新しい歌)、ビクトル・ハラやビオレタ・パラが多かった。「声を張らずにそっと優しく歌うの。そうすることで私たちの世界にはまだ残されているものがある、そんな感じがしたから」。国外追放になった人の後任の法務部長は言う(Stern 2006: 129-136)。「スタッフの交流を密にした。飲み会《フィエスタ》をよくやった。楽器が弾ける人を呼んだりしてね。あと小まめに連絡を取り合った。会合に遅刻する時なんか必ず連絡を入れるんだ。心配をかけちゃうから」。

やがてアメリカの姿勢に変化が生じる。一九七五年には上院の情報活動委員会(チャーチ委員長)によりクーデターへのCIAの関与が暴露される。さらに一九七六年九月二一日、亡命のチリ社会党員政治家レテリエルが首都ワシントンで自動車爆弾により暗殺され、アメリカ人の助手(女性)も巻き添えになった。大統領選挙戦のまっただ中である。翌年早々にカーター政権が成立、その姿勢はチリ当局に対し格段に厳しいものとなった。

しかし、潮目が変わったのは、何といっても一九七八年一一月、サンティアゴの南四〇キロの寒村ロンケンにおいて、使われなくなった石灰岩焼き窯(生石灰をつくる)の中で遺骸が発見された時である(Stern 2006: 156-167)。行方不明の息子を探す父親が発見し、ビカリアに通報、ビカリアは直ちに超党派の調査団を現地に送り、証拠固めをしてから最高裁に届け出た。一五体の遺骸が発掘され、近隣の村の行方不明者と身許確認された。

これまで行方不明の根拠は肉親による失踪の事実の訴えだけであったが、このとき初めて実際の殺害の物証が出たのである。スターンはこの話題になったときVさんが両手を強く握り合わせる激しいボディ・ランゲージを見せたと記録している。それは五年間の地道な活動が結実した瞬間だった。

軍事政権は一九八〇年に新憲法を制定し、今後八年間は同憲法を停止して軍政を継続し、一九八八年の国民投票でさらに八年間延長するかを問うこととした。ビカリアでの活動とそこでの人々との出会いは貴重なものだったが、何とかして軍政を終わらせることに貢献せねばならないという衝動からVさんは一度ビカリアを去り、とある劇団の組織する動画による教育プロジェクトに参加した。

一九八三―八六年にかけてチリは激しい街頭プロテストに揺れた。Vさんは負傷者の介護施設を運営し、「国境なき医師団」のフランス人医師を自宅に泊めたりした。自分でも拷問反対を唱える市民的不服従団体に参加して、後世でいうフラッシュモブのように、歩行者のふりをして集合し、突然シュプレヒコールを叫んだり歌を歌ったりして、警察と放水車が来ると群衆に紛れて逃げた。

しかし二回か三回参加しただけで、やめてビカリアに戻った。体がきつかったし、二〇歳前後になった子どもたちの将来も気にかかった。かれらは親の世代の政治姿勢を意気地なしだと批判し、Vさんは頼もしく思うとともに心配でもあった。

限りなく遠い未来と思われた一九八八年が近づいた。Vさんは草の根ディスカッション団体で、左派と中道を折り合わせる取り組みに参加した。双方とも遺恨を含んでいて前途は暗かった。とくに連立政権の大統領候補となるべきキリスト教民主党のパトリシオ・エイルウィン(Patricio Aylwin)がアジェンデ時代フレイ一辺倒の対アジェンデ非妥協派だったことが問題を難しくした。街頭プロテストの時期に武闘に傾いた共産党を外していいのか、という問題もあった。

しかし最終的に、キリスト教民主党と社会党は「コンセルタシオン」と呼ばれる政党連合を組んで国民投票に勝ち、大統領となったエイルウィンは直ちに「真相委員会」を任命した。この委員会は司法機関ではない。軍政当局がすでに恩赦法を出していたから、人権侵害に荷担した人を刑法上の罪に問うことはできない。しかし非訴追を前提として事実関係だけは明らかにしようというのがその設立趣旨である。同委員会は迅速に調査を進め早くも翌九一年に非常に完成度の高い「レティグ報告」を書き上げたが、これはビカリアなど人権団体がすでに事実関係を固めていたからである。

要するにカストロもアジェンデも「春」から出てきた人なのである。確かに着地点はそれぞれに冬まっただ中であったが、それでも両極化に安住していいはずがない。ピノチェットがネオリベラルの「シカゴ・ボーイズ」を採用したことでにわかにチリ経済が立ち直ったというのは神話である。しかしまた半面「コンセルタシオン」が市場寄りの政策を堅持した結果、世界銀行の「ビジネスのしやすさ」指数でチリが二〇二〇年に世界五九位につけているのも事実なのである(ブラジル一二四位、アルゼンチン一二六位)。新憲法制定の過程が緒に就いたことは慶賀すべきだが、そのことがすべての過去の清算ではありえないしまたあってはならない。「ラテンアメリカの春」に始まるチリの悲痛な分断の過去には、学ぶべき智慧や教訓が曲がり角ごとに数知れず埋もれているからである。

注

(1) 対照事例としてトルコ共和国の「第二の波」について簡単に述べておく。ケマル・アタテュルクが一九三八年に死去した後も、後継者イスメト・イノニュが一党独裁を維持した。大戦中は中立を保ったが、連合国側の勝利が濃厚になるに至ってドイツ・日本と断交・宣戦した。続いて野党の活動を認め正直な選挙を実施したので、一九五〇年にケマルの残した政党は下野するに至った。

参考文献

高橋均・網野徹哉(二〇〇九)『ラテンアメリカ文明の興亡』〈世界の歴史18〉、中公文庫。

高橋均(二〇二一)「キューバと「反米」」遠藤泰生編『反米――共生の代償か、闘争の胎動か』東京大学出版会。

高橋正明(一九九〇)『チリ・嵐にざわめく民衆の木よ』小松健一・写真、大月書店。

細野昭雄・恒川恵市(一九八六)『ラテンアメリカ危機の構図――累積債務と民主化のゆくえ』有斐閣。

Bethell, Leslie (ed.) (1985-2008), *The Cambridge History of Latin America*, 12 vols., Cambridge, Cambridge University Press.

Hirschman, Albert O. (1970), *Exit, Voice, and Loyalty: Responses to Decline in Firms, Organizations, and States*, Cambridge, Massachusetts, Harvard University Press. (アルバート・O・ハーシュマン『離脱・発言・忠誠――企業・組織・国家における衰退への反応』矢野修一訳、ミネルヴァ書房、二〇〇五年)

Humphreys, Robert Arthur (1981-82), *Latin America and the Second World War*, 2 vols., London, Athlone Press.

Huntington, Samuel P. (1991), *The Third Wave: Democratization in the Late Twentieth Century*, Oklahoma, University of Oklahoma Press. (S・P・ハンチントン『第三の波――20世紀後半の民主化』坪郷實・中道寿一・藪野祐三訳、三嶺書房、一九九五年)

Pérez, Louis A. Jr. (1999), *On Becoming Cuban: Identity, Nationality, and Culture*, Chapel Hill, University of North Carolina Press.

Skidmore, Thomas (1967), *Politics in Brazil 1930-1964: An Experiment in Democracy*, New York, Oxford University Press.

Skidmore, Thomas (1988), *The Politics of Military Rule in Brazil: 1964-1985*, New York, Oxford University Press.

Stern, Steve J. (2004), *Remembering Pinochet's Chile: On the Eve of London 1998*, Durham, Duke University Press.

Stern, Steve J. (2006), *Battling for Hearts and Minds: Memory Struggles in Pinochet's Chile, 1973-1988*, Durham, Duke University Press.

Stern, Steve J. (2010), *Reckoning With Pinochet: The Memory Question in Democratic Chile, 1989-2006*, Durham, Duke University Press.

焦　点 | *Focus*

集点 Focus

女性と参政権運動

林田敏子

はじめに

女性参政権は一九世紀後半から二〇世紀初頭にかけておこった第一波フェミニズムの根幹をなす課題であり、その獲得を目指す運動はそれぞれの国や地域の政治・社会情勢を反映しながら展開した。女性参政権運動に関する研究には膨大な蓄積があるが、近年はグローバルな視点から人や運動の相互連関に着目する方向へシフトしている。そのすべてを網羅することは不可能であるため、ここでは主に二つの観点から女性参政権の歴史を概観する。一つは欧米中心の歴史叙述のなかで周縁化されてきた国や地域に目を向けること、もう一つは女性参政権運動をナショナルなものとしてだけでなく、トランスナショナルな結びつきのなかでとらえることである。

従来、女性参政権運動の標準的なモデルとされてきたのはイギリスとアメリカで、両国の事例が研究の主流をなしてきた。そこでの理解は、一九世紀後半から二〇世紀初頭にかけて穏健派と戦闘派に大別される女性運動が組織され、ときに非合法的な手段も辞さない長い闘いが繰り広げられたのち、参政権がもたらされたというものである。その結果、早期に女性参政権が付与された事例は「前史」として等閑視され、イギリスで男女平等の参政権が実現した一九二八年よりあとの事例は「遅れてきたもの」とみなされてきた。しかし、多くの国で国政レベルでの女性参政権が実現するのは二〇世紀半ば以降のことで、一九四〇年の時点で世界の女性人口の半分以上がいまだ参政権を有していなかった(Hannam 2005: 544)。

女性参政権運動は国や地域のなかで完結していたわけではなく、トランスナショナルな結びつきのなかでも展開した。二〇世紀初頭から戦間期にかけて国際的な女性参政権組織が多数設立され、イギリスの例に顕著なように、帝国という枠組のなかでも支配と被支配の関係を超えた女性同士のネットワークが構築された。一方、植民地ではナショナリズムの高まりとともに帝国の外に連帯の場を求めようとする動きもみられるようになる。女性参政権運動にトランスナショナルな視点からアプローチしようとする研究の背景には、ポストコロニアル・フェミニズムの興隆と「新しい帝国史」への関心の高まりがある。それは欧米の白人女性の参政権を議論の中心に据えてきた従来の研究を批判的に乗り越えると同時に、国家単位でとらえられてきた女性参政権をめぐる動きを、国や地域、そして複数の帰属意識をもつ人々の相互連関が生み出す運動体としてとらえなおそうとする試みであった。

以下ではまず、世界的な女性参政権運動の流れを「標準モデル」から逸脱するがゆえに看過されてきた国や地域を中心に概観し、白人ネットワークとして展開した初期のトランスナショナルな運動を整理する。次にイギリスに焦点をしぼり、女性参政権運動の概略を示しながら、いくつかの論点をとりあげる。最後に、イギリスの従属植民地であったインドの女性参政権運動の事例を通して、白人と非白人、さらには非白人同士の連帯に目を向けることで、白人女性の参政権を議論の中核に据えてきた従来の歴史叙述の相対化を試みたい。

一、女性参政権運動の展開

参政権の獲得

世界ではじめて女性に国政レベルでの参政権が与えられたのは一八九三年、英領ニュージーランドにおいてであり、その後、一九〇二年にはオーストラリア連邦でアボリジナルを除くすべての女性に参政権が付与された。ヨーロッパにおける先駆的な例としてはフィンランド(一九〇六年)とノルウェー(一九一三年)を挙げることができる。イギリスやアメリカのような組織化された運動はどの国でもみられたわけではない。たとえばノルウェーの女性参政権運動はけっして活発なものとはいえなかったが、大規模な運動が展開されたオランダより早期に女性参政権が実現している。二〇世紀初頭から第一次世界大戦期にかけて、西ヨーロッパやカナダ、アメリカで、一九二〇年代の終わりには南米のエクアドルで女性参政権が認められた。さらに三〇年代にはポルトガルやスペイン、ブラジルやキューバに加え、タイやトルコといった非西洋世界でも同様の動きがみられるようになる。一方で、ヨーロッパの中心に位置しながら、フランスやスイスのように女性参政権の実現が「遅れた」国も存在した。ジャド・アダムズはリベラルか保守かといった政治的な違いよりも、宗教が少なからぬ影響をおよぼしたとし、フランスやイタリア、ベルギーといったカトリック諸国では女性参政権に対する根強い反発がみられたと指摘している(Adams 2014: 7-10)。

早期に女性参政権が実現したニュージーランドやオーストラリアは、女性参政権運動の中核を担ったイギリスの陰で、研究上も長らく周縁化されてきた(Daley et al. 1994: 26)。ニュージーランドの運動を牽引したのは白人入植者ケイト・シェパード(Kate Sheppard)で、アメリカで設立された女性キリスト教禁酒連合のニュージーランド支部を拠点に議会への陳情活動をおこなった。署名活動にはマオリ族の女性も参加し、一八九二年には二万二七二名、九三年には三万一八七一名と、最終的に成人女性の四分の一の署名を集めることに成功した(*Ibid.*: 3)。こうして九三年には、マオリ族の女性とヨーロッパ系ニュージーランド人女性の双方に参政権が与えられることになった(Fletcher et al. 2000: chap. 6)。

ニュージーランドで女性参政権が認められた翌年の一八九四年、イギリスの植民地であった南オーストラリアの女性にも参政権が付与される。女性参政権導入への賛否両論が対峙するなか、議事進行の戦術上のなりゆきで、結果的に女性は選挙権だけでなく被選挙権をも獲得することになった。続いて一八九九年には西オーストラリア植民地でも女性参政権が実現する。一九〇一年に両植民地を含むオーストラリア連邦が成立すると、翌年には連邦レベルでの参政権が女性に付与された。女性参政権に関する情報はさまざまな形で海外にもたらされ、ニュージーランドやオーストラリアのサフラジスト[1]はイギリスやアメリカを訪れて講演し、いかにして参政権を勝ち取ったのか、選挙権が女性にどのような影響をもたらしたのかを熱心に語った。シェパードも一八九四年にイギリスを訪問し、数百人規模の集会で演説している(Daley et al. 1994: 43, 67-69)。

ニュージーランドやオーストラリアのサフラジストは帝国内の他地域の女性運動にも大きな影響を与えた。一九一三年に設立されたブリティッシュ・ドミニオン女性参政権同盟(British Dominions Woman Suffrage Union)は、ドミニオンが一丸となってカナダや南アフリカにおける女性運動を推進することを目的としていた(Woollacott 1998: 427)。また、二五年に発足したブリティッシュ・コモンウェルス連盟(British Commonwealth League＝ＢＣＬ)は、帝国内の男女平等を掲げた組織で、ドミニオンの白人サフラジストが主導権を握っていた。ＢＣＬはオーストラリアのアボリジナル政策を批判し、創設当初からインドの女性組織を包摂するなど、人種平等の問題にも取り組んだ。

国や地域を超えた連帯

オーストラリアやニュージーランドでの女性参政権の獲得は、ドミニオンの連帯を促すとともに、トランスナショナルな女性参政権運動の展開にもつながっていった。一八八八年に発足した国際女性評議会(International Council of Women＝ＩＣＷ)、二〇世紀初頭にＩＣＷの分科会から派生した国際女性参政権同盟(International Woman Suffrage Alliance＝ＩＷＳＡ）、第一次世界大戦中に設立された女性国際平和自由連盟（Women's International League for Peace and Freedom）がその代表例である。これらの組織については、河村貞枝が女性参政権という政治的フェミニズムのみならず、禁酒や教育、雇用機会の促進といった社会的フェミニズム、さらには反戦平和運動を含む広い視点から論じている（河村 二〇一〇）。ＩＣＷはアメリカのサフラジストが中心となって設立した組織で、女性の労働環境の改善や女子教育、刑務所や病院の改革など幅広い問題を討議した。世界中に支部を置いたことから、会員数は一九二五年までに三六〇〇万人に達した（Mukherjee 2018: 117）。ＩＷＳＡは各国の参政権運動に関する情報交換と宣伝のための場を提供することを目的としていた。ＩＷＳＡは萌芽期の日本の女性参政権運動とも接点をもっていた。一九世紀後半にアメリカの禁酒運動の影響を受けて設立された日本キリスト教婦人矯風会は、一九二〇年には女性参政権の実現を目的として掲げるようになり、矯風会のガントレット恒子は、ジュネーヴで開かれたＩＷＳＡの大会に出席するなどして女性参政権組織の構造や運動の手法を学び、日本に紹介している（佐藤 二〇二〇ｂ）。第一次世界大戦前後からヨーロッパを中心に女性参政権が実現するようになると、ＩＷＳＡの中に組織の方向性をめぐって不和が生じた。参政権を獲得した国のサフラジストが平和運動や社会改良運動に舵を切ろうとしたのに対し、参政権を獲得していない国のサフラジストが参政権運動の継続を求めたためである。ＩＷＳＡはポスト参政権の時代を意識して、一九二六年、名称を参政権および平等市民権のための国際女性同盟（International Alliance of Women for Suffrage and Equal Citizenship）と改めた。

国際的な女性組織の活動が活発化する戦間期には、従来の欧米中心の組織とは別の新たな動きも出てきた。たとえば、前述したＢＣＬの目的はコモンウェルスとイギリスにまたがるネットワークを構築することで、指導的役割を果たしたのはオーストラリアのサフラジストたちであった。ＢＣＬは戦間期の変わりゆく帝国の姿をそのまま反映したような組織であった。イギリス人女性とドミニオンの白人女性には同等のステイタスが与えられ、さらにインド人女性を運動の内部に取り込むことで帝国の紐帯の維持が図られた。ＢＣＬはコモンウェルスの結びつきを強化するために、あえて「帝国のしばり」が緩められた時期に特有の産物であったといえる(Woollacott 1998: 434-444)。戦間期には真の意味で国際的であろうとする組織がオリエンタリズムに挑戦する傾向もみられたが、少なくとも第二次世界大戦に至るまで、国際的な女性組織は構成面でも指導面でも欧米偏重であった。ＢＣＬのような比較的小規模な組織も含め、この時期の女性組織の多くは、白人女性が指導的役割を果たすことを前提としていた。また、そうした価値観は長きにわたって西洋の支配を受けてきた女性たちにも共有された。一方、一九三〇年代は女性参政権運動の中心が欧米から中東、アジア、ラテンアメリカへと転換していく時期でもあった。これを受けて、国際的な女性組織にも脱西洋化の動きが出てくる。一九三〇年に創設された環太平洋女性協会(Pan-Pacific Women's Association＝ＰＰＷＡ)やその翌年に開催された全アジア女性会議(All-Asian Women's Conference＝ＡＡＷＣ)がその例である。ＰＰＷＡなどは意識的にヨーロッパや北米から遠く離れた場所で会議を開催するなどして、女性組織の脱西洋化を推し進めようとした(Mukherjee 2018: 156; Woollacott 1998: 425)。

二、イギリスにおける女性参政権運動

ＮＵＷＳＳとＷＳＰＵの設立

イギリスにおける女性参政権運動の歴史は、女性参政権を公約に掲げて議会選挙に当選したジョン・スチュアート・ミル(John Stuart Mill)が選挙法改正法案に女性参政権を盛り込むことを提案した一八六〇年代までさかのぼることができる。本格的な運動は代表的な二つの女性組織が創設される一九世紀末から二〇世紀初頭に開始された。このうち一八九七年に発足した女性参政権協会全国同盟(National Union of Women's Suffrage Societies＝ＮＵＷＳＳ)は、ミリ

スント・フォーセット(Millicent Fawcett)の指導のもと、議会への請願など合法的かつ穏健な手法を用いて運動を展開した。NUWSSとともにイギリスの女性参政権運動を牽引したのが、一九〇三年にエメリン・パンクハースト(Emmeline Pankhurst)が中心となって立ち上げた女性社会政治同盟(Women's Social and Political Union＝WSPU)である。WSPUは女性参政権法案の成立へ向けた打開策を模索するなかで、ミリタンシーと呼ばれる戦闘的戦術をとるようになり、庶民院の窓ガラスを破壊して刑務所に収監されたメンバーがハンストを敢行するなどした。一九一〇年には女性参政権問題を検討する超党派の調停委員会が設置されたが、三次にわたって庶民院に提出された法案が可決に至ることはなかった。一九一二年に第三次調停法案が廃案になると、放火を含む破壊活動は激しさを増し、獄中ハンストに悩まされた政府は強制食餌で対抗した。ミリタンシーを採用したWSPUはNUWSSと対照的に描かれることが多いが、少なくとも一九一二年以前はかなりの者が両組織に属しており、その境は流動的なものであった(Purvis 2019; 河村 二〇〇一)。

WSPUが採用したミリタンシーが女性参政権運動のなかでどのような意味をもっていたかをめぐっては複数の見解がある。C・J・ベアマンは一九一三年から一四年にかけてWSPUが起こした破壊活動の実態を精査した上で、ミリタンシーは社会の関心を集めはしたものの、経済的打撃を与えるには至らず女性参政権の実現を遅らせる効果しかもたなかったと主張する(Bearman 2005)。一方、ミリタンシーを女性たちの「覚醒」ととらえる研究者は、ミリタンシーは運動に活力を与えるとともに、女性参政権に社会の関心を向けさせる役割を果たしたと評価する(Purvis 2019; 河村 二〇〇一)。また、佐藤繭香は、運動を大規模なものにしたのはミリタンシーだけではないとして、WSPUをはじめとする女性参政権組織が実施した行進、バザー、演劇など「視覚に訴えるプロパガンダ」が果たした役割を重視している(佐藤 二〇一七)。

女性参政権運動の再考は宗教の観点からも進められている。WSPUがミリタンシーを採用し始めた頃から、女性参政権教会連盟（Church League for Women's Suffrage＝ＣＬＷＳ）をはじめ、自由教会、カトリック、ユダヤ系の女性参政権組織が次々と発足した事実は注目に値する。なかでも一九〇九年に設立されたＣＬＷＳは最も規模が大きく、第一次世界大戦の勃発までに会員は五七〇〇名に達した。ＣＬＷＳは、女性の男性への従属は神への冒瀆であり、女性に参政権を付与することは聖書の教えとも合致するとして、秘跡における男女の平等などを説いた（Saunders 2019）。また、後述する女性参政権のための男性連盟の会員は一六パーセントが聖職者で占められており、高位聖職者も多数含まれていた（Pugh 2000: 262）。

第一次世界大戦のインパクト

第一次世界大戦が勃発すると、ＷＳＰＵはミリタンシーを停止し戦争協力に転じる。なかには反戦の立場を明確にし、組織を離脱する者もいたが、ＷＳＰＵは大戦を女性の政治参画能力を示す機会ととらえたのである。選挙制度に関する議論は徴兵制が導入された一九一六年頃から本格化する。既存の選挙制度の下では成人男性の約四割が選挙権を有しておらず、兵役についた男性に選挙権を与えるための法改正が急務となったためである（Ball 2018: 169）。こうして一九一八年二月、男子普通選挙を規定した国民代表法が成立し、三〇歳以上という制限つきながら女性にも参政権が付与された。年齢制限が撤廃され、男女平等の参政権が実現するのは一九二八年のことである。

大戦が女性参政権の実現にどの程度影響を与えたかをめぐっては諸説ある。一つは、大戦前夜までに政治情勢は女性参政権を受け入れるところまで変化しており、大戦はむしろ女性参政権の実現を遅らせたとする見解である（河村二〇〇一、Holton 1986）。これに対し、大戦のインパクトを重視し、女性参政権は女性の戦時貢献に対する一種の褒賞であったとする説もある（Gullace 2002; Garner 1984）。ただし、この説に対しては、軍需工場などで戦時労働に従事した女性の大半が三〇歳未満の若い女性であり、彼女たちに選挙権が与えられなかった事実を説明することができないとの批判がある(Daley et al. 1994: 342)。また、戦前の女性参政権運動と戦時貢献の双方を視野にいれたものとして、大戦はそれ以前に始まっていた変化に「触媒」として機能したとするヒゴネットの研究や(Higonnet et al. 1987)、女性による戦争奉仕というレトリックが「女性参政権」という概念そのものを脱過激化したとするグレイゼルの研究がある(Grayzel 1999)。

男性の関与

河村はイギリス・フェミニズムの特徴として男性と女性の提携・協力関係を挙げる。女性参政権運動においても、その大義を共有する男性は少なからず存在した(河村 二〇〇八)。女性参政権を支持する男性たちは既存の女性組織に加入しただけでなく、男性主体の運動を組織することもあり、その多くは二〇世紀初頭から大戦勃発までに設立された(John et al. 2014［1997］: 10)。なかでも最大の組織が一九〇七年に創設された女性参政権のための男性連盟(The Men's League for Women's Suffrage＝ＭＬＷＳ)である。ＭＬＷＳは立憲主義的な手法をとったが、ミリタンシーを採用した男性組織も少数ながら存在し、一九〇五年から一四年までに刑務所に収監されたサフラジスト一〇九七名のなかには四〇名の男性が含まれていた(Pugh 2000: 263)。男性による女性参政権組織はイギリス以外にも存在した。一九〇八年にはオランダに同様の組織が誕生し、一九一二年には女性参政権男性国際同盟(Men's International Alliance for Woman Suffrage＝ＭＩＡＷＳ)が発足する。フランス、ドイツ、ハンガリー、スウェーデン、デンマーク、オランダ、アメリカの複数の男性組織がＭＩＡＷＳに協力するなど、国を超えた連帯もみられた(河村 二〇〇八: 八六―八七頁、John et al. 2014［1997］: 23)。

既存の女性組織にとって、男性の存在をどうとらえるかは大きな問題であった。ＷＳＰＵはミリタンシーを通して女性特有の英雄像を確立しようとしていた。それは新たなタイプの女性性の核となる一方で、長い伝統をもつ騎士道的な男性性の理想にも訴えかけるものでなければならなかった。男性支持者の活動が補助的なものにとどまるかぎり問題は生じなかったが、男性支持者が暴力を伴う抗議行動に出ると、女性的な英雄像と齟齬をきたすようになる。女性ミリタントが行使するシンボリックな暴力は男性が行使してきた野蛮な暴力とは異なるものでなければならなかった。その意味で、男性サフラジストの存在は、ときにミリタンシーの正当性とサフラジストのアイデンティティを脅かすことにもなったのである(John et al. 2014 [1997]: 111, 128-129)。

三、帝国と参政権

インドにおける女性参政権運動

女性参政権運動は独立国家のみならず植民地でも展開した。ここではイギリスの従属植民地インドの女性参政権運動を、白人と非白人との関係性に着目しながら、トランスナショナルなネットワークのなかに位置づけてみたい。インドにおける初期の運動を牽引したのは白人サフラジストであった。帝国は「フェミニストや博愛主義者にとって未踏の活動の場を提供してくれるもの」であり、インド人女性を「救済」の対象とする運動は一九世紀中から存在した(河村 一九九七:一六五頁)。二〇世紀に入っても、イギリスのサフラジストの多くは、無力な植民地女性の救済を「支配国としての責務」ととらえていた。インドへの関与は、イギリス人女性が自国の国政選挙に参画する適性を示すための手段でもあった(河村 二〇〇一:九四頁、Sinha 1999: 464)。

インドに実質的な女性組織が誕生したのは一九一七年で、アイルランド人アニー・ベサント(Annie Besant)の主導で結成された女性インド協会(Women's Indian Association = WIA)がその始まりである。インドの初期の女性運動を牽引したのがアイルランド自治運動ともつながりをもつ人物であったという事実は、イギリス帝国内の支配・従属関係と白人・非白人関係の複雑さを示している。同年、ベサント、マーガレット・カズンズ(Margaret Cousins)という二人のアイルランド人に、インド人サロージニー・ナーイドゥ(Sarojini Naidu)らを含めた女性代表団が組織された。その主な目的はインド統治法案に女性参政権に関する条項を追加することであった(長崎 一九九七:二三一―二三二頁、Mukherjee 2018: 41-44)。インド人の女性活動家ヘラバイ・タタ(Herabai Tata)も白人サフラジストや複数の女性参政権組織と連携しながらイギリスを拠点に運動を展開した(Sinha 1999: 465)。一九年に成立したインド統治法では、一部の富裕層・教養層の男性に制限選挙権が付与されたのみで女性参政権に関する条項は盛り込まれなかったが、インドの各地方に女性参政権を導入するか否かを決める権限が与えられた(Mukherjee 2018: 28)。これを受けて三〇年までにはイギリス領インドのすべての州で財産資格を伴う制限つき女性参政権が認められることになった(Adams 2014: 346)。また、イギリス統治下で一定の支配権を有していた藩王国の中にも、トラヴァンコールやマイソールのように女性に参政権を付与する例がみられた。しかし、成人女性人口に占める有権者の割合は一パーセントに満たず、男女の有権者の割合も二五対一と大きな格差がみられた(Mukherjee 2018: 73)。

インドの女性参政権運動におけるインド人と白人の関係は対等なものではなかった。一九一七年に組織された女性代表団の一員であったインド人女性はのちに、代表団の公的な指導者はナーイドゥであったが、実質的な指導者はベサントとカズンズであったと回顧している(*Ibid*.: 41-42)。帝国への責務を自任する本国のサフラジストは、親英派のインド人女性としか共闘しなかった。彼女たちはインドのエリート女性に参政権を付与することには積極的であったが、インドの女性の間に見られた格差にはほとんど関心を示さなかった。インドにおける初期の女性運動に携わることができたのは、白人サフラジストとの有力なコネクションをもったナーイドゥのような女性に限られていたのである。

運動がある程度軌道に乗ると、インド人女性は本国のサフラジストの介入を嫌い、新たなネットワークを模索し始める。運動には二つの方向性があった。一つは世界に先駆けて女性参政権を実現したオーストラリアやニュージーランドと共闘してインド人女性の政治的権利を拡充すること、もう一つは、ケニアや南アフリカなど帝国の他の地域に目を転じ、そこに定住するインド人女性のために参政権運動を展開することであった(*Ibid*.: 78)。インド人サフラジストは政治的権利を求めて運動を繰り広げたが、人種や宗教、カーストに基づく不平等については多くを語らなかった。また、彼女たちの多くは帝国内で発言権を与えられていない女性との連帯には関心を示さず、オーストラリアのアボリジナルやケニアの黒人よりも特権的な地位にあると考えていた。彼女たちが帝国というネットワークを活用しようとしたのは、あくまでインド人女性の政治的権利を獲得するためだったのである(Woollacott 1998: 426; Mukherjee 2018: 106)。

ナショナリズムと女性参政権運動

インドの女性参政権運動は、ナショナリズムの動きと無関係ではなかったため、イギリスのサフラジストとの関係には求心的な力と遠心的な力の双方が働いていた。一九一九年のインド統治法には女性参政権に関する条項が盛り込まれなかったため、インド人サフラジストはイギリス政府との交渉を継続するために本国のサフラジストの助けを必要とした。イギリス人サフラジストとの共闘によってインドの女性運動が活性化されたのはまぎれもない事実である。一方、インド人の女性参政権運動家がイギリス人女性の介入を拒絶し始めた背景には、西洋の介入に対する幻滅とナショナリズムの高まりがあった(Mukherjee 2018: 196)。一九二〇年代に英領インドでは州単位で女性参政権が付与されたものの、財産資格を満たさない女性が多かったため、女性有権者数は成人女性の数パーセントに限られていた。また、投票率の低さも際立っており、一九二〇年代のパンジャーブでは、男性の投票率が五〇パーセントを超えていたのに対し、女性の投票率は六パーセントにも満たなかった。女性用の投票ブースが設けられていないところでは、とくにムスリム女性の投票が抑制される傾向にあった(*Ibid.*: 197)。

インド人女性は帝国支配とインド内部での男性優位という二つの敵に直面していたが、サフラジストの多くは不平等の根源は帝国主義にあるととらえ、インド人男性もまた帝国支配によって抑圧されていると考えていた。ナショナリストの目的が政治的権利の獲得であったことを踏まえると、インドにおける女性参政権運動が独立闘争と矛盾することなく進められたことは何ら驚くべきことではない(Hannam 2005: 548)。ただし、反植民地主義を前面に押し出す女性運動には、インド内部の伝統的なジェンダー規範が温存されるという危険が常にともなっていた。

帝国を超えて――アジア・ネットワークの形成

ナショナリズムが高まるなかで、本国イギリスと距離をとるための一つの方法がトランスナショナルなネットワークの構築であった。インドのサフラジストたちは、ドミニオンとの連携をはじめ、さまざまな女性参政権ネットワークに参画し、一九三〇年代にはセイロンやビルマといった他のアジア地域の女性たちとも関係を築くようになる。また、帝国の枠を超え、地理的に遠く離れた中国や日本といった国々の女性参政権運動にも関心が向けられた。植民地の自己決定権を尊重する新たな連帯の場を模索するインド人サフラジストの試みは、一九三一年のAAWC(全アジア女性会議)に結実する。インド人サフラジストはオリエントの女性との連帯のなかで、ときに「アジア的女性らしさ」をも肯定しながら、アジアという文脈のなかに自らの闘争を位置づけようとした。西洋世界とは異なる独自の伝統を重視するアジア・ネットワークは、インドのナショナリズムとも親和的であった。それはインドが長年携わってきた西洋中心のネットワークに代わる選択肢を提供するとともに、インドにアジアという新たな舞台でイニシアティヴを発揮する機会をもたらすものであった(Mukherjee 2018: 193)。

一方、インドが独立問題を抱えている以上、本国イギリスとの関係を断ち切ることはできなかった。一九三五年のインド統治法は、財産および識字能力に関する制限を残しながらも、女性有権者の拡大に寄与したが、イギリス側との交渉は、イギリスのサフラジストの主導と仲介のもとですすめられた(Fletcher et al. 2000: 229)。また、AAWCは欧米中心の女性運動のなかで周縁化されてきた非西洋女性を統合する一つの試みではあったが、その影響力はアジア全体に及ぶことはなく限定的なものであった(Mukherjee 2018: 173-181)。インド統治法の成立後、一九三六年から三七年の選挙では、約五〇〇万人のインド人女性が投票した。また、七二名の女性が立候補し、そのうちの八名が当選を果たした(*Ibid.*: 236)。インドで男女普通選挙権が実現するのは独立後の一九五〇年のことである。

おわりに

女性参政権運動の歴史は「参政権の獲得」で幕を閉じるわけではない。女性参政権が認められても、多くの国でその基準は男性とは異なっており、年齢や財産の有無によって制限が加えられることもあった。選挙権の獲得後も被選挙権を求める闘いは続き、被選挙権の獲得から女性議員の誕生までも往々にして長い年月がかかった。また、インドの事例が示すように、選挙権が与えられても女性が政治的意志を自由に表明できるとはかぎらなかった。男性にのみ投票が義務づけられる形で格差が温存される例もみられた(Daley et al. 1994: 10)。さらに、格差は女性の間にも存在した。マオリ族の女性にも参政権を付与したニュージーランドとは異なり、オーストラリアではアボリジナルの女性には一九六〇年代まで連邦選挙権が認められることはなかった。同様に、ジム・クロウ法が機能していたアメリカ南部や一九二〇年代に白人女性が選挙権を獲得したケニアで、黒人が選挙権を行使できるようになるには六〇年代を待たなければならなかった(栗原 二〇一八：一〇三頁、Gottlieb et al. 2013: 2)。法制上の変革は重要な画期ではあったが、積み残された問題が不可視化されるという意味では、「参政権の獲得」はより困難な闘いの始まりでもあった。

女性参政権運動を「参政権獲得の歴史」にしてしまうことが孕むもう一つの問題は、国を超えて展開した運動の複層性が見えにくくなることであろう。組織的な運動なしで女性参政権を獲得した事例はあるにせよ、歴史上、リージョナルあるいはナショナルな次元で完結した女性参政権運動はおそらく存在しなかった。サフラジストたちはノウハウを提供しあうなど情報交換をおこない、ときに国を超えた運動体を組織して共闘した。また、イギリス帝国内の女性参政権運動も、本国の女性、ドミニオンの女性、従属植民地の女性といった複数のアクターの相互連関のなかで繰り広げられた。政治的に強いつながりを有するがゆえに、帝国内の連帯には常に支配と被支配の関係がつきまとった。また、本国(中核)と早期に女性参政権を実現したドミニオン(周辺)の間には、ある種の逆転現象がみられ、インドの初期の運動に自治運動の支持者であるアイルランド人が関わるなど白人サフラジストも一枚岩ではなかった。さらに、アジアとの連帯に活路を見出そうとしたインドの事例からは、ナショナリズムと帝国主義との関係、帝国を超えた連帯がもつ可能性と限界が浮かび上がってくる。

女性参政権運動に関する近年の研究が示唆しているのは、参政権の「獲得」や植民地の「独立」を画期ととらえることの危うさである。中核と周辺、白人と非白人、西洋と非西洋といった枠組そのものを問い直す上でも、ポスト参政権の時代、ポスト・コロニアルの時代を視野に入れた女性参政権研究が不可欠であるといえるだろう。

注

(1) サフラジストは、穏健派を指す言葉としてサフラジェット(戦闘派)と区別して用いられることもあるが、ここでは、女性参政権運動に参加した女性活動家の総称として用いる。

参考文献

粟屋利江・井上貴子編(二〇一八)『インド ジェンダー研究ハンドブック』東京外国語大学出版会。

今井けい(一九九二)『イギリス女性運動史――フェミニズムと女性労働運動の結合』日本経済評論社。

河村貞枝(一九九七)「イギリス・ヴィクトリア期のフェミニズムと帝国主義」田端泰子・上野千鶴子・服藤早苗編『ジェンダーと女性』早稲田大学出版部。

河村貞枝(二〇〇一)『イギリス近代フェミニズム運動の歴史像』明石書店。

河村貞枝(二〇〇八)「「マンズ・シェア」――イギリス女性参政権運動への男性のかかわり」姫岡とし子他『ジェンダー』ミネルヴァ書房。

河村貞枝(二〇一〇)「国際的女性運動の形成と展開を回顧して――「女性参政権国際連合」を中心に」東海ジェンダー研究所記念論集編集委員会編『越境するジェンダー研究』明石書店。

河村貞枝・今井けい編(二〇〇六)『イギリス近現代女性史研究入門』青木書店。

栗原涼子(二〇〇九)『アメリカの第一波フェミニズム運動史』ドメス出版。

栗原涼子(二〇一八)『アメリカのフェミニズム運動史――女性参政権から平等憲法修正条項へ』彩流社。

佐藤繭香(二〇一七)『イギリス女性参政権運動とプロパガンダ――エドワード朝の視覚的表象と女性像』彩流社。

佐藤繭香(二〇二〇a)「第一次世界大戦中の女性参政権運動――WSPUの活動を中心に」『女性とジェンダーの歴史』第7号。

佐藤繭香(二〇二〇b)「ガントレット恒子と女性参政権運動――日本キリスト教婦人矯風会の国際的なネットワーク」『麗澤大学紀要』第一〇三巻。

長崎暢子(一九九七)「二〇世紀のインド社会と女性――民族運動と現代政治」押川文子編『南アジアの社会変容と女性』アジア経済研究所。

Adams, Jad (2014), *Women and the Vote: A World History*, Oxford: Oxford University Press.

Alberti, Johanna (1989), *Beyond Suffrage: Feminists in War and Peace, 1914-28*, New York: St. Martin's Press.

Ball, Stuart (ed.) (2018), *The Advent of Democracy: The Impact of the 1918 Reform Act on British Politics*, Oxford: Wiley-Blackwell.

Bearman, C. J. (2005), "An Examination of Suffragette Violence", *The English Historical Review*, 120 (486).

Binard, Florence (2014), "'The Injustice of the Woman's Vote': Opposition to Female Suffrage after World War I", *Women's History Review*, 23 (3).

Daley, Caroline and Melanie Nolan (eds.) (1994), *Suffrage and Beyond: International Feminist Perspectives*, New York: New York University Press.

Edwards, Louise and Mina Roces (2004), *Women's Suffrage in Asia: Gender, Nationalism and Democracy*, London and New York: Routledge.

Fletcher, Ian Christopher, Laura E. N. Mayhall, and Philippa Levine (eds.) (2000), *Women's Suffrage in the British Empire: Citizenship, Nation, and Race*, Abingdon: Routledge.

Garner, Les (1984), *Stepping Stones to Women's Liberty: Feminist Ideas in the Women's Suffrage Movement, 1900-1918*, London: Heinemann Educational Books Ltd.

Gottlieb, Julie V. and Richard Toye (eds.) (2013), *The Aftermath of Suffrage: Women, Gender, and Politics in Britain, 1918-1945*, Basingstoke: Palgrave Macmillan.

Grayzel, Susan (1999), *Women's Identities at War: Gender, Motherhood, and Politics in Britain and France during the First World War*, Chapel Hill: University of North Carolina Press.

Gullace, Nicoletta (2002), "*The Blood of Our Sons: Men, Women, and the Renegotiation of British Citizenship during the Great War*", New York: Palgrave Macmillan.

Hannam, June (2005), "International Dimensions of Women's Suffrage: 'At the Crossroads of Several Interlocking Identities'", *Women's History Review*, 14 (3&4).

Higonnet, Margaret R., Jane Jenson, Sonya Michel, and Margaret C. Weitz (eds.) (1987), *Behind the Lines: Gender and the Two World Wars*, New Haven: Yale University Press.

Holton, Sandra S. (1986), *Feminism and Democracy: Women's Suffrage and Reform Politics in Britain, 1900-1918*, Cambridge: Cambridge University Press.

Holton, Sandra S. (1996), *Suffrage Days: Stories from the Women's Suffrage Movement*, London: Routledge.

Huges-Johnson, Alexandra and Lyndsey Jenkins (eds.) (2021), *Politics of Women's Suffrage: Local, National and International Dimensions*, London: University of London Press.

John, Angela V. and Claire Eustance (eds.) (2014 [1997]), *The Men's Share?: Masculinities, Male Support and Women's Suffrage in Britain, 1890-1920*, Abingdon: Routledge.

Law, Cheryl (1997), *Suffrage and Power: The Women's Movement, 1918-1928*, London: I. B. Tauris.

Mayhall, Laura (2003), *The Militant Suffrage Movement: Citizenship and Resistance in Britain, 1860-1930*, Oxford: Oxford University Press.

Miller, Ian (2013), "'Prostitution of the Profession?': Forcible Feeding, Prison Doctors, Suffrage and the British State, 1909-1914", *Social History of Medicine*, 26 (2).

Minault, Gail (1981), *The Extended Family: Women and Political Participation in India and Pakistan*, Delhi: Chanakya Publications.

Mukherjee, Sumita (2018), *Indian Suffragettes: Female Identities and Transnational Networks*, Oxford: Oxford University Press.

Pugh, Martin (2000), *The March of the Women: A Revisionist Analysis of the Campaign for Women's Suffrage, 1866-1914*, Oxford: Oxford University Press.

Purvis, June (2019), "Did Militancy Help or Hinder the Granting of Women's Suffrage in Britain?", *Women's History Review*, 28 (7).

Purvis, June and Sandra S. Holton (eds.) (2000), *Votes for Women*, London: Routledge.

Purvis, June and June Hannam (eds.) (2021), *The British Women's Suffrage Campaign: National and International Perspectives*, Abingdon: Routledge.

Rupp, Leila J. (1994), "Constructing Internationalism: The Case of Transnational Women's Organizations, 1888-1945", *The American Historical Review*, 99 (5).

Saunders, Robert (2019), "'A Great and Holy War': Religious Routes to Women's Suffrage, 1909-1914", *The English Historical Review*, 134 (571).

Sinha, Mrinalini (1999), "Suffragism and Internationalism: The Enfranchisement of British and Indian Women under an Imperial State", *The Indian Economic and Social History Review*, 36 (4).

Sulkunen, Irma, Seija-Leena Nevala-Nurmi, and Pirjo Markkola (eds.) (2009), *Suffrage, Gender and Citizenship: International Perspectives on Parliamentary Reforms*, Newcastle Upon Tyne: Cambridge Scholars Publishing.

Woollacott, Angela (1998), "Inventing Commonwealth and Pan-Pacific Feminisms: Australian Women's Internationalist Activism in the 1920s-30s", *Gender and History*, 10 (3).

コラム｜Column

未完のアイルランド革命

小関　隆

一九二二年一二月、連合王国の一部であったアイルランドはアイルランド自由国となり、連合王国を離脱した。ステータスはイギリス帝国自治領ながら、実質的には主権を有する独立国といってよく、翌年の国際連盟への加盟によって国際的にも認知された。第一次世界大戦で敗北し崩壊した帝国からの独立を果たした継承国家は少なくないが、戦勝国イギリス(連合王国)から離脱した点でアイルランドのケースは特筆に値する。第一次大戦および「戦後の戦争」を背景に、イースター蜂起(一九一六年)や独立戦争(一九一九—二一年)で独立を強硬に主張し、独立戦争の末に成立する自由国の正統性を内戦(一九二二—二三年)により確認する過程は、アイルランド革命と呼ばれるに相応しい。

しかし、革命には瑕疵があった。第一に、自由国を構成したのがアイルランド全三二州のうち南部の二六州にすぎず、残る六州は北アイルランドとして連合王国に残留したこと、第二に、自由国の国民議会議員にイギリス国王への忠誠宣誓が課せられたこと、である。全島が独立の共和国になる、という本来の目標に照らせば、革命は未だ完遂されていない。

一九二三年の内戦終結でいったん収束した革命が再び起動するのは一九三二年である。自治領ステータスに納得できず、内戦では共和国の樹立にこだわる側に身を置いて敗れたエーモン・デ・ヴァレラが、この年、自らを首班とする政権を成立させた。デ・ヴァレラ政権は第二の瑕疵を克服し、イギリスからの独立性を強めて、自由国を事実上の共和国へと導く政策を次々と実施していく。イギリス国王への忠誠宣誓の廃止(一九三三年)、「イギリス臣民」のままであった自由国住民をあらためて「アイルランド国民」へと再定義した国籍・市民権法(一九三五年)、イギリス国王代理として形式的には自由国統治のトップに位置する総督のポストの廃止(一九三六年、既に一九三二年から権威は剝奪)、イギリスとのいわゆる経済戦争(一九三二—三八年)、といった一連の流れの頂点が、一九三七年の新憲法の制定である。

ほぼ全面的にデ・ヴァレラ自身の起草による新憲法は国号を自由国からエールに改め、エールを「独立の民主的主権国家」と規定した。したがって、新憲法にはイギリス国王にかかわる条項はいっさいない。新憲法の適用範囲は「アイルランド島全体から成る国土」、南北統一への意志が明記されたことになる。イギリス政府にとって容易に承認しがたい内容だったが、エドワード八世の退位(一九三六年一二月)という国制の危機に見舞われた直後だったため、介入は控えられた。「共和国」の文字こそ書き込まれていないものの、この憲法

De Valera Acts to Establish Irish Republic

DUBLIN, May 1 [Saturday].—(AP)— A new constitution declaring all Ireland a "sovereign, independent democratic state" was published early today by President Eamonn De Valera of the Irish Free State.

Revolutionary in scope and hailed as a personal triumph for De Valera, the document declares the "inalienable" right of the Irish nation "to choose its own form of government, to determine rela-

Eamon de Valera. [Acme Photo.]

1937年憲法制定の新聞記事（*Chicago Daily Tribune*, 1 May 1937）

の採択により、エールは実質的に独立の共和国となった。一九二二年の自由国樹立を第一次革命、一九三七年憲法の制定を第二次革命と呼ぶこともできよう。

新憲法の適用を北アイルランドが受けいれるはずもなかったが、しかし、南北分割という第一の瑕疵が解消されるかと思われる情勢が第二次世界大戦とともに生まれた。エール政府はいち早く中立を宣言し、一九三八年までイギリス軍が管理してきたエール領内の三つの港湾を使用させよとの要求を拒否した。イギリス軍による使用を認めれば、エールの中立が形骸化して戦争に巻き込まれる危険性が高まるだけでなく、国内が分断されて再度の内戦さえ起こりうる、これがデ・ヴァレラの言い分であった。エール周辺海域におけるドイツ軍の潜水艦攻撃の被害が累積する中、イギリス政府は、エールがイギリス側で参戦するなら南北統一に向けて努力する、という交換条件を用意、一九四〇年六月には特使をダブリンに再三派遣して交渉を重ねた。

しかし、参戦もイギリス軍の駐留も拒む姿勢をデ・ヴァレラは崩さなかった。理由は複数あるが、なによりも大きかったのは、イギリスとは異なる外交方針を堅持し、「独立の民主的主権国家」の矜持を保つことを南北統一よりも重視したことだろう。参戦か不参戦かを選択できてこそ主権国家なのであって、中立はエールが独立の共和国であることの証左に他ならなかった。第二次革命の成果を是が非でも守る決意が、ありえたかもしれない第三次革命＝南北統一を遠ざけたのであり、第二次大戦を経て南北間の溝はいっそう深まった。以降、一九四〇年ほど南北統一の可能性が大きくなったことはなく、その意味でデ・ヴァレラは千載一遇のチャンスを逃したともいえる。それでも、イギリスやアメリカからの執拗な参戦要求をかわし中立を貫いたことによって（「友好的中立国」として連合国に便宜を図りはした）、エールの戦禍が最小化された事実は軽視できない。そして、軍事的中立のスタンスはその後も引き継がれ、一九四九年に正式に発足したアイルランド共和国はＮＡＴＯに加盟しなかった。

第一次革命に刻まれた二つの瑕疵のうち一つは第二次革命で克服されたが、もう一つは残され、一九六〇年代後半からは凄惨な北アイルランド紛争がつづいた（一九九八年四月に和平合意成立）。アイルランド共和国と北アイルランドが並存する現状が示すのは、アイルランド革命が未完のままであり、さらなる革命の火種が残っていることである。

集点 Focus

帝国日本と移民

塩出浩之

はじめに

本稿では一九世紀末から二〇世紀前半にかけて、日本人(大和人、沖縄人など)、およびその他の日本国籍保有者(台湾人、朝鮮人など)がアジア太平洋地域で展開した移住活動について、日本の帝国化との関わりを中心に論ずる。

近年、日本では外国人労働者が増えているが、一九世紀末から二〇世紀前半には日本人が盛んに移民を行っていた。ただし、ここでいう移民とは、外国への移民だけではない。当該時期は日本の支配領域が拡大した時期でもあったが、日本が新たに支配した地域への移民は、外国への移民よりもはるかに大規模だった。また日本の支配領域の拡大は、日本国籍を保有して移民する人々の多様化をもたらした。沖縄や台湾、朝鮮が日本の領土になった結果、沖縄人や台湾人、朝鮮人も日本国籍を保有して移民したのである。

このように国境の変更と移住活動とが絡み合う中で、アジア太平洋の各地には国や地域をまたぐ様々な民族(エスニック・グループ)が形成された。各地の諸民族の間では、それぞれの出身地での国際関係や民族間関係をも反映して、多様で重層的な関係が構築された。

こうした多様な民族のありようは、アジア太平洋戦争下で国民国家イデオロギーの圧力をうけた。日本と連合国との間で移民した人々の境遇は戦争によって大きく変わり、さらに日本の敗戦後は、旧日本支配地域に移民した日本人が日本に強制送還されたのである。

なお前もって、「日本人」と「日本国籍保有者」の定義について説明する。本稿では「日本人」の呼称を、日本国籍保有者(大日本帝国臣民)全体に対しては用いない。日本国籍保有者は日本戸籍保有者と日本戸籍非保有者とに二分でき、前者を「日本人」と定義する。これは国籍と民族との関係を把握しやすくするためである(塩出 二〇一五:一〇一―一一二頁)。

日本人(日本戸籍保有者)は主に大和人、北海道アイヌ、沖縄人、小笠原諸島の欧米・ハワイ系住民、樺太アイヌ(一九三三年以降)からなる。「大和人」とは、一八六九年の版籍奉還時点で日本政府の統治対象だった人々に対して、筆者が用いる呼称である。これにより「大和人」を民族として可視化し、アイヌや沖縄人などと並列できる。他方、日本人以外の日本国籍保有者(日本戸籍非保有者)は主に台湾人、朝鮮人、樺太アイヌ(一九三三年まで)、その他のサハリン先住民(ウイルタ、ニヴフ)からなる。

一、日本開国と移民の始まり

開国と外国人の到来

日本からの国外渡航は一六三五年、徳川政権によって禁じられた。その解禁をもたらしたのは、一九世紀なかばの日本の開国である。

日本の開国は、アヘン戦争を経て中国が上海などを開港し、香港をイギリスに割譲した後、西洋人が貿易のため中国に到来する中で起こった。アメリカがペリー艦隊を日本に派遣したのは、捕鯨船の寄港地に加え、中国までの太平洋航路の中継地点を求めたためだった。そして開国とは、何よりも外国人の日本への入国許可を意味した。一八五四年の日米和親条約で、アメリカ人は開港地(下田、箱館)での移動の自由や必要品の購入などを認められ、五八年の安政五カ国条約で、外国人は開港地への居住や貿易を許可された(三谷 二〇〇三)。外国人は開港地に設置された居留地に活動を限定されたが、九九年には領事裁判権を撤廃した改正条約の施行に伴い、居留地制度も廃止された。これを内地開放という。

安政五カ国条約で長崎や横浜、神戸などが開港されると、条約国の西洋人が到来したが、彼らの多くは、それまで上海や香港などで貿易などに従事していた人々だった(Hoare 1994: 24)。さらに中国人も、一八七一年に日清修好条規が結ばれるまでは条約未済国人だったが、開港当初から、西洋人に随伴する買辦《ばいべん》や使用人などとして上海や香港などから到来し、やがて自ら経済活動を行うようになった。中国人はアジア太平洋戦争期まで、在日外国人で最大の割合を占めた(伊藤 二〇一八:一一–四六頁、塩出 二〇一五:一九–二〇頁)。

日本人移民の始まり

イギリスが日本を世界市場に可能な限り統合しようとする中で、英公使ハリー・パークス(Harry Smith Parkes)は一八六六年、米仏蘭公使とともに、日本人の国外渡航解禁を徳川政権に要望した。徳川政権はこれを受け入れ、同年中にパスポートの発行を始めた。その第一号は、アメリカ人の興行師に率いられ、パリ万博を目指して渡米する曲芸団の一員だった(石井 一九六六:四一七–四三九頁、柳下 一九九八:三三頁、宮永 一九九九)。

一八六八年にはハワイ王国へ、「元年者」と呼ばれる最初の移民労働者約一五〇人が渡航した。横浜にいたアメリカ人ユージン・ヴァン・リード(Eugene M. Van Reed)がハワイ総領事として、サトウキビ農場での三年間の契約労働を斡旋したのである。明確な行き先も知らずに出稼ぎに赴いた「元年者」は、過酷な労働条件などのため農場側としばしば衝突し、日本・ハワイ両政府の交渉を経て、七〇年に四〇人が帰国した(Conroy 1953: 15-53)。

一八八〇年代以降、国外移民は本格化した。まず朝鮮が日朝修好条規(七六年)によって開国すると、商業や漁業を目的とする渡航が増加した。八五年には日本・ハワイ間の合意により、ハワイのサトウキビ農場での契約労働が始まり(官約移民)、九四年以降は許可を得た移民会社に委ねられて規模を拡大した(自由移民)。アメリカへの渡航は初期は留学生が多かったが、八〇年代後半以降は労働者を中心に急増した。九〇年代には、カナダやオーストラリアも移民先に加わった(木村 二〇〇二、岡部 二〇〇二:二七－四四頁)。

ただし、この時期にもっとも多くの大和人移民を吸収したのは国内の北海道である。新政府は一八六九年、蝦夷島・国後島・択捉島に北海道と命名して領土と定め、農業移民の招来を図った。当初、士族移民や屯田兵などを除いて移民は低調だったが、九〇年前後から府県における農民層の分解などを要因として急増し、その勢いは一九二〇年頃まで続いた。大和人移民の激増とともに先住民のアイヌは従来の生活環境を奪われ、人口上も急速にマイノリティ化した(永井 二〇〇七:七一－一〇一頁、塩出 二〇一五:二七－三五頁)。

なお日本は一八七六年に小笠原諸島を領有し、七九年に琉球を併合して沖縄県とした(琉球処分)。小笠原諸島には従来、捕鯨船の寄港を通じて欧米やハワイから到来した人々が暮らしていた。少人数だった彼らは、八丈島などからの大和人移民に圧倒された(石原 二〇〇七:二五六－二六八頁)。一方、沖縄県にも寄留商人(主に鹿児島県出身)や官吏などの大和人が到来したが、人口の九割以上は沖縄人だった(沖縄県 一九一六:三五－三七頁)。

なぜ移民したのか

ハワイや南北アメリカ諸国の日本人移民は、アヘン戦争後の苦力《クーリー》貿易を端緒とする中国人移民と同様に、西洋人

(白人)が支配する国々で奴隷制廃止後の低廉な労働力として導入された。日本人移民は、中国人移民が排斥をうけて制限・禁止された後の代替労働力だったのである。ハワイなどにみられた年季契約労働制は、奴隷制と連続する仕組みだった(Conroy 1953: 54-80; 貴堂 二〇一二：三〇–六七頁、鈴木 二〇二〇：二五〇–二六〇頁)。

低賃金で、労働条件もしばしば苛酷だったにもかかわらず、こうした地域への移民が増え続けたのは、彼らが貯金して故郷の親族に送金したり、お金を自ら持ち帰ったりすると、日本では容易に稼げない金額となったためである(イチオカ 一九九二：五四–五五頁、木村 二〇二一：第四章)。移民先よりも日本のほうが、物価も賃金もはるかに低かったのである。

そして国外であれ北海道であれ、移民活動が一八八〇年代後半以降に本格化した要因は、資本主義経済の浸透に伴う農民層の分解にあった。国外移民は単身の出稼ぎが多く、北海道移民は家族単位の移住が多かったが、いずれにせよ社会の流動性が増す中で、人々は稼ぎのよい仕事を求めて故郷を離れた。つまり移民は、根本的には農村から都市への移住と共通の現象だった(岡部 二〇〇二：一九–二一頁、斎藤 一九九八：一一六–一二〇頁)。

さらにいえば、こうした人口移動を促した基本的な要因は、一八七三年から八〇年にかけて実施された地租改正にある。土地所有権が個人に付与された結果、納税単位(身分集団)としての村が解体し、人々は個人を単位として、市場によって生活を維持するようになった(松沢 二〇一三)。ただし出稼ぎが親族への送金を目的としたことや、農業移民が家族単位だったことが示すように、生活維持の単位は実質的に「家」であることが多かった(木村 二〇二一、松沢 二〇二二)。移民は、資本主義社会における「家」の生存戦略の一つとなったのである。

二、帝国日本の拡大と移民

日本支配地域の拡大と移住先の変化

国外への移民が活発に行われる一方、それを上回る規模の移民が、日本が新たに支配した地域に展開されるというパターンは、一九世紀末以降に日本の支配領域が拡大する中で継続した。一九四〇年の時点における日本人の地域別居住人口分布をみると、四・三パーセントが北海道、一・九パーセントが属領(台湾・南樺太・朝鮮)、一・五パーセントが日本支配地域(南洋群島・関東州・満洲国)に居住していたのに対し、外国に居住していたのは一・〇パーセントに過ぎない(塩出 二〇一五：一六一一八頁)。

国外移民を制約したのは、受け入れ国の排日政策である。二〇世紀初頭には、アメリカ(一八九八年に併合されたハワイを含む)やカナダで排日運動が盛んになった。一九〇七年から〇八年にかけて結ばれた日米紳士協約で、日本からアメリカへの新規移民は禁じられた。その後も親族の呼び寄せは可能だったので、写真花嫁、すなわち既に移民した男性と結婚する女性などが盛んに移民したが、二四年にはアメリカの移民法改正により、日本からの移民が全面的に禁止された。カナダでも〇七年のルミュー協約や二八年の同協約の改定により、日本からの移民が大幅に制限された。国外の移民先はブラジル(〇八年ー)など南米諸国が主となり、またアメリカ領ながら、二四年移民法の適用範囲外だったフィリピンへの移民も、一九一〇年代後半から二〇年代に増加した(塩出 二〇一五、U. S. Congress 1925: 168)。

一方、日本が新たに得た領土や支配地域は、いずれも日本人の有力な移民先となった。第一に日清戦争後、中国から割譲をうけた台湾に官吏や商工業者などが移住する一方、朝鮮(一八九七年、大韓帝国に改称)への渡航も急増し、日本政府は日露戦争中の一九〇四年に韓国渡航者のパスポートを免除するなど便宜を図った。第二に日露戦争後、ロシアから統治権を得た中国東北部（満洲）の関東州租借地・満鉄附属地、および保護国化を経て一〇年に併合した韓国（朝鮮）には、台湾同様に官吏や商工業者が移住した。またロシアから割譲をうけた南樺太（南サハリン）は、ロシア人が退去し、わずかな先住民（樺太アイヌ、ウィルタ、ニヴフ）が暮らすなかに日本人の漁業者や商工業者、農業者が移住し、人口のほとんどを占めた。第三に、第一次世界大戦後に国際連盟の委任統治領として得た南洋群島は、チャモロやカロリニアンが暮らしていたが、製糖業の労働力として移民した日本人（主に沖縄人）が人口の約六割を占めるに至った。第四に満洲事変を経て、中国東北部には日本の実質的な支配下で三二年に満洲国が建国された。ブラジルが三四年以降、日本人の移民を大幅に制限したためもあり、三六年以降は満洲国への農業移民が大規模に推進された。アジア太平洋戦争中は、中国や東南アジアの占領地も移民先となった（塩出 二〇一五、木村 二〇二一）。

日本国内や日本支配地域への移住を促した根本的な要因は、外国への移民が相手国の入国管理政策に左右された一方で、日本統治下への移民には障壁がなかったことにある。既に述べたように、個人や「家」の生活維持のために故郷を離れる人々にとって、よりよい暮らしができるのであれば、移住先がどこであれ大きな違いはなかった。重要なのは有望な仕事があるかどうか、そして容易に移住できるかどうかだった。ロジャース・ブルーベイカー（Rogers Brubaker）が指摘するように、国籍とは、その国家に無条件で滞在・居住・再入国できる資格を意味する（ブルーベイカー 二〇〇五：四七頁）。つまり日本の領土や支配地域の拡大は、日本人が自由に移住できる領域の拡大を意味したのである。

移民する日本国籍保有者の多様化

一方、日本が領土を拡大すると、その地域の住民は原則として日本国籍を付与された。もちろん彼らの中にも、よりよい暮らしを求めて故郷を離れる人々がいたため、日本国籍保有者として移民する人々は多様化した。その主な要素は沖縄人、台湾人、朝鮮人である。

第一に沖縄人は、琉球処分を経て日本の戸籍・国籍に編入されたが、日本国籍保有者として初の国外移民は一八九九年にハワイに渡航した人々である(到着は翌年)。日清戦争の決着によって琉球処分は不可逆化し、さらに九九年、沖縄県で地租改正に相当する土地整理事業が始まると、沖縄人が土地を離れることも容易になったのである。沖縄人は関西や首都圏を中心に他府県にも移住し、日本統治下では台湾や南洋群島など、国外ではアメリカや南米諸国、フィリピンなどにも盛んに移民した(石川 一九九七:三一一―三八六頁)。

第二に台湾人は、先住民以外は主に福建省や広東省など華南から移民した漢人であり、両岸の間では日本統治開始後も日常的な人の往来があった。台湾人は一八九五年の下関条約に基づき、二年の猶予期間内に台湾から退去した五〇〇〇人強を除いて日本国籍を付与されたが、この期間内にも台湾・中国間を移動した人々がいたため、国籍登録は完全ではなかった。

こうした経緯は、台湾籍民と呼ばれた在外台湾人をめぐって複雑な事態をもたらした。華南など中国や、華南からの華僑が多かった東南アジア各地では、日本領事館で台湾籍民と称してパスポートを取得し、免税や領事裁判権など、日本国籍による保護を得る人々が現れたのである。中には、台湾に地縁も血縁もない中国人が国籍制度の不備に乗じ、台湾籍民と偽る例も多かった。加えて日本領事館や外務省も事情を知りながら、台湾籍民の広がりを日本の勢力扶植と捉えて容認した(中村 一九八〇、鍾 二〇〇七、川島 二〇一一)。

台湾人移民は華南など中国にもっとも多く、日本本国はそれに次ぐ規模だった。移民した台湾人は主に商業関係者だったが、中には沖縄県の八重山群島で働いた労働者や、満洲国で医師や官吏になった人々もいた(松田 二〇〇八、松田 二〇〇四、許 二〇一二)。

第三に朝鮮人は韓国併合によって、強制的に日本国籍を付与された。韓国併合以前から、朝鮮人は中国東北部や極東ロシアに盛んに移民し、また一九〇二年から〇五年にはアメリカ駐韓公使の主導で、米領ハワイへの移民も行われたが、こうした人々も日本国籍を付与された(水野 一九九九、Patterson 2000: 1-10)。

日本統治下の朝鮮では農民層の分解が進み、朝鮮人の移民活動はさらに活発になった。朝鮮人は関西や首都圏をはじめ、日本本国を新たな移民先とした。ただし朝鮮人は日本国籍保有者にもかかわらず、日本本国への渡航は証明書制度で管理された。また朝鮮人は引き続き中国東北部や極東ロシアにも移民し、特に満洲国の建国後は移民が激増した。日本の企業による炭鉱労働者の募集や、極東ロシアからの南下などにより、南樺太に渡る朝鮮人もいた(水野 一九九九、外村 二〇〇四、三木 二〇一二:二六五—三〇三頁)。

他方、朝鮮人がアメリカ(ハワイ含む)に渡航するには日本のパスポートが必要となった。一九一〇年から二四年には日米紳士協約下の呼び寄せを通じて、写真花嫁としてハワイに渡った朝鮮人女性がいた。二四年にアメリカの移民法が改正されると、朝鮮人も日本国籍保有者であるため、アメリカへの移民は不可能になった(Patterson 2000: 80-99)。

日本の領土拡張によって日本国籍保有者となった沖縄人、台湾人、朝鮮人の移住行動は、①日本本国への移住、②(他の)日本支配地域への移住、③外国への移住という三つの類型に整理できる。①②を促したのは日本の支配であり、また③も日本国籍によって条件付けられた。有望な仕事、よりよい暮らしを求めて移住する人々にとって、やはり国境と国籍は移住のしやすさを左右する基本的な要因だったのである。

三、人の移動が生み出す民族

重層的な民族間関係

帝国日本が拡大する中で、国境・国籍の変更に規定されながら様々な移住活動が展開するにつれて、移民と現地住民との間、そして移民同士の間には、重層的な民族間関係が形成された。

第一に、日本(本国)から新たな支配領域への移民は、原住者に対して支配的な地位に立った。この植民地主義的な関係は、日本の支配の拡大とともに階層化した。大和人は北海道ではアイヌに対して、沖縄では沖縄人に対して植民者として振る舞った。台湾に移民した沖縄人は、大和人と同じ日本人、つまり植民者として自らを台湾人と差異化し、社会的上昇を追求した。南洋群島では、「一等国民日本人、二等国民沖縄人あるいは朝鮮人、三等国民島民」という序列があった。満洲国の朝鮮人は、漢人(中国人)と同様に、自ら開拓した土地を日本人移民のために強制的に買収される一方、日本国籍保有者としての特権ゆえに、漢人から敵視されるという板挟みの立場に置かれた(松田 二〇〇二、今泉 二〇一四:二八二—二八三頁、塚瀬 一九九八:一〇二—一〇六頁)。

第二に、新たな支配領域から日本(本国)への移民は、やはり植民地主義を反映して社会的に差別された。沖縄人や朝鮮人は多くは低賃金労働者として雇用され、差別的な待遇を受けた。両者は生活空間でも大和人から隔離され、それぞれ集住地区や互助組織を形成した。沖縄人は、自分たちは日本人であり、朝鮮人とは違うとして、差別から脱出しようとした。一方、朝鮮人の中では、生活の安定や差別の解消を求めて日本人との協調(内鮮融和)や同化政策への同調に向かう動きの一方で、民族として団結して賃金差別の解消を求めたり、朝鮮総督府の圧政を批判したりする動きが起こった(冨山 一九九〇、外村 二〇〇四)。

第三に、日本および日本支配地域から南北アメリカ諸国や太平洋地域など、西洋人(白人)が支配する諸国家への移民は、中国人と同様にアジア人(東洋人)として人種差別を受けた。アジア系移民はそれぞれ互助組織など民族的な結びつきを維持したが、これは出身地における国家間・民族間関係と密接に結びついた。米領ハワイを例にとると、日本人と中国人との関係は日中関係の悪化、特に日本の中国侵略によって緊張した。沖縄人は日本人の一部であると同時に、大和人からは差別され、独自のコミュニティを形成した。朝鮮人は日本国籍を付与されていたが、しばしば日本の朝鮮支配への反発を示した。フィリピン人はアメリカ国籍であるため、移民法による入国規制の対象外だったが、西洋人からはアジア系移民として差別された。他方、先住民であるハワイ人からみれば、これらアジアからの移民は、西洋人と同じ植民者としての側面も持っていた(塩出 二〇一五:第七章)。

国家や地域をまたぐ民族

さらに民族としての移民に共通するのは、親族など故郷との社会的な結びつきを維持し、国家や地域をまたいで、移民先との間を往来したことである。

まず外国への移民は、前述の通り出稼ぎとして始まり、貯金を親族に送金したり持ち帰ったりするのが一般的だった。移民先での暮らしが長期に及んでも、たびたび故郷に一時帰国したり、将来の帰国を選択肢に入れていたりした。またアメリカでは、アジア系移民一世は「帰化不能外国人」とされた。カナダや南米諸国では帰化が可能だったが、実際に帰化したのは職業資格に現地国籍が必要な場合が主だった(今野 二〇一五、塩出 二〇一五)。

現地生まれの二世以降は、南北アメリカ諸国では現地国籍を付与されたが、日本の旧国籍法(一八九九年)は日本人を父とする子に国籍を付与したため、彼らは親が一方の国でのみ出生登録をするか、自分でどちらかの国籍を離脱しない限り、自動的に二重国籍となった。また二世はしばしば日本語学校で教育をうけ、さらに親の故郷に送られて教育をうけることもあった。その背景には人種差別のため、アジア系移民は二世も就職機会が限られていた事情があった。日系二世は待遇のよい就職先を求めて、日本やその植民地に赴くこともあったのである(塩出 二〇一五:第七章、補論二、Stephan 1997)。

日本統治下の領域内部で移民した人々も、基本的な行動原理は共通していた。台湾や南樺太、朝鮮の日本人は出稼ぎ志向が強かったが、現地出生者の増加が示すように、これらの地域でも次第に現地に拠点を置く人々が増えた(塩

出 二〇一五：一九〇、二一四―二一六頁）。満洲国への農業移民では、政策上は戸主が家屋や耕地を処分して家族ごと移住することが重視されたが、実際は多くの農家が将来の帰還を視野に入れ、耕地を保持したまま移民した（細谷 二〇一九）。地域によって比重は異なるにせよ、日本人移民は日本本国と移民先の双方を拠点としたのである。日本本国での滞在が長期化した朝鮮人も、親族や故郷とのつながりを保ち、また朝鮮との間を往来して、双方を生活の拠点とした（外村 二〇〇四）。

個人や家族の生存戦略という観点からいえば、一方通行的に移民するよりは、複数の拠点を保持し、労働市場や生活環境の変化に応じて往来できるほうが合理的だった。だからこそ、親族や故郷との結びつきは一層重要となった。移民はこうした行動原理から、必然的に国家や地域をまたぐ民族となったのである。

四、アジア太平洋戦争と移民

アジア太平洋戦争中の移民

日中戦争からアジア太平洋戦争への過程で、日本および日本支配地域では総力戦のための動員体制が構築され、日本人兵士の出征をはじめ、強制的な人の移動が大規模に生じた。朝鮮人・台湾人男性も志願兵や軍属として動員され、さらに徴兵の対象となった。また朝鮮人労働者は、労働力が不足した日本本国に大規模に強制動員され、鉱山などで働いた（宮田 一九八五、近藤 一九九六、外村 二〇一二）。

他方、アジア太平洋戦争は在日外国人を窮地に追い込んだ。在日中国人は満洲事変の勃発いらい減少していたが、日中戦争開始後は帰国者がさらに増加した。残留した中国人は、日本政府の監視下で、日本の傀儡政権である南京国民政府の支持を強いられた。なお戦争末期には、中国人労働者が日本本国に強制連行され、鉱山などで働いた。在日アメリカ人・イギリス人・オランダ人などは、日本と米英との関係悪化をうけて一部が開戦前に帰国した。開戦以後、日本に残留していた交戦国人(中国人を除く)は、日本政府によって敵国人抑留所に収容され、一部は交換船で送還された。旧居留地の西洋人コミュニティは、戦後も復活しなかった(安井 二〇〇五：二〇一—二三二頁、小宮 二〇〇九)。

一方、日本の交戦国では、日本人だけでなく、現地国籍をもつ日系市民の境遇も一変した。アメリカやカナダでは対米英開戦前から、日系市民が日本国籍の離脱を求められ、忠誠を厳しく問われた。さらに開戦後は、日本人だけでなく日系市民も収容所への移送を強いられた。ただし日本人・日系市民が人口の四割近くを占めた米領ハワイでは、一部の指導者のみが強制収容され、その他の日本人・日系市民は軍政の下で監視対象となった。オーストラリアや蘭領東インド、仏領ニューカレドニアでは日本国籍保有者(日本人・台湾人・朝鮮人)と現地出生の二世・三世がオーストラリアに強制収容され、現地出生者以外は戦後に強制送還された(塩出 二〇一五：第七章、補論二、第八章)。

アメリカ軍は日本人・日系市民に対して、日本への「帰国」希望者の調査や、忠誠登録および従軍意思調査を行った。大多数の日本人と日系市民はアメリカへの忠誠を誓い、日系市民男性の一部(主にハワイ二世)は忠誠を証明するため志願兵として従軍した(一九四四年以降は徴兵)。一部の日本人・日系市民は「帰国」を希望して終戦後に「送還」され、また一部の日系市民は自国市民への不当な処遇に反発して忠誠宣誓を拒んだ。カナダ政府は日本人・日系市民に、従来の居住地(ブリティッシュ・コロンビア州)とは異なるカナダ東部への「再定住」か、日本への「送還」かの二択を強い、終戦後に一部の日本人・日系市民が「送還」された(同：第七章、補論二)。

交戦国でも、占領地では逆の現象が起きた。米領フィリピンでは、開戦直後に日本人が強制収容されたが、その後、日本軍の占領によって日本人は支配者側に立った。戦況が悪化すると、日本人だけでなく日系市民も、軍人や軍属として動員された(大野 二〇〇八)。

戦後の日本人強制送還(引揚げ)

一九四五年八月一四日、日本はポツダム宣言を受諾し、台湾・朝鮮への主権、および関東州・満洲国・南洋群島・その他占領地などの支配を放棄した。他方、八月九日に対日参戦したソ連は、九月二日に日本が正式に降伏するまでに満洲・南樺太・千島列島を占領した。日本本土(本州・北海道・九州・四国)は連合国最高司令官総司令部(GHQ/SCAP)のもと、実質的な米軍の単独占領下に置かれ、日本政府を通じた間接統治が行われた。沖縄・奄美・小笠原諸島は米軍の直接統治下に置かれた(以下本項全て、塩出 二〇一五:第八章)。

日本の主権や支配が失われた地域に居住していた日本人は、日本軍の復員と並行して、日本に強制送還された。一部の日本人は敗戦直後から自主的に日本への引揚げを始めたが、現地への残留を望む者も多く、また日本政府も当初、食料不足などを懸念して現地定着を基本方針とした。しかしアメリカは中国の要請を受けて、一九四六年一月にアジア太平洋全域における全日本人の送還を決定した。これにより、アメリカ管轄下の南朝鮮・フィリピン・ミクロネシア(南洋群島)、中国管轄下の台湾・東北地方(満洲、四六年三月以降にソ連軍が撤退)などからの送還が実施された。消極的だったソ連も同年一〇月にアメリカと合意し、大連・北朝鮮・南サハリン(南樺太)・クリル諸島(千島列島)からの送還を実施した。各地に残留を許された日本人は、現地政府の要請で残留した技術者などの留用者や、現地国籍保有者の家族などに限られた(加藤 二〇二〇)。

このとき、沖縄人・台湾人・朝鮮人は異なる処遇をうけた。それは日本国籍保有者の実質的な範囲変更を伴った。まず一九四五年一〇月以降、沖縄から「現地人」を除く「日本人」(大和人に相当)が日本本土に送還された。さらに同年一一月以降、GHQは日本本土に居住する沖縄人・台湾人・朝鮮人を「非日本人」とし、沖縄人を「琉球人」と呼んだ。彼らは四六年二月以降、日本本土への残留か、沖縄・台湾・朝鮮半島への送還かの二択を強いられた。ただし沖縄人の日本戸籍・国籍が維持される一方、日本に残留した台湾人・朝鮮人は参政権の剥奪(四五年一二月)、外国人登録(四七年五月)を経て、五二年のサンフランシスコ講和条約発効にあたって日本国籍を剝奪された(田中 二〇一三)。

旧日本支配地域の沖縄人は全て日本本土や沖縄に強制送還されたが、沖縄で引揚者の受け入れが遅れたためもあり、「琉球人」は「日本人」と区別して送還された。旧日本支配地域の朝鮮人は地域によって処遇が異なり、中国東北部では一部が朝鮮半島に送還され、また一部が自ら朝鮮半島に移住したが、大半は残留した。南サハリンの朝鮮人はソ連によって残留を強いられた。ミクロネシアでは当初、アメリカ軍は「琉球人」・朝鮮人に残留か送還かを選ばせたが、現地住民への悪影響を懸念して、結局全て送還した(今泉 二〇一六)。

かくして日本の敗戦に伴い、日本の新たな国境の外部に置かれた日本人は、その内部へと強制送還された。強制送還対象者の標識となったのは日本国籍であり、並行して台湾人・朝鮮人は外国人とされた。このような日本人送還政策の背景には、複雑な民族構成を国際紛争の種と捉え、民族的に同質な国家を作り出すことが必要だと考える国民国家イデオロギーがあった(川喜田 二〇一九)。

おわりに

一九世紀半ば、日本が開国によって世界市場に編入されたのを契機として、日本人自身も世界市場において、労働力として移動するようになった。個人や家族のよりよい暮らしのため、仕事を求めて故郷を離れた彼ら日本人移民は、農村から都会に出た人々や、今日の在日外国人労働者と何ら変わるところがない。

ただしハワイや南北アメリカ諸国で次第に入国が制限・禁止される中で、多くの移民は移住に制約のない日本の領土・支配地域に向かった。大和人とアイヌ・沖縄人との間、日本人と台湾人・朝鮮人との間には植民地的な支配—従属関係が生じた。一方、沖縄人や台湾人、朝鮮人も、日本の都市部や(他の)日本支配地域、外国へと移民した。この結果、民族間の支配―従属関係は移住先地域にも持ち込まれて重層化した。

移民は一方通行ではなく、出身地や親族との結びつきを維持し、仕事や生活の状況に応じて移民先地域との間を往来したため、おのずと国家や地域をまたぐ民族となった。しかし、こうした移民のありようは、民族的に同質な国家を作ろうとする国民国家イデオロギーからみれば夾雑物そのものだった。アジア太平洋戦争下での在日外国人や在米日本人・日系人への処遇、戦後の日本人強制送還は、国民国家を作り出そうとする圧力の現れであった。

最後に、戦後から現代の移民について概観しよう。日本人の国外移民は占領期には禁じられたが、アメリカ軍人の配偶者として女性が渡米した。日本の主権回復後、ブラジルなど南米諸国への移民が再開したが、高度経済成長下で農村から都市への移住が大規模に展開する中、一九六〇年をピークとして急減した。八〇年頃からは南米の日本人・日系人が日本に労働者として受け入れられ、九〇年頃からはアジア諸国から、研修生や技能実習生、留学生などの資格で外国人労働者が導入されている(塩出 二〇一五:第八章、田中 二〇一三)。

南米の日本人・日系人は、今日も国家をまたぐ民族として生きている。また一九九〇年に始まった「世界のウチナーンチュ(沖縄人)大会」が示すように、ハワイや南北アメリカの沖縄系コミュニティは今も沖縄社会と結びついている。日本国内でも、在日朝鮮人は差別に苦しみながら日本社会に根付き、国籍にかかわらず、朝鮮半島とつながりを持つ民族として生き続けている(水野・文 二〇一五)。主権国家は国境と国籍によって人の移動を管理するが、それによって国民国家を作り出すことはできないのである。

参考文献

石井孝(一九六六)『増訂 明治維新の国際的環境』吉川弘文館。

石川友紀(一九九七)『日本移民の地理学的研究』榕樹書林。

石原俊（二〇〇七）『近代日本と小笠原諸島――移動民の島々と帝国』平凡社。

イチオカ、ユウジ（一九九二）『一世――黎明期アメリカ移民の物語り』富田虎男・粂井輝子・篠田左多江訳、刀水書房。

伊藤泉美（二〇一八）『横浜華僑社会の形成と発展――幕末開港期から関東大震災復興期まで』山川出版社。

今泉裕美子（二〇一四）「太平洋の「地域」形成と日本――日本の南洋群島統治から考える」『岩波講座 日本歴史』第二〇巻、岩波書店。

今泉裕美子（二〇一六）「パラオ諸島をめぐる民間人の「引揚げ」――第二次世界大戦中の兵站基地化から米軍占領下までを中心に」今泉裕美子・柳沢遊・木村健二編著『日本帝国崩壊期「引揚げ」の比較研究――国際関係と地域の視点から』日本経済評論社。

大野俊（二〇〇八）「「ダバオ国」の日本帝国編入と邦人移民社会の変容」蘭信三編著『日本帝国をめぐる人口移動の国際社会学』不二出版。

岡部牧夫（二〇〇二）『海を渡った日本人』山川出版社。

沖縄県（一九一六）『沖縄県統計書 大正三年 第一編』沖縄県。

加藤聖文（二〇二〇）『海外引揚の研究――忘却された「大日本帝国」』岩波書店。

川喜田敦子（二〇一九）「第二次世界大戦後の人口移動――連合国の構想にみるヨーロッパとアジアの連関」蘭信三・川喜田敦子・松浦雄介編『引揚・追放・残留――戦後国際民族移動の比較研究』名古屋大学出版会。

川島真（二〇一二）「台湾人は「日本人」か？――一九世紀末在シャム華人の日本公使館登録・国籍取得問題」貴志俊彦編『近代アジアの自画像と他者――地域社会と「外国人」問題』京都大学学術出版会。

貴堂嘉之（二〇一二）『アメリカ合衆国と中国人移民――歴史のなかの「移民国家」アメリカ』名古屋大学出版会。

木村健二（二〇二一）『近代日本の移民と国家・地域社会』御茶の水書房。

許雪姫（二〇二二）『離散と回帰――「満洲国」の台湾人の記録』羽田朝子・殷晴・杉本史子訳、東方書店。

小宮まゆみ（二〇〇九）『敵国人抑留――戦時下の外国民間人』吉川弘文館。

近藤正己（一九九六）『総力戦と台湾――日本植民地崩壊の研究』刀水書房。

今野裕子（二〇一五）「和歌山県太地とカリフォルニア州ターミナル島をつなぐ同郷ネットワーク」米山裕・河原典史編著『日本人の国際移動と太平洋世界』文理閣。

斎藤修（一九九八）『賃金と労働と生活水準――日本経済史における一八―二〇世紀』岩波書店。

塩出浩之（二〇一五）『越境者の政治史――アジア太平洋における日本人の移民と植民』名古屋大学出版会。

鍾淑敏（二〇〇七）「拡散する帝国ネットワーク――廈門における台湾籍民の活動」石田憲編『膨張する帝国 拡散する帝国――第二次大戦に向かう日英とアジア』東京大学出版会。

鈴木英明（二〇二〇）『解放しない人びと、解放されない人びと――奴隷廃止の世界史』東京大学出版会。

田中宏（二〇一三）『在日外国人 第三版――法の壁、心の溝』岩波新書。

塚瀬進（一九九八）『満洲国――「民族協和」の実像』吉川弘文館。

外村大（二〇〇四）『在日朝鮮人社会の歴史学的研究――形成・構造・変容』緑蔭書房。

外村大（二〇一二）『朝鮮人強制連行』岩波新書。

冨山一郎（一九九〇）『近代日本社会と「沖縄人」――「日本人」になるということ』日本経済評論社。

永井秀夫（二〇〇七）『日本の近代化と北海道』北海道大学出版会。

中村孝志（一九八〇）「「台湾籍民」をめぐる諸問題」『東南アジア研究』一八巻三号。

ブルーベイカー、ロジャース（二〇〇五）『フランスとドイツの国籍とネーション――国籍形成の比較歴史社会学』佐藤成基・佐々木てる監訳、明石書店。

細谷亨（二〇一九）『日本帝国の膨張・崩壊と満蒙開拓団』有志舎。

松沢裕作（二〇一三）『町村合併から生まれた日本近代――明治の経験』講談社。

松沢裕作（二〇二二）『日本近代社会史――社会集団と市場から読み解く 1868-1914』有斐閣。

松田ヒロ子（二〇〇八）「総説」蘭信三編著前掲書。

松田ヒロ子（二〇二一）『沖縄の植民地的近代――台湾へ渡った人びとの帝国主義的キャリア』世界思想社。

松田良孝（二〇〇四）『八重山の台湾人』南山舎。

三木理史（二〇一二）『移住型植民地樺太の形成』塙書房。

水野直樹（一九九九）「朝鮮人の国外移住と日本帝国」『岩波講座 世界歴史19』岩波書店。

水野直樹・文京洙（二〇一五）『在日朝鮮人――歴史と現在』岩波新書。

三谷博（二〇〇三）『ペリー来航』吉川弘文館。
宮田節子（一九八五）『朝鮮民衆と「皇民化」政策』未来社。
宮永孝（一九九九）『海を渡った幕末の曲芸団——高野広八の米欧漫遊記』中公新書。
安井三吉（二〇〇五）『帝国日本と華僑——日本・台湾・朝鮮』青木書店。
柳下宙子（一九九八）「戦前期の旅券の変遷」『外交史料館報』一二号。
Conroy, Hilary (1953), *The Japanese Frontier in Hawaii, 1868-1898*, Berkeley and Los Angeles, University of California Press.
Hoare, J. E. (1995), *Japan's Treaty Ports and Foreign Settlements*, Folkestone, Japan Library.
Patterson, Wayne (2000), *The Ilse: First-Generation Korean Immigrants in Hawai'i, 1903-1973*, Honolulu, University of Hawai'i Press.
Stephan, John J. (1997), "Hijacked by Utopia: American Nikkei in Manchuria", *Amerasia Journal*, 23-3.
U. S. Congress (1925), *The Statutes at Large of the United States of America*, Volume 43, Part 1, Washington, D. C., Government Printing Office.

焦点 *Focus*

近代朝鮮の政治運動と文化変容

小野容照

はじめに

二〇世紀前半の朝鮮半島は、その大半が日本に支配されていた時期と重なっている。一三九二年に樹立された朝鮮王朝は、国号を大韓帝国としていた一九〇五年に日本の保護国となり、一〇年に植民地化された(韓国併合)。帝国日本の一地方となった朝鮮が解放されたのは、一九四五年八月のことであった。

保護国・植民地時代の朝鮮では、日本の支配からの解放と独立国家の建設を目指す運動や、日本の支配に協力することで統治に参加することを求める運動など、さまざまな政治的な目的をもった運動が展開された。本稿は、この時期の朝鮮で展開された各種の政治運動の変遷や特徴を論じていく。

また、保護国・植民地時代は、朝鮮に近代的な文化が本格的に流入した時期でもあった。この時期の政治運動は既存の朝鮮の文化を活用する一方で、その近代的変容を促すこともあったため、本稿では、各種の政治運動の展開にともなう朝鮮文化の変容も検討する。

一、愛国啓蒙運動と価値観の変容

義兵闘争と愛国啓蒙運動の相克

一九〇四年に勃発した日露戦争は、日本とロシアが満洲と朝鮮半島の権益を奪い合うものであった。戦争に勝利した日本は、一九〇五年一一月に大韓帝国と第二次日韓協約を締結し、大韓帝国から外交権を奪い、保護国化した。日本は大韓帝国を統治するための機関として統監府(一九〇六年二月開庁、初代統監は伊藤博文)を首都の漢城《ハンソン》《かんじょう》(現・ソウル)に設置し、一九〇七年には第三次日韓協約を締結して、大韓帝国から内政権をも剝奪する。

国が滅亡に瀕するなか、朝鮮では義兵闘争と愛国啓蒙運動という二つの抵抗運動が展開された。義兵闘争は、儒者や民衆が義兵を組織して、武力によって国権を取り戻そうとする運動であり、朝鮮の各地で蜂起が起こった。とくに一九〇七年の第三次日韓協約によって大韓帝国の軍隊が解散させられると、大韓帝国の元軍人も義兵に合流し、規模が拡大していく。一方、愛国啓蒙運動は、武力ではなく民衆の啓蒙を通して国権を回復することを目指す運動である。具体的には、知識人が主体となって「学会」と呼ばれる政治結社を各地に組織し、機関誌の発行や私立学校の運営などを通して、大韓帝国の国民としての意識が希薄な民衆に愛国心をもたせて団結させたり、さまざまな近代的な知識を啓蒙したりすることで、日本と闘うための実力を養うことを第一に目指した。

義兵闘争と愛国啓蒙運動は、日本に奪われた国権を取り戻すという目的は共通するものの、両者の関係は良好ではなかった。愛国啓蒙運動を主導した知識人は、大韓帝国が保護国化された原因は、教育、文化、経済等、あらゆる面で十分に近代化することのできなかった朝鮮人自身にもあると考え、日本からすぐに国権を取り戻せる状況にないと認識した。それゆえ、こうした朝鮮人の実力不足を自覚しないまま武力で日本に直接対決を挑む義兵闘争には否定的な態度を取り、日本との対決を先送りにして、近代的な知識を民衆に普及することを優先させたのである(金度亨 一九九四：一二四—一二八頁)。

愛国啓蒙運動のこうした考え方は、植民地期に入ると、日本からの将来的な独立を目指しつつも、それに先立って朝鮮人自身の実力の養成に注力する「実力養成論」に引き継がれ(朴賛勝 一九九二)、各種の政治運動に影響をおよぼすことになる。

身体観と女性観の変容

二つの抵抗運動のうち、日本が対応に苦慮したのは義兵闘争であり、軍隊を動員して鎮圧していった。一方、愛国啓蒙運動は既存の朝鮮の価値観の変容をもたらす契機となった。代表的なものの一つに、身体観がある。

当時を代表する知識人である朴殷植《パクウンシク》《ぼくいんしょく》らによって一九〇六年に設立された愛国啓蒙団体の西友学会(のちに西北学会に改称)は、機関誌『西北学会月報』第一五号(一九〇九年八月)で、従来朝鮮の教育において「体育が欠乏したために、今日の我々と今日の我が国になってしまった」と、体育を軽視してきたことが保護国化という国家の危機的状況を招いたと主張する論説を載せている。その理由は、西友学会を含め、愛国啓蒙運動を主導していた知識人が、民衆が近代的知識を習得し、さらには国家的危機に立ち向かうことのできる精神力を得るためには、何よりもその土台となる健康な身体が必要となるにもかかわらず、朝鮮人の身体は貧弱であると認識したからであった(西尾 一九八七：三一—三四頁)。

こうした身体観を反映して、愛国啓蒙団体が運営する私立学校では体育教育が重視され、とくに運動会が盛んに開かれた。運動会は大韓帝国の将来を担う学生や青年の身体能力を高めるだけでなく、集団行動を通して愛国心を涵養するのにも適していた。そのため、運動会では愛国的な唱歌を斉唱するなど「民族意識の鼓舞と体力づくり」の手段となった(同：八三―八九頁)。関連して、愛国啓蒙運動では体育の奨励と愛国心の涵養の手段としてスポーツ(球技)も導入された。とくにこの時期に日本の大学に留学していた朝鮮人学生が、当時日本で流行していた野球やテニスを習得し、「鉄の骨格の筋肉少年男子よ　愛国の精神を発奮せよ」という歌詞の応援歌とともに朝鮮で普及させていった(小野 二〇一七：八三―九一頁)。

このように、国家の盛衰と国民の身体には密接な関係があるという認識のもと、愛国啓蒙運動を契機として、朝鮮で体育やスポーツが近代的な知識の一つとして広まっていったのである。そして、こうした身体観とも連動しつつ、朝鮮では女性に対する認識や女性に与えられる社会的役割も大きく変化する。

愛国啓蒙運動は朝鮮の民衆を啓蒙の対象とした。しかし、国家的危機に立ち向かう主体としてとくに期待されたのは、朝鮮人学生が広めた応援歌の歌詞にあるように、将来の大韓帝国の担い手となる「少年男子」であった。その一方で、西友学会などの愛国啓蒙団体は、女性の社会的役割や女子教育にも関心を寄せていた。たとえば、愛国啓蒙運動を支えた新聞である『大韓毎日申報《テハンメイルシンボ》《だいかんまいにちしんぽう》』は一九〇八年八月一一日付の紙面に「女子教育論」という論説を載せ、「女子教育が急務」であると主張している。「女子は国民の母となる人であるため、女子教育が発達した後でなければ、その子が文明的な知識を導く模範となることはでき」ないというのが、その理由であった。

つまり、「少年男子」に国家的危機に立ち向かうための精神力や近代的知識を身につけさせるためには、健康な身体とともに、母親の役割も重要だと認識されたのである。こうした認識もまた、愛国啓蒙運動によって広がっていったといえる。

従来、朝鮮では儒教の影響によって、男尊女卑の観念が強く、女性は男性に隷属する家事従事者として扱われてきた。しかし保護国化という国家的危機に瀕すると、一転して良き妻や聡明な母、すなわち「良妻賢母」として愛国啓蒙運動に貢献することを、女性は求められるようになったのである、その結果、一九〇六年の養閨義塾《ヤンギュウィスク》《ようけいぎじゅく》をはじめとして、良妻賢母を教育理念とする女子教育機関がいくつか設立された。また、日本で良妻賢母論を唱えていた女子教育家の下田歌子《しもだうたこ》の著作も朝鮮語で翻訳出版されている（朴宣美 二〇〇五：一三八―一四五頁）。このように愛国啓蒙運動は、朝鮮の女性観の見直しを迫り、依然として男性中心的ではあるものの、女性の社会的地位を向上させたといえる。

なお、下田歌子の著作の翻訳や日本に留学する朝鮮人学生がテニスや野球を広めていたことに見られるように、愛国啓蒙運動では日本から近代的な知識を取り入れることが多かった。西洋から直接ではなく、日本を経由して朝鮮に近代的な知識や文化を普及させていく傾向は、愛国啓蒙運動に限らず、近代朝鮮の政治運動の特徴の一つである。

二、民族意識の涵養から三・一独立運動へ

韓国併合と武断政治

一九一〇年八月、大韓帝国は「韓国併合ニ関スル条約」によって、日本の植民地となった。首都だった漢城は京城《けいじょう》に改称され、そこには朝鮮を統治する機関である朝鮮総督府が置かれた（初代朝鮮総督は寺内正毅《てらうちまさたけ》）。国が滅びたことにより、朝鮮の政治運動は日本の支配からの解放と独立国家の建設、とくに前者が主目的となる。だが、植民地となった朝鮮で政治運動を展開するのは、きわめて難しい状況だった。

朝鮮総督府は韓国併合から約一〇年間、「武断政治」と呼ばれる統治政策を実施した。これは軍事力によって朝鮮人の独立運動を徹底的に弾圧するものであった。さらに、朝鮮総督府は植民地化とほぼ同時に、西友学会などの既存の朝鮮人の政治結社を解散させ、出版物も廃刊処分としたうえで、朝鮮人の言論、結社、集会の自由を厳しく制限した。その結果、朝鮮人は朝鮮語の出版物を発行したり、団体をつくったりすることは、一部の例外を除いて不可能になった。『大韓毎日申報』を買収した朝鮮総督府によって、総督府の御用新聞と化した『毎日申報』が、武断政治期

の朝鮮の唯一の朝鮮語新聞であった。

こうした状況では、義兵闘争のような武力闘争はもちろん、愛国啓蒙運動のように民衆を啓蒙することさえも困難である。そのため、朝鮮の知識人や独立運動家は海外に亡命して各種の政治運動を展開していくことになる。

民族意識の涵養と朝鮮文化の保存

武断政治期の朝鮮人の政治運動は、基本的には実力養成論にもとづいて展開された。朝鮮解放への見通しが暗い状況では、当面は朝鮮人自身の実力を養成するほかにできることがなかったからである。実力養成の方法は、愛国啓蒙運動と同様に、植民地化によって日本国籍となった朝鮮人民衆の朝鮮民族としての意識を涵養することと、近代的な知識を普及することであった。とくに前者は、知識人や独立運動家が朝鮮人民衆の民族意識が希薄であると認識していたことに加え、植民地支配によって文化的に同化(日本人化)されることも懸念され、喫緊の課題として受け止められた。

それゆえ、知識人や独立運動家は朝鮮の歴史や文化に着目した。愛国啓蒙運動の指導者だった朴殷植は、韓国併合後に中国の上海に亡命し、同地で一九一五年に『韓国痛史』という朝鮮民族の歴史書を中国語で刊行した。同書の序文に書かれているように、その意図は、たとえ国が滅びたとしても「霊魂」が滅びなければ民族は復活できることを伝えることであった。また、現在、近代朝鮮を代表する小説家として評価され、独立運動家としても知られている李光洙《イグァンス／りこうしゅ》は、一九一四年に亡命先であるロシア・東シベリアのチタで発行されていた朝鮮語雑誌『大韓人正教報』で、朝鮮固有の文字であるハングルは「世界で最も美しく、すぐれている」と褒め称え、「一般同胞」に対して、こうした朝鮮の文化を守るために民族に対する愛着をもつように呼びかけている(小野 二〇二二：六六、二〇〇頁)。

一方、言論の自由が厳しく制限されている朝鮮半島では、崔南善《チェナムソン／さいなんぜん》が朝鮮総督府に警戒されにくい児童雑誌を出すことで、かろうじて朝鮮語出版物の刊行を維持していた。崔南善もまた、朝鮮の昔話や歴史上の人物を児童雑誌で積極的に紹介した。さらに植民地支配によって朝鮮の文化が失われることを危惧した崔南善は、朝鮮の古書を収集し、その復刻版を刊行することで、民族文化の保存に努めた(田中 二〇二〇:一一三―一一五頁)。

以上のように、韓国併合後の朝鮮人による政治運動は、朝鮮の歴史や文化を保存しつつ、それらをよりどころとして民衆に民族意識をもたせることで、将来的な解放に備えることがまず目指された。

民主主義への着目――在外朝鮮人の政治運動と第一次世界大戦

こうした政治運動のあり方は、一九一四年に勃発した第一次世界大戦、とくに一七年にアメリカが日本と同じ連合国側で参戦したことによって変わっていく。

一九一七年にアメリカが専制主義国家であるドイツに宣戦布告して第一次世界大戦に参戦した理由の一つは、アメリカの国是である民主主義を世界に浸透させることにあった。一九一八年に入ると、アメリカ大統領のウッドロウ・ウィルソンは、民族自決を提唱する。朝鮮史研究において民族自決は、自らの民族の命運は自ら決定する、つまり植民地支配されている民族の独立を意味する権利であるにもかかわらず、ウィルソンは日本を含む連合国側の植民地にこの権利を与えるつもりはなく、欺瞞であったと評価するのが一般的である。たしかに、ウィルソンは連合国側の植民地の民族に自決権を適用するつもりはなかった。しかし注目すべきは、ウィルソンが自決権を与える対象として、民主主義による国家の運営能力をもつ民族かどうかも重視していたことである。武断政治によってアメリカや中国への亡命を余儀なくされた朝鮮の知識人や独立運動家は、それぞれの亡命先で、アメリカの参戦意図やウィルソンの民族自決概念を分析し、理解していた(小野 二〇二二:一一一、一二一―一二六頁)。

一九一八年一一月に第一次世界大戦が終結すると、翌年一月から開催されるパリ講和会議で民族自決が議題の一つとなることが決まった。これを受けて、朝鮮人の政治運動は、解放と独立を先送りにして、そのための実力を養成することから、パリ講和会議で自決権の承認を得るという千載一遇の機会を摑み取ることに方法が変化する。アメリカでは李承晩《イスンマン》《りしょうばん》が、上海では呂運亨《ヨウニョン》《ろうんきょう》がウィルソンに独立請願書を送り、いずれも朝鮮民族に民主主義国家を運営する能力があることをアピールした。さらに一九一九年二月八日には、日本の大学に留学中の朝鮮人学生が、東京で独立宣言書を朗読した(二・八独立宣言)。チタでの活動後に早稲田大学に留学した李光洙が起草した二・八独立宣言書も、開催中のパリ講和会議に向けて、朝鮮が解放された暁には民主主義による新国家を建設することを主張するものだった(同:一四二—一四三頁)。

このようにアメリカの参戦は、従来、漠然と日本の植民地支配からの解放を目指してきた朝鮮人の政治運動に、民主主義という政治理念と、それにもとづく解放後の独立国家の建設という問題意識を新たにもたらしたのである。

三・一独立運動——「民衆自身の自助的活動」

武断政治によって政治運動がほぼ遮断されていた朝鮮半島でも、朝鮮土着の宗教である天道教のリーダー崔麟《チェリン》《さいりん》や、彼から協力を求められた崔南善らによって、パリ講和会議に向けて独立宣言書を発表することが計画された。朝鮮半島には国際情勢について詳しい情報が入ってこなかったため、彼らはウィルソンが民主主義を重視していたことを十分に理解していなかった。そのため、崔南善が起草した独立宣言書は、ウィルソンや統治国日本に朝鮮民族の解放を求めるのみであり、その後の独立国家のビジョンは何も示されなかった。

崔南善が起草した独立宣言書は約二万枚印刷され、一九一九年三月一日に朝鮮の各地で配布された。この独立宣言書を手にした民衆が「独立万歳」を叫びながらデモ行進を繰り広げたのが、今日の韓国で最大の独立運動と評価されている三・一独立運動である。万歳デモは朝鮮全土で五月末までのあいだに一六〇〇件以上発生し、参加者は延べ人数で一〇〇万人以上におよんだ。その多くは農民であり、男女問わず参加した。

農民ら民衆を運動に駆り立てた大きな要因は、日本の植民地支配に対する不満である。武断政治によって言論や結社の自由が制限されていることをはじめ、あらゆる面で日本人に差別されている状況からの解放を求めて、民衆は万歳デモに参加したのであった。

独立宣言書の起草によって懲役刑となった崔南善は、仮釈放後の一九二二年に、「民衆自身の自助的活動」によって「完全な意味での「民族」というものを追求」した点こそが「三一事件の歴史的意義」だと評している。韓国併合以来、朝鮮の政治運動は将来的な解放と独立に備え、民衆に民族意識をもたせることを課題としてきた。この課題は、知識人による啓蒙の成果というよりも、日本人という他民族による過酷な支配のなかで、民衆自身が朝鮮民族であることを自覚することで果たされたといえる(小野 二〇二一:二〇一、二二二頁)。以降、朝鮮人の政治運動は、民族意識に目覚めた民衆の暮らす朝鮮半島に、独立国家の建設という目的意識をもつ知識人らが海外から戻ってくることで、活性化していく。

三、政治運動の活性化と多様化

朝鮮民族の文化、生活、思想のグローバル化

パリ講和会議で朝鮮独立の問題が議論されることはなく、三・一独立運動も軍隊を動員した朝鮮総督府によって鎮圧された。しかし、朝鮮総督府も武断政治に対する朝鮮人の不満が大規模な独立運動を招いたという認識はもっており、一九一九年八月に新総督として斎藤実《さいとうまこと》が就任すると、統治政策を従来の武断政治から「文化政治」に転換させた。

文化政治は、朝鮮人に言論、集会、結社の自由を一定程度認めたり、教育をはじめとする各種の差別的政策の一部

を改めたりすることで、朝鮮人の植民地支配に対する不満をやわらげることを目的とした。しかし、「内鮮融和」をスローガンに朝鮮人をゆるやかに同化することで、高揚しつつあった民族意識を抑えることも同時に目指した。加えて、植民地支配に協力的な「親日派」の朝鮮人を養成することで、独立を目的とする政治運動の分裂、弱体化も図っていく(宮本 二〇一一)。

文化政治によって言論の自由が認められたとはいえ、厳しい検閲はつきまとう。また、朝鮮総督府は武力による朝鮮人の監視や弾圧の手を緩めたわけではなかった。それでも、韓国併合以来はじめて本格的に言論や結社を通じた活動ができるようになったため、海外で活動していた知識人や独立運動家は朝鮮半島に戻り、政治運動を主導していく。[1]

朝鮮に戻った知識人や独立運動家は、民族自決を議題に掲げたパリ講和会議で朝鮮問題が黙殺された事実を、国際社会に朝鮮民族が文明的な独立国家を運営するだけの能力をもっていないと判断された結果として、真摯に受け止めた。そのため、文化政治に転換して間もない一九二〇年代初頭の政治運動は、実力養成論に回帰し、朝鮮民族の文化や生活、知識の水準を世界に通用するものへと高めることを目指した。

たとえば、上海や日本で活動していた独立運動家を中心に一九二〇年四月に創刊された朝鮮語新聞『東亜日報《トンアイルボ》《とうあにっぽう》』は、「朝鮮民衆」の「意思を表現」することに加え、民衆に「民主主義」の価値を教え、さらには世界の最先端の思想や文化を広めることが刊行の趣旨だった。同年には『開闢《ケビョク》《かいびゃく》』などの朝鮮語雑誌も相次いで創刊され、『中央公論』や『解放』をはじめとする日本の雑誌の翻訳によって、当時の日本で流行していた最新の西洋の諸思想が紹介された(小野 二〇一三：一三九―一四三頁)。

一九二〇年に入り相次いで設立された団体を通した活動も、世界を強く意識したものだった。『東亜日報』は創刊から間もない四月一〇日付の紙面で朝鮮人によるスポーツ振興団体の設立を呼びかけ、同紙の関係者が中心となって七月に朝鮮体育会を設立した。設立の理由は、人びとの健康の問題が世界的に重視されているにもかかわらず、朝鮮には体育やスポーツを統括する団体が存在していないからであった。朝鮮体育会は日本の全国中等学校野球大会（現在の夏の甲子園大会）などを参考にして各種のスポーツイベントを開催していく。朝鮮体育会の活動は、スポーツを通して体を動かすだけでなく、スポーツ観戦の文化が朝鮮で定着する契機となった。

また、一九二〇年四月には『東亜日報』関係者が中心となって、京城で朝鮮労働共済会という労働団体も設立しており、わずか一年で朝鮮全土へと規模を拡大させた。朝鮮労働共済会は、一九一九年に創設された国際労働機関（ILO）に触発されたものであった。朝鮮労働共済会は労使協調によって労働者の待遇の改善を目指す団体として出発したが、後述するように過激化していくことになる（小野 二〇二一：二二四―二二六頁）。

政治運動の左右分化

以上のように、一九二〇年代初頭の政治運動は、朝鮮民族の文化、生活、思想を世界レベルへと高めることで、将来的な独立のための実力を養成しようとした。しかし、独立後の国家像、とくに経済体制のビジョンをめぐって、政治運動は次第に左右に分化していく。

この時期の政治運動を主導した『東亜日報』関係者は、一九二〇年の創刊当初から、民主主義による資本主義国家の建設を目指していた。そして一九二二年頃から、民衆に対して知識を普及するだけでなく、朝鮮民族の経済的な実力を高めることを目指して、物産奨励運動を展開する。朝鮮では、日本人経営の工場や日本企業の支社が数多く設立される一方、朝鮮人経営の工場は大半が零細工場であり、規模の大きなものはごくわずかしかなかった（木村 二〇〇一八：八二―八三頁）。そうした状況のなかで、『東亜日報』の紙面を通して、朝鮮人が生産した商品の購入と愛用を民衆に呼びかけることで、朝鮮人資本の発展、ひいては日本からの経済面での独立を目指したのが物産奨励運動である（朴賛勝 一九九二：二四九―二八九頁）。しかし、この運動は、解放後に社会主義国家の建設を目指す社会主義者から厳しく批判された。

三・一独立運動が勃発した一九一九年当時、日本ではロシア革命を背景として大逆事件以来停滞していた社会主義運動が復活し、社会主義思想、とくにマルクス・レーニン主義がブームになっていた。それゆえ、日本の雑誌に依拠して新思想を紹介していた『東亜日報』や『開闢』などの新聞・雑誌では、堺利彦や山川均のマルクス主義に関する論説が多数翻訳され、朝鮮に広まっていった。一九二一年六月からは、『東亜日報』で山川均が執筆したレーニンの評伝も約三カ月かけて翻訳連載され、レーニンの人物像やロシア革命の経緯についても朝鮮に伝わった(小野 二〇〇三：一六五―一六八頁)。

こうした日本からの社会主義思想の流入と、世界規模で社会主義革命を起こす一環として朝鮮独立運動に支援することを表明したコミンテルンからの働きかけもあいまって、朝鮮では、植民地支配からの解放と社会主義国家の建設を目指す社会主義者が次第に増加していった。一九二〇年に労使協調団体として出発した朝鮮労働共済会も、組織の中枢を社会主義者が占めるようになり、二二年に労働組合化している。

かくして朝鮮の政治運動は左右に分化し、右派にあたる従来の実力養成論にもとづいて資本主義国家の建設を目指す勢力は「民族主義系列」、新たに台頭した左派の社会主義勢力は「社会主義系列」と、それぞれ呼ばれるようになる。民族主義系列の推進する物産奨励運動は、たしかに朝鮮人の資本を成長させるものであったかもしれない。しかし、その利益を享受するのは朝鮮人資本家にすぎず、主体が日本人から朝鮮人に変わったところで、資本家階級に朝鮮人労働者が経済的に搾取される状況は変わらないというのが社会主義系列の立場であり、物産奨励運動は政治運動の左右分化を決定的なものとした。

また、社会主義運動には女性も積極的に参加した。先述したように、愛国啓蒙運動によって良妻賢母という役割が与えられることで、朝鮮女性の地位は向上した。だが、それは女性が男性と対等の地位を得たことを意味しない。そうしたなか、性差別の要因が資本主義制度にあることを説くフリードリヒ・エンゲルスの『家族・私有財産・国家の起源』などが朝鮮で紹介されることで、植民地、資本家、男性支配からの三重の解放を目指す女性の社会主義者が増えていったのである(張寅模 二〇〇八：三七四―三七九頁)。彼女たちのなかには、断髪を実践する人物も多かった。断髪には、女性の断髪をタブー視する従来の男性中心的な価値観を覆すとともに、社会主義革命への闘志も高めるという二重の意味が込められていた(金振松 二〇〇五：一七一頁)。

社会主義運動は朝鮮の都市化とともに増加していった労働者や、土地を失った小作農を動員しながら、一九二〇年代を代表する政治運動へと発展していく。他方、民族主義系列の政治運動は、物産奨励運動以降、勢いを失っていった。その要因は、社会主義運動と対立したことのみならず、民族主義系列の内部での分裂にもあった。

植民地支配を容認する政治運動

左右に分化した政治運動のうち、朝鮮総督府が警戒したのは社会主義運動であり、日本で一九二五年に制定された治安維持法を朝鮮でも施行して弾圧した。一方、民族主義系列に対しては、運動に一定の便宜を図ることで、「親日派」に転換させる余地があると認識していた(宮本 二〇一一：三二二―三二三頁)。

そうしたなか、『東亜日報』は一九二四年一月二日から、かつて二・八独立宣言書を起草した李光洙の執筆による「民族的経綸」という衝撃的な社説を連載した。一月三日付の社説で李光洙は、「いままでの政治的運動は、すべて完全に日本を敵国視する運動だった」ため、朝鮮人は「日本の統治権を承認」することが前提となる「政治的活動、すなわち参政権、自治権」の獲得を目指してこなかった。それゆえ、植民地支配を容認したうえで「当面の民族的権利と利益」を手にするために、「朝鮮人を政治的に訓練」する運動が必要だと主張した。

元来、実力養成論は最終目標を解放と独立国家の建設に置き、そのための実力を蓄えるというものであった。反面、李光洙や社説を載せた『東亜日報』の幹部は、独立ではなく、植民地という状況のなかで朝鮮人が参政権や自治権を獲得することを目標に据え、統治国日本からそれらの権利を引き出すための朝鮮人の政治的な実力を養成することを主張したのである。以降、民族主義系列は植民地支配と妥協するか否かで分裂し、妥協を拒んだ勢力は社会主義系列に接近していった（そのため、この勢力は「民族主義左派」と呼ばれる）。

なお、社説には「参政権、自治権」とあるが、『東亜日報』の幹部ら植民地支配に妥協的な民族主義系列が獲得を目指したのは後者であり、「自治派」と呼ばれるようになる。自治派の狙いは、朝鮮人と朝鮮在住日本人からなる朝鮮議会を設置して、地方自治の要領で朝鮮人の政治参加を実現することにあった。他方、参政権要求運動は主に親日派団体「国民協会」が主導し、日本人と同様に朝鮮人も参政権を獲得し、朝鮮選出の議員を帝国議会に送ることで統治国日本の国政に参加することを目指しており、自治派とは対立していた（2）。

四、大衆文化と戦争協力

政治運動の衰退

朝鮮総督府の統治政策が文化政治に転換したことにより、一九二〇年代の朝鮮では多様な政治運動が活発に展開された。しかし一九三〇年代に入ると、海外ではともかく、朝鮮半島では政治運動が衰退し、そのまま一九三七年の日中戦争の勃発をむかえることになる。

まず植民地支配を認めたうえで朝鮮人の政治的権利の獲得を目指す運動は、自治派にせよ国民協会にせよ、朝鮮総督府は親日派の養成という点で一定の利用価値を見出していた。しかし、朝鮮総督府は自治も参政権も「時期尚早」を理由に認めなかったため、これらの政治運動は成果を挙げられず、影響力をもちえなかった（松田 二〇〇四：四〇六頁)。

反面、朝鮮の独立を目指す政治運動、とくに社会主義運動は一九二〇年代を通して影響力を増大させていった。一九二九年の世界恐慌により日本経済が苦境に陥り、その余波が朝鮮にもおよんで農民問題と労働問題が深刻化すると、小作争議や労働争議を激増させるなど社会主義運動の勢いはさらに増した。しかし、一九三〇年前後をピークとして、社会主義運動も衰退する。治安維持法によって社会主義者が大量に検挙されるなど、運動の弾圧が厳しくなったからであった(洪宗郁 二〇一一:四六-四七頁)。

このように政治運動が衰退する一方で、一九三〇年代には近代的な文化の急拡大という現象も見られた。また、社会主義者を含めて多くの知識人が戦争に協力することになるが、それは単純に統治権力に屈した結果ではなく、政治的意図をもった行動でもあった。最後に、この二点について簡単に紹介して、本稿を終えることとしたい。

映画とレコードと民族

従来、朝鮮に近代的な知識や文化を広めたメディアは、新聞・雑誌といった出版物であり、それらは同時代の日本書に依拠することが多かった。しかし、民衆の識字率はハングルでさえも高くなく、文字を読めた場合でも、それら出版物の内容を理解できる層は限られている。こうした状況のなかで、映画の登場は絶大なインパクトをもたらした。

朝鮮では一九二〇年代に入り映画会社や都市部を中心に映画館が設立され、映画は大衆的な娯楽として民衆の関心を呼び起こした。とくに上映作品の多くを占めたアメリカやヨーロッパの映画は、文字ではなく、映像を通して直接的に米欧の文化に触れることができる手段であった。そのため、一九三〇年代には、都市部の女性を中心に洋装が流行した(金振松 二〇〇五:一六〇-一六二、一六九頁)。ただ、こうした米欧のファッションを身にまとった女性たちは、社会主義者によって「モダンガール」と称され、資本主義と物質主義に染まった俗悪な存在として否定的に描かれた

(徐智瑛 二〇一六:九四頁)。

また、一九二七年のラジオ放送の開始や蓄音機の普及を背景に、朝鮮ではレコードを通して歌を聴く文化も根づいた。レコードの場合、西洋の楽曲の輸入盤もあったが、日本の影響が大きかった。日本のレコード会社は朝鮮に進出し、古賀政男作曲・藤山一郎歌唱の楽曲など日本の「流行歌」(現在の演歌の原型)を朝鮮人歌手がカバーしたレコードを発売し、次々とヒットを飛ばした。次第に朝鮮人が作詞作曲した流行歌も発表されるようになり、とくに「エレジーの女王」の異名をもつ李蘭影《イナニョン／りらんえい》が歌った一九三五年の「木浦《モクポ》の涙」は朝鮮全土で人気を博した。しかし「木浦の涙」は、歌詞に国を失った民族の悲哀や植民地支配に対する恨み、抵抗の要素が含まれていたため、朝鮮総督府によって発禁処分となった(朴燦鎬 一九八七:一二九—一三〇、二〇七—二〇八頁)。

本稿で見てきたように、朝鮮では政治運動の一環として、スポーツなどの近代的な文化が広がった。一方、レコードや流行歌の普及は政治運動と直接的な関係はなかったが、「木浦の涙」は純粋な娯楽としてだけではなく、支配に対する抵抗の歌としても民衆に受容された。朝鮮の近代文化は、植民地支配や民族問題とつねに隣り合わせで形成された点に特徴があるといえるだろう。なお、スポーツ振興団体の朝鮮体育会は現在の大韓体育会の母体に、流行歌は韓国の音楽ジャンルの一つであるトロットの源流になっている。現代韓国の文化を理解するうえでも、植民地期の近代文化の形成の分析は重要な課題である。

戦争協力の論理

一九三七年に日中戦争が勃発すると、朝鮮総督府によって外国映画の輸入や流行歌が制限され、朝鮮は総力戦体制に組み込まれていく。一九三六年に朝鮮総督に就任した南次郎《みなみじろう》は、日中戦争が勃発すると「内鮮一体」をスローガンに掲げて、朝鮮人を戦争に動員するために、創氏改名や神社参拝等の皇民化政策と呼ばれる徹底した同化政策を推進する。自治派や国民協会など植民地支配に協力的な知識人は、内地人(日本人)と朝鮮人が一体であることを主張する「内鮮一体」に、朝鮮人に対する各種の差別が撤廃される可能性を見出し、朝鮮人が日本人と同等の権利を得ることを期待して、戦時動員に協力した。

独立を目指していた社会主義者も、日中戦争が勃発すると相次いで転向した。彼らも「内鮮一体」に民族差別が撤廃される可能性を見出したが、皇民化政策によって民族文化が失われることも危惧していた。その一方で、日本政府は日中戦争が思うように進まない状況を打破するために、一九三八年一一月、中国との連帯を謳う「東亜新秩序」(第二次近衛《このえ》声明)を発表していた。それゆえ社会主義者は、「内鮮一体」を同化ではなく、日本民族と朝鮮民族が共存共栄するための論理として解釈した。実際は、日本は朝鮮を中国のように独立した一つの主体としては認めておらず、帝国日本の一部分としてしか見ていなかった。こうした現実を朝鮮の社会主義者は理解していたが、朝鮮民族の独自性を保存するための苦肉の策として、戦争に協力することを決意したのである(洪宗郁 二〇一一:七四―七九頁)。

近代朝鮮の政治運動は、国際情勢や朝鮮総督府の統治政策の変化にともなって、独立を目指すものから目指さないものまで、幾重にも分かれて展開された。しかし戦時期の戦争協力を含めて、朝鮮民族の文化の保全や朝鮮人の諸権利の拡張という政治的目的をもっていたことは共通する。この点こそ、近代朝鮮の政治運動の最大の特徴だといえるだろう。

注

(1) 朝鮮総督府は文化政治の終了を明確にしなかったが、満洲事変が勃発したり、朝鮮総督が斎藤実から宇垣一成に交代したりした一九三一年まで続いたと解釈するのが一般的である。

(2) 一九二〇年に結成された国民協会は、最大で一万人以上の会員を有した親日派団体である。同団体の活動や自治派、朝鮮総督府との関係については、松田(二〇〇四)を参照。

参考文献

小野容照(二〇一三)『朝鮮独立運動と東アジア——一九一〇—一九二五』思文閣出版。

小野容照(二〇一七)『帝国日本と朝鮮野球——憧憬とナショナリズムの隘路』中央公論新社。

小野容照(二〇二一)『韓国「建国」の起源を探る——三・一独立運動とナショナリズムの変遷』慶應義塾大学出版会。

木村光彦(二〇一八)『日本統治下の朝鮮』中央公論新社。

金振松(二〇〇五)『ソウルにダンスホールを——一九三〇年代朝鮮の文化』川村湊監訳、安岡明子・川村亜子訳、法政大学出版局。

洪宗郁(二〇一一)『戦時期朝鮮の転向者たち——帝国/植民地の統合と亀裂』有志舎。

徐智瑛(二〇一六)『京城のモダンガール——消費・労働・女性から見た植民地近代』姜信子・高橋梓訳、みすず書房。

田中美佳(二〇二〇)「一九一〇年代の朝鮮における新文館の児童雑誌——日本の児童文学界と崔南善」『東洋史研究』七九—二。

西尾達雄(一九八七)「二十世紀初頭朝鮮における「学会」の体育思想とその活動について——『西友』・『西北学会月報』を中心にして」『日本社会事業大学研究紀要』三三。

西尾達雄(二〇〇三)『日本植民地下朝鮮における学校体育政策』明石書店。

朴燦鎬(一九八七)『韓国歌謡史——一八九五—一九四五』晶文社。

朴宣美(二〇〇五)『朝鮮女性の知の回遊——植民地文化支配と日本留学』山川出版社。

松田利彦(二〇〇四)「植民地期朝鮮における参政権要求団体「国民協会」について」浅野豊美・松田利彦編『帝国日本の法的構造』信山社。

宮本正明(二〇一一)「朝鮮における「文化政治」と「協力」体制」『岩波講座 東アジア近現代通史』第四巻、岩波書店。

金度亨(一九九四)『大韓帝国期의 政治思想研究』知識産業社。

張寅模(二〇〇八)「一九二〇年代 槿友会本部社会主義者들의 女性運動論」『韓国史研究』一四二。

朴賛勝(一九九二)『韓国近代政治思想史研究——民族主義右派의 実力養成運動論』歴史批評社。

コラム｜*Column*

「十月革命の砲声がとどろき」

——アジアの共産主義運動

石川禎浩

毛沢東は中国へのマルクス主義の伝播について、「十月革命の砲声がとどろき、中国にマルクス・レーニン主義がもたらされた」と述べている(一九四九年六月)。この言葉は、ロシア革命に勇気づけられ、共産党結成に加わった当事者の心象を表すものであると同時に、建国を支援してくれるはずのソ連への期待と配慮を表明したものでもあっただろう。

だが、十月革命が起こったからといって、それでマルクス主義がすんなりとロシアから入ってくるはずはなかった。毛沢東も知っていただろうが、党結成に先立って中国に伝播したマルクス主義は、多くが日本語経由である。日本では、第一次世界大戦の終結あたりから、社会主義がふたたび注目を浴びるようになった。堺利彦ら「主義者」のみならず、河上肇などの経済学者のマルクス主義研究も人気を博し、それが陸続と漢訳されたのだった。結党期の中共党員に留日経験者が多かったのはそのためで、事情は日中の共産主義運動と同時並行した朝鮮の共産党(高麗共産党)でも同様である。

日本語の社会主義文献は、マルクスの学説を理解する点では確かに有用だったが、組織論や運動論、つまり革命へ向けてどう活動すればよいのかを知る段になると、あまり役に立たなかった。日本では社会主義の学説解説はまだしも、その運動論となるとたちまち発禁、さらには弾圧の対象になったからである。

そこで中国の初期共産党員たちは、革命運動のノウハウを知るため、別種の文献を集める必要に迫られた。それがコミンテルンに連なる欧米の共産党の文献である。例えば、中国共産党の第一回大会(一九二一年)時の党規約は、アメリカ共産党の綱領を借用したものだった。やがて、運動の知識は英語からさらにロシア語に、つまりよりダイレクトに、モスクワからもたらされるようになっていく。かの地でロシア語とマルクス・レーニン主義の教義をみっちりと仕込まれたソ連留学経験者が、党幹部として幅を利かせるようになるのである。

毛沢東はそうした留ソ派の教条主義を批判して指導者の座についたわけだが、十月革命をもたらしたボリシェヴィズムこそが正しいマルクス主義だという観念自体を疑ったことはなかった。そのことは、冒頭で紹介した「十月革命の砲声がとどろき……」と述べるに際して、かれが「十月革命以前、中国人はレーニン、スターリンはおろか、マルクス、エンゲルスさえも知らなかった」と前置きしていることからもうかがえる。史実で言えば、マルクスやエンゲルスは、それ以前から中国でも知られていた。だが、それは現実味のあるマルクス主義ではない、ロシア十月革命をもたらしたボリシェヴィズム、それこそが真のマルクス主義なのだ、これが毛の言わんとしたことである。

かくして、十月革命以前にマルクス主義研究の素地のなかったアジアの国々では、マルクス主義はボリシェヴィズム流に解釈されて伝播した。数ある社会主義モデルから選び取られたというよりも、そもそも選択の余地のない、アプリオリなものだったのである。毛の持っていた共産主義や歴史発展のモデルがスターリンのそれに極めて近いものだったことは、毛の党内での権威を確立した一九四〇年代前半の延安整風運動を見れば一目瞭然であろう。運動の理論的基盤として毛が奉戴《ほうたい》したのは、スターリン主義の経典とも称されるソ連の『全連邦共産党（ボ）歴史小教程（*История ВКП(б) краткий курс*）』（一九三八年）にほかならなかった。

世界での累計総発行部数が四〇〇〇万超に達するこの本、

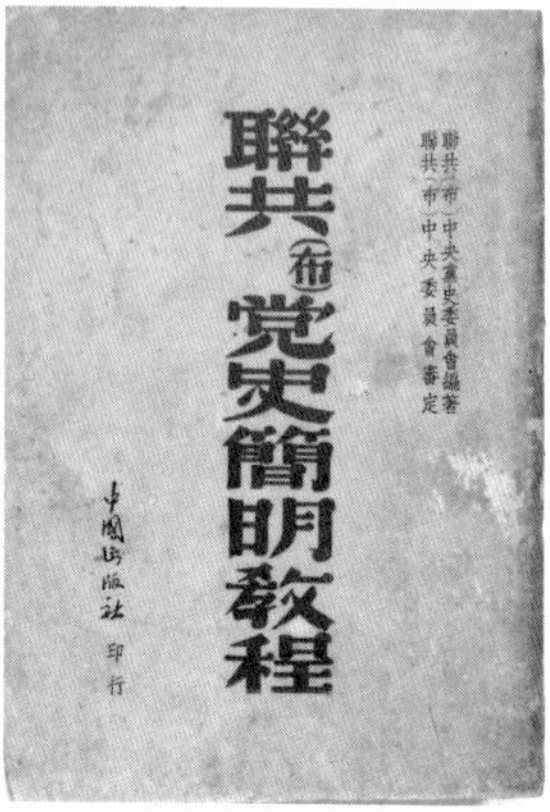

1939年に中国で刊行された『全連邦共産党（ボ）歴史小教程』の中国語版『聯共（布）党史簡明教程』

本家ソ連では一九五六年のスターリン批判ののち発行停止となったが、中国では毛の意向もあり、一九七〇年代まで出版され続けた。その総数、一〇〇〇万部。つまり、戦後にこのスターリン崇拝の教本が最も読まれたのは、中国なのである。集権的で抑圧的なソ連型とは異なる共産主義モデルが、そんな中国の土壌から生まれると期待するのは、まさに木に縁りて魚を求むるがごときものだった。

ちなみに、「十月革命の砲声がとどろき……」のフレーズは、毛の死後も、党の歴史を振り返るたびに歴代指導者たちに引用され、最近では二〇二一年の結党一〇〇周年祝賀大会での習近平総書記の演説でも使われた。もっとも、前段の「十月革命以前、中国人は……マルクス、エンゲルスさえも知らなかった」という部分は、習の演説では削除され、代わりに、もたらされたマルクス・レーニン主義が「中国人民、および中華民族の偉大なる覚醒の中で」、共産党の誕生へとつながっていったという説明が付け加えられている。もとの毛の文章には「中国人民」という言葉はあっても、「中華民族」という言葉はなく、また「偉大なる」という字句はあっても、それはすべてロシア革命を形容する言葉だった。してみれば、習近平演説は、中国の共産主義が今やロシア革命から離れ、「中華民族の偉大なる復興」の物語に回収されていることを意味していると言えるかも知れない。

焦点 Focus

東南アジアのナショナリズム

根本 敬

一、「領土」「国民」「民族」の想像と創造

国家の合理化

二〇世紀前半、アジア・太平洋戦争前までに顕著となる東南アジアの植民地ナショナリズム[1]においては、宗主国による国境線の画定によって生まれた「領土」を、近代教育を受けた土着エリートたちが「自分たちの国土」(land)として認識し、人々のあいだに「国民」(nation)としての同胞意識を形成しようと試みる過程が見られた。これに加え、宗主国による人口調査とその分類作業を通じて「民族」(race)という枠組みが創出され、植民地下の人々が(移民や混血を含め)自らのアイデンティティを「民族」と連結させて抱くようになったことも特徴的である。こうした「領土」「国民」「民族」の想像と創造の過程には、それを裏打ちする領域国家(中央集権国家)の確立と、その領域内をつなぐ鉄道網や電信網の発達、出版印刷業の発達に伴う新聞や雑誌の流通と公教育の普及を通じた域内共通語の普及といった現象がみられた。

植民地化された東南アジアの国々は、おしなべて「国家の合理化」(Taylor 2009: 67)と呼ばれる過程を経験している。

これは旧王朝期にはあいまいな実態に過ぎなかった国家の外郭線が、国境線の画定によって地図で明確に示されるようになっただけでなく、植民地の首都から発せられる支配権力が国境の範囲内に均質に及ぶことを前提とする領域国家へのつくり直しがおこなわれたことを指す。換言すれば「国境線が引かれ国境の内部が等質の数量で表示され、神の属していた世界、悪霊に属していた世界が、すべて、人間(植民地権力)のもとへと、たぐりよせられた」(土屋 一九九一:一五一頁)ということを意味する。解体された旧王朝国家は、新たに近代的植民地統治機構によって統治されることになったが、その特徴についてA・リードは「欧米の諸国家が辿ったような歴史的経験をもたず、民主主義の制約からも自由であったために、欧米の諸国家よりも合理的で、世俗的で、中央集権的で、専門職的なものになった」と指摘している(リード 二〇二一:下巻四七八頁)。一方、東南アジアの中で唯一独立を維持したタイ(シャム)では、国王権力側によって「国家の合理化」がすすめられ、国境を接する英仏両国の植民地との確執を乗り越えながら近代国家への変革がなされた。

「国家の合理化」過程において実施された人口調査では、特定の年月日における国境の内側に住む人間の数を下一桁までカウントすることが前提とされ、その総数が「国の全体」として理解された。総人口は、性別や年齢、職業別に分類されるのみならず、「言語」「宗教」「民族」でも分けることが定着した。その際、言語学や民族学、統計学などに代表される当時の西洋近代知や植民地知を駆使した「基準」が用いられた。こうした分類は、無定形に連続する分類対象(客体)の事象の一部を、分類する側が様々な要素と動機に基づいて切り取ってステレオタイプ化したものだったといえる(伊東 二〇一八:二九八頁)。分類された側は「民族」をアイデンティティの参照枠組みとするようになったほか、自分たちの「宗教」や「民族」集団の社会的・政治的・経済的地位の向上を宗主国側に訴える動きを見せる事例もあらわれるようになった。

二〇世紀初頭までに成立した東南アジアの植民地国家では、近代教育を受けた被支配層の中からナショナリストたちが生まれ、彼らは植民地国家の構造の中で育ったため、旧王朝体制の復活ではなく近代国家をモデルにした国民国家(nation-state)として自国の独立を目指した。以下、本論考ではそのことを具体的に理解するために、まずは植民地の領域形成において「人工的につくられた度合」が最も高いオランダ領東インド(現インドネシア)の事例から見てみることにする。つづいて独立を維持したタイ(シャム)の事例を簡潔にとりあげ、最後に英領ビルマの国家形成とナショナリズムの特徴について詳しく検討したい。

オランダ領東インド(蘭印)の場合

オランダがジャワ島のバタヴィア(現ジャカルタ)を拠点に東インド(蘭領東インド：蘭印)の植民地経営を開始したのは一七世紀初頭である。その支配が最終的に一万三〇〇〇以上の島々から構成される現在のインドネシア共和国に相当する領域にまで広がったのは、スマトラ島北端のアチェ王国を最終的に制圧した一九一二年のことであり、実に三〇〇年以上を要した。領域内には多数を占めるムスリムのほかに、少数のキリスト教徒(プロテスタントとカトリック)やヒンドゥー教徒、仏教徒らが居住し、オランダが導入した民族分類に基づけば「ジャワ人」「スンダ人」「マドゥーラ人」「マレー人」に加え、様々な民族が共住していた。まさに「多宗教」「多民族」国家の典型としてオランダ領東インドは成立したのである。土着の人々にとっての共通の歴史経験は「オランダ支配に服した」という点に尽きる。それではそこに住む人々は、どのように自分たちの「領土」意識と、インドネシア人としての「国民」意識を抱くようになったのであろうか。

二〇世紀初頭、一九〇一年から二七年まで、蘭印ではジャワ島を中心に倫理政策の名で現地住民の教育や福祉を向上させる試みが実施された。この名称は一九〇一年のウィルヘルミナ女王による「東インド諸島の住民に対して道徳上の義務を持つ」という議会演説と関係している(永積 一九八〇：六五頁)。その政策の具体的な内容は、現地人子弟のための初等教育の普及にはじまり、現地人官僚や医師および教員を養成するための学校の設立、商工業の技術を身に着けさせる実業学校の開設、そして地方評議会への現地人評議員の参加などから成った。

倫理政策の時代はインドネシア・ナショナリズムが活性化していく時期でもあった。その前段階においては、カルティニ(一八七九－一九〇四年)という二五歳で夭折したジャワ人女性による女子教育への取り組みが、オランダの進歩的官僚や知識人によって高く評価され、のちに土着の人々からも「インドネシア民族意識の覚醒」という文脈で語られるようになった。[2] それに続いてジャワ島では歴史に名を残すことになる複数のナショナリズム団体が登場した。

最初の事例は一九〇八年に結成されたブディ・ウトモ(「最高の叡智」の意)である。この団体はジャワ人の医師と医学生を中心につくられ、現地人の教育と文化の向上を目指す倫理政策に協力的な特徴を有していた。つづいて一九一二年には蘭印で初の政党となる東インド党がユーラシアン(ヨーロッパ系とアジア系の血が混ざった人々)によって結成されている。同党は「東インド人のための東インド」を主張して独立を求めたため、植民地政庁によってすぐに解散させられた(同：一四二－一四四頁)。しかし、オランダがつくりあげた「東インド」という人工的な植民地空間を自らの「領土」とみなし、そこに住む全住民を「東インド人」という枠組みでくくり、それを母体に独立を目指そうとした同党の働きかけは、失敗に終わったとはいえ、インドネシアにおける「国民国家」形成運動の萌芽を示していた。

東インド党が結成される前年の一九一一年には、蘭印で初の大衆的ナショナリズム団体が宗教的アイデンティティを基盤に姿を現している。イスラーム同盟(サレカット・イスラーム)と呼ばれたこの組織は、一九一〇年代後半(すなわち第一次世界大戦期)に入るとジャワ島だけでなく外島各地にも広がり、一九一九年には二〇〇万人のメンバーを数えるまでに拡大した。彼らはイスラームを拠り所としつつ、西欧近代主義とジャワ土着の相互扶助的価値観の両方を取り入れた世俗性を併せ持つ団体としての特徴を有していた。

倫理政策の後半期に当たる一九二〇年には、東南アジアで最初のコミュニズム政党である東インド共産主義同盟が生まれ、一九二四年に名称をインドネシア共産党に改称した(同：二〇三、二三〇頁)。同党は武装革命闘争を展開したが、一九二六年と二七年の蜂起に失敗し、オランダはこのときをもって倫理政策を終焉させている。ただ、「インドの島々」を意味する中立的ともいえる「インドネシア」という国名を党の名称に付した点は、蘭印の中のどの島や民族にも偏らず、全域をひとつの「領土」として認識しようとした点において東インド党との共通点を見いだすことができよう。

倫理政策後のオランダはナショナリズムにいっそう弾圧的な姿勢で臨むようになるが、一九二七年にはスカルノをはじめとする高学歴の現地エリートらによってインドネシア国民党が結成されている。同党も共産党と同様、「インドネシア」を国名に用い、「インドの島々」の一体性を強調し、その独立を訴えた。同党は反オランダ意識を前面に押し出しただけでなく、「インドネシア人」という国民意識を強く打ち出し、「インドネシア語」を統一言語として採用した。それは結成翌年に開催した青年会議における「青年の誓い」に示され、そこでインドネシアを一つの祖国・国民・言語とすることを明言した。

「インドネシア語」は古くから東南アジア島嶼部の交易において使用されてきたムラユ語(マレー語)をもとにしたもので、蘭印の植民地政府も行政や公立学校において「官製ムラユ語」の形で使用を促していた(山本 二〇〇二：一八二頁)。国民党は人口上の多数派が使用していたジャワ語ではなく、蘭印の住民の誰にとっても母語ではないこの言語を、あえて「インドネシア語」と名付け、統一言語として採用し、多島国家としてのインドネシアの一体性を可能ならしめる明確な分岐点を生み出したのである(相沢 二〇二〇：一四二頁)。一九一二年のオランダ領東インドの最終的完成から、わずか一六年にして植民地空間内に住む人々のなかに国民国家としてのインドネシアの確立を求める大きな意識変化が生まれたことが理解されよう。

オランダはその後もインドネシア独立運動に対する抑圧を強め、スカルノらは政治囚として投獄される。しかし、その状況は一九四二年の日本軍のインドネシア侵攻と占領によって大きく変わっていく。特に留意すべきはイスラームを基盤とする国家の形成を追い求めなかったことである。これは日本占領期末期の日本との独立交渉において示されたパンチャシラ(国家五原則)[3]に示されており、そこでは唯一神への信仰を義務付けているとはいえ、特定の宗教を国民国家インドネシアの存立基盤とするという選択はなされなかった。この国是は日本の敗退後、オランダとの独立戦争期を経て、一九四九年末に名実共に独立を果たしたのちも貫かれることになった。ただし、社会のなかではイスラームの影響が出版物を通じて強く存在し、独立国家インドネシアの誕生時にイスラーム国家の形成を求める動きも存在したことは見落とすべきではない(菅原 二〇一八:二四八—二四九頁)。

独立を維持したタイ(シャム)の場合

東南アジアの多くの地域が列強によって植民地化された中で、タイ(当時の国号シャム)だけは唯一独立を維持することに成功した。その要因としては、西側(ビルマ側)から接近してきた英国と、東側(カンボジア・ラオス側)から接近してきたフランス両国によるタイの「緩衝国」扱いという、国際関係上の「幸運」があったことがよく指摘される。しかし、より重要な点は、タイが将来を見通せない中にあって、外交上の大きな妥協や損失を受け入れつつ、「上からの改革」を通じて近代国家へのつくり直しを推し進めたことにある。

バンコク(クルンテープ)に新しい都を築いたラタナコーシン朝(一七八二年—現在)は、しばらくの間、アユタヤ王国(一三五一—一七六七年)以来の伝統である王室独占貿易で繁栄したが、一九世紀に入ると一八二四年から英国によるビルマ侵攻がはじまり、新たな脅威が西から接近したことを認識する。そのため、ラーマ三世(在位一八二四—五一年)は一八二六年、イギリス東インド会社とバーネイ条約を結び、貿易における王室の専売権を一部放棄することになった。その後、一八五一年にラーマ四世(在位一八五一—六八年)が即位すると、同王は清への朝貢を一八五四年の進貢使節を最後に中断し(小泉 二〇二〇：二五二―二五三頁)、欧米諸国との国交を重視して、不平等条約を結び近代国際法の枠組みに自ら入る姿勢を見せた。その象徴が一八五五年に英国との間に締結したバウリング条約である。ほかの列強とも同様の条約を結ぶことによって、タイは名実共に自由貿易体制へ加わり、これによって王室独占貿易を事実上放棄した。条約締結国の人間の治外法権や、すべての港における交易と居住権も認めた。ラーマ四世が欧米諸国と積極的かつ柔軟な姿勢で外交を展開したことは、次王によって展開される一連のタイ近代化の基盤を築いたといえる。

一五歳で即位したラーマ五世(在位一八六八―一九一〇年)は、一八八〇年代以降、自国の統治体制を西欧型のものに変革していく。五世王は自国のまわりに形成されていた植民地国家群をモデルにして近代国家の特徴を学び、国家改革に活用した。しかし、対外的には国境の画定作業を通じて不利な現実と直面させられる。すでに前王の時代、東側から植民地支配領域の拡大を推し進めるフランスによって領土を割譲させられ、それまでタイの「属国」だったカンボジア王国をフランスの保護国にされ、同じ「属国」だったラオスの領域も割譲させられていた(柿崎 二〇〇七：一一三―一二〇頁)。英仏両国は一九〇四年にタイを公式に「緩衝国」と定めたが、その範囲は現在のタイ国境より狭い範囲であり、その後も領土割譲を迫ってタイに妥協を強要した。とはいえ、国境線画定作業においてタイは英仏両国の前で無力だったわけではなく、自らも確定作業に積極的に関与し、「属国」だった領域を多く失いながらも、国境線が確定したあとは地図作成を通じてラタナコーシン朝の地方国(朝貢国)を新しいタイの中央集権的支配領域のもとに組み入れていった(トンチャイ 二〇〇三：二二二―二二三頁)。ここには自らの意思で領域国家へ変貌を遂げようとするタイのしたたかさを見ることができる。実際、五世王は近代的な地図の作成を通じて自らが支配する「くに」の形を視覚化させ、地理的身体(ジオボディー)としてのタイをつくりあげることに成功している(柿崎 二〇二〇：三四〇頁、トンチャイ 二〇〇三：二三六―二五七頁)。それは一九三〇年代後半にピブーン政権によって「失地回復」という主張を生み出す際のわかりやすい「証拠」ともなった。

次のラーマ六世(在位一九一〇―二五年)の治世になると、国民統合の強化を目指す公定ナショナリズム(国王の側からの国民国家形成の企て)が導入される。同王は自らが絶対君主であると同時にタイ民族の王であることを訴え、かつ多数が信仰する上座仏教を擁護する王でもあることを強調し、それを「民族的政治共同体」(チャート)、「仏教」、「国王」の三つに対する忠誠という形で国家イデオロギー化した(玉田 二〇二〇:三〇五頁)。国王の正統性根拠を「国民」概念につながる「民族的政治共同体」に求めた点に、前王までの時代との違いが読み取れる。同王はまた、辛亥革命(一九一一年)が起きて清が倒され中華民国が成立したことにより、タイ在住の中国人が反君主制や共和制の思想を広めることを危惧し、彼らを「東洋のユダヤ人」と断じる極端な中国人非難を展開した(柿崎 二〇〇七:一三七―一三八頁)。これは「中国人」という民族の「敵」を強調することによって、タイ人の団結とタイ・ナショナリズムの強化を狙ったものである。また一九一七年に米国が第一次世界大戦に参戦し英仏側(連合国)の優勢が明確になると、六世王は同年七月にドイツとオーストリア＝ハンガリー帝国に宣戦布告して飛行部隊と自動車輸送部隊をヨーロッパ戦線に送り込んだ(同:一三九頁)。戦後は戦勝国としての立場を強調することによって不平等条約改正に取り組むが、効果は薄く、最終的な改正はラーマ八世王期の一九三七年までかかった。

六世王の病死後、ラーマ七世(在位一九二五―三五年)が王位を継ぐと、立憲君主制への改革の動きが顕著になった。すでに前王のときから新聞の投書欄などで絶対王政批判と立憲君主制への変革を求める議論がインテリ層の間で展開されていた(杉山 二〇〇四)。そのような中、世界恐慌の影響が重なり、人民党による軍事クーデターが一九三二年六月に起き、タイは立憲君主制国家へと変化を遂げる(立憲革命)。人民党とは軍人と文官らによって一九二〇年代につくられていたエリート集団で、欧米留学組を多く含み、クーデターを成功させると、法務官僚プリーディーが用意した今後一〇年間の人民党単独政権を保証した憲法を七世王に署名させ、タイで最初となる内閣を発足させた(柿崎 二〇〇七:一五四―一五五頁)。

立憲革命がタイ政治に与えた影響は大きく、その後、第二次世界大戦後まで国王の政治への影響力は弱まり、人民党による政治主導が続いた。七世王が病気療養先の英国で退位を表明した後、九歳で王位に就いたラーマ八世(在位一九三五–四六年)は権威も権力もなく、一九三八年末に首相に就任した陸軍出身のピブーンがタイ政治の実権を握った。彼は国号をシャムからタイに変えて「大タイ主義」を前面に押し出し、かつて英仏に割譲させられた「失地の回復」を目指す。第二次世界大戦がヨーロッパで始まり、ドイツに占領されたフランスで親独ヴィシー政権が成立すると、ピブーンは「失われた領土」の回復を同政権に訴える。しかし、拒絶されたため仏印との間で武力衝突を起こすが、失敗に帰すと日本の調停に頼り、最終的に「失地」の一部回復に成功した(一九四一年五月の仏印＝タイ平和条約)。つづくアジア・太平洋戦争期にはタイに進駐した日本軍と同盟を結び、アメリカと英国に宣戦布告する一方、日本軍の力を借りてさらなる「失地」回復を目指し、一九四三年七月にはビルマのシャン連合州から二州、マラヤから四州をそれぞれタイ領に組み入れることに成功した(戦後に返還し、現在の国境が最終的に画定される)。

二、英領期ビルマにおける国家のつくりかえ

英領ビルマの統治構造

ここから先は英国によるビルマ支配(一八八六–一九四八年)とそれに対する抵抗をとりあげ、二〇世紀前半期の東南アジアのナショナリズムの特徴理解をいっそう深めることにしたい。

ビルマ(ミャンマー)は一一世紀から幾度かにわたる王朝交代や複数王朝の併存期を経て、コンバウン朝(一七五二–一八八五年)の中期に現在の国土領域とほぼ重なる空間を不均質に支配するに至った。しかし、一九世紀における三度の英緬戦争(第一次：一八二四–二六年、第二次：一八五二年、第三次：一八八五年)を経て、一八八六年には全土を英領イ

ンド帝国に組み入れられ、その中のビルマ州として英国の植民地にされた。

英国はビルマ州全体の外郭を、コンバウン朝のバドン王(在位一七八二―一八一九年)治世下で王権の支配が及んだ空間に相当する範囲で画定させ、域内を二つの空間に分けて、それぞれ別個の形態で統治した。平野部を中心とする「管区ビルマ」では直接統治がおこなわれ、インド総督によってビルマ州知事が派遣された。残された東部のカレンニー、東北部のシャン、北部のカチン、北西部のチンを含む丘陵と山岳地帯から成る「辺境地域」は間接統治の対象とされた。これらの地域では古くから藩王(土侯)たちがそれぞれ一定の小空間を統治し、ビルマ王の権威に従属しつつも行政的には自立していた。英国は統治の効率性を考え、「辺境地域」にまで直接統治の範囲を広げることをせず、英国への忠誠を誓わせたうえで引き続き藩王らの統治権を認めた(Smith 1991: 41-44)。こうした質的に異なる二つの領域に基づく統治は一九四八年の独立まで続いた。

国家形態の大きなつくり直しが行われたのは主に「管区ビルマ」においてである。第一に州都ラングーンを中心とした中央集権型の行政ネットワークが「管区ビルマ」内に形成され、領域の一元的支配が目指された。ラングーンは一九世紀後半から二〇世紀初頭にかけて近代都市につくりかえられ、そこにはビルマ政庁(植民地政庁)が置かれ、それを頂点に、管区、県、郡、市、村という垂直でピラミッド型の行政体系が形成された。それを裏打ちする社会経済基盤として、電信ネットワークや、ラングーンを中核に内陸部の主要地域へつなげられた鉄道網が建設され、並行して近代的な官僚制度と教育制度も導入された。王朝時代に各地に存在した世襲の在地首長たちは解任され、かわって中央政府の意向に従う官僚としての村長が任命された。現在のビルマ(ミャンマー連邦共和国)の国家的土台はこの時期につくられたといってよい。

第二に、一八八一年から一〇年ごとに人口調査を実施することによって、国境線の内側に住む人間の総数を集計するばかりでなく、性別、年齢別に加え、「言語」「宗教」「民族」別に分類し、国内に住む人々に自らのアイデンティティの参照枠組みを提供することになった。土着の人々は分類に従って「民族」概念を受け入れはじめ、前後して自分たちの「民族」認知度を植民地当局のあいだで高めようとする動きも生じた。キリスト教バプテスト派に改宗したカレン人エリートによる一八八一年という極めて早い段階におけるカレン民族協会(KNA)の結成はその一例である(藤村 二〇一五)。彼らは英国が多数派の「ビルマ民族」を優遇するのではないかと危惧し、ビルマにおける二大「民族」として「カレン民族」の存在を主張した。とはいえ、この段階ではキリスト教を受容したカレン人(全体の二割弱)の中のエリート層だけが「カレン民族」としての自覚を有しており、多数派の仏教徒カレン人を含めた「一つのカレン(民族)」というアイデンティティが生まれるのは日本軍占領期(一九四二―四五年)に入ってからであった(池田 二〇一二)。一方で、多数派の「ビルマ民族」は、後述するように第一次世界大戦(一九一四―一八年)期を境に登場した中間層が中心となってビルマ「国民」意識をつくりあげ、独立を目指す動きを見せ始めた。一九一〇年代後半以降に本格化する反英ビルマ・ナショナリズムは、そうした流れに基づくものであった。

この背景にはもうひとつ、一九一〇年にラングーンに発足したビルマ研究協会(Burma Research Society)の活動による植民地知の形成が影響を及ぼしていた。主に英国人から成るインテリ官僚と言語学・考古学・民族学・歴史学の専門家が、近代教育を受けたビルマ土着の知識人の協力を得ながら、一九二〇年代の終わりまでに「民族」を参照枠組みにしたビルマ史の解釈体系をつくりあげ、「ビルマ民族」の王朝による国家活動を主軸とするビルマ史の基本叙述が定着するようになる(Boshier 2018)。それがナショナリストたちの歴史認識に影響を与えることになった。

植民地の議会と政府

ビルマにおける植民地統治が一定の落ち着きを見せ始めた一九一〇年代、ヨーロッパを戦渦に巻き込んだ第一次世界大戦は、この国の政治にも大きな影響を与えた。ひとつは英領インド帝国がビルマ州を含め、英国の戦争遂行のため財政面を中心に協力させられたことによる。もうひとつの重要な点は、戦争自体の目的が一九一七年の米国の参戦を経て「民主主義の防衛」や「民族(国民)自決権の擁護」に大きく変わって以来、その考え方が植民地のナショナリズムに強い影響を与えたことによる。

英国は戦後、自らの植民地帝国のなかでもナショナリズム運動が強かったインド本土各州に段階的な自治権を与えていく政策を導入し、外側に位置するビルマ州にもそれを適用した。それに基づき、一九二三年一月に第一段階として土着の人々を部分的に立法府と行政府に参加させる両頭制を施行した。それは英国王の代理を兼ねるインド総督が任命するビルマ州知事の下に立法参事会を設け、限定的な立法府として機能させた。一方、行政府の機能は①ビルマ州知事が管轄する保留事項部門、②立法参事会に責任を負う二名のビルマ人大臣が管轄する移管事項部門(教育や農林行政など)、③インド総督が管轄する中央事項部門(防衛、外交、貨幣政策)に分けられ、ビルマ人の参加度合を強めた(根本 二〇一〇a:三二—三四頁)。

その後、一九三七年四月、英国は両頭制にかわってビルマ統治法を施行した。これによりビルマ州はインド帝国から分離され、英国の直轄植民地「英領ビルマ」となった。英本国でビルマ統治法の施行に伴い、インド省からビルマ省が新たに分離され、ビルマ問題はインド問題と分けて処理されることになった。それまでの州知事にかわって英国王によって任命される総督が立法・行政・司法の頂点に立つことになり、総督の下には上下両院が設置され、各院が制限つきで法案提出権を有することになった。両院とも解散権は総督が有した。

下院の総定数一三二の設定においては、人口調査に基づく民族(人種)別の議席割り当て原則が採用され、過半数(九一議席)を占めた「ビルマ人」議席のほか、「カレン人」「インド人」「ヨーロッパ人」「英系ビルマ人」「中国人」にそれぞれ一定数が割り当てられた(ほかに職能議席も)。ただ、ヨーロッパ人へ割り当てられた議席数は管区ビルマ人口の民族別分類比を大幅に上回り、一九三一年センサスで〇・〇八%を占めるに過ぎなかった彼らに六・八一%の議席が配分された(Singh 1940: 326-367 および Census of India 1931 より算出)。一方、上院(定数三六)のほうは半数を下院で互選し、残り半数は総督が直接任命した。総督には下院の解散権に加え、両院で可決された法案に対する拒否権が認められ、自ら立法する権限も有した(根本 二〇一〇a:三四―三五頁)。

行政府への「ビルマ人」の参加も大幅に強化され、下院議員の中から総督によって指名された首相が一〇人程度から成る内閣を組閣できることになったため、下院議員となったビルマ人ナショナリストが大臣や首相のポストを得ることによって、植民地行政の中枢を担う上級エリート官僚(インド高等文官ICSおよびビルマ高等文官BCS-I)を指揮監督することが可能となった。すでに一九二〇年代から英本国とインド政庁の方針に基づいて「行政のビルマ化」政策が導入されており、官僚機構における上級エリート官僚の「ビルマ人」比率は一九四一年一月段階で三一・八%を占めるまでに至った(India Office Records, M/4/1398)。

植民地議会を基盤にした議院内閣制の政府には、外交と防衛、辺境地域の行政、そして貨幣政策に関する権限はまったく及ばず、これらは英国の主権下にあったため、英領ビルマは植民地としての性格を明確に残していた。しかし、英帝国内における相対的地位は、主権国家同様に扱われたカナダやオーストラリアなど英連邦ドミニオンと、自治権が全く認められなかった香港などの王領植民地との中間に位置することになった(根本 二〇一〇a:三五頁)。ちなみに、ドミニオンとは英連邦(コモンウェルス)に属し英国王が国家元首を兼任するが、主権を有する独特の国家形態のことである。カナダやオーストラリア、ニュージーランドなどがそれにあたる(現在はドミニオンの名称を使っていないが、英国王代理としての総督が名目的に存在する)。

一九三九年九月、ヨーロッパで第二次世界大戦が勃発すると、英国は東南アジア方面への日本の攻撃を予想してビルマ防衛を強化すべく、英領ビルマ政府に国防費の支出増を求め、見返りとしてドミニオンと同等の地位を将来において付与する約束をおこなった(India Office Records, M/3/730)。これによって英国は高まるビルマのナショナリズム運動を和らげようとしたわけだが、同国のナショナリスト・エリートたちは党派や立場を問わず、この声明が具体的な時期について全く触れていなかったことを理由に、歓迎の意を示さなかった。

三、ビルマ・ナショナリズムの展開

複合社会の中のビルマ人中間層

ビルマで反英ナショナリズムが本格的に台頭するのは第一次世界大戦期の一九一〇年代後半である。その中核を担ったのは主に都市部に住む比較的高学歴(高卒以上)のビルマ人中間層に属する人々であった(Taylor 2009: 163-175)。彼らは都市部を中心に複合社会と化した植民地的状況下にあって、支配的地位を占める少数の欧州人(高級官僚、大企業幹部、学校長、植民地軍幹部将校ら)と、人口の過半数を占める下層のビルマ人とインド人(いずれも小作農、農業労働者、油田労働者、港湾労働者ら)との間に位置する階層に属し、公務員、弁護士、教員、中小規模の商工業従事者などの職業に就いていた(根本 二〇一四:八四―八七頁)。しかし、それらの職業は同じく中間層に位置した「英系ビルマ人」や「カレン人」(のなかのキリスト教に改宗した少数派)、「中国人」「インド人」のなかの富裕移民との競合関係に置かれていた。

このことに不満を覚えたビルマ人中間層の中から、多数派である「ビルマ人」(ビルマ民族)がなぜ「自分の国」(領土)で主役になれないのか、という反発が生じるようになったのは必然的だったといえる。すでにこの段階で「民族」としての「ビルマ人」、「宗教」としての「仏教徒」という、人口分類に基づく基本参照枠組みを近代教育を受けることによって内在化させていた彼らは、「ビルマ人」(ビルマ民族)を中心とした国民国家形成運動を展開していくことになる。

ビルマ・ナショナリズムの思想

最初のビルマ人ナショナリスト団体は、ビルマ人中間層がまだ明確に姿をあらわす前の一九〇六年、仏教青年会(YMBA)という名称で誕生している。仏教の復興を推進する団体として発足したため、ビルマの文化に関心を抱いた英国人の会員も少なくなく、一九一六年の総会までは政治的なメッセージを打ち出すことはなかったが、翌一七年からは第一次世界大戦の影響のもと、一転して反英的主張を展開するようになった(根本 二〇一〇b:二六〇―二六五頁)。その後、YMBAを飛び出した者たちを中心に、全ビルマ団体総評議会(GCBA)が一九二〇年に政治団体として結成され、都市部のナショナリズム運動を活発化させた。彼らは植民地議会を主要舞台にして合法的活動をおこない、ビルマのドミニオン化を目指した。しかし、GCBAはすぐに統一性を失って分裂し、一枚岩のビルマ人ナショナリスト集団とは言えなくなった。そこをビルマ人中間層の若手世代から構成されたタキン党(一九三〇年結成)によって強く批判されることになる。

タキン党はその正式名称を「我らのビルマ協会」(ドバマー・アスィーアヨウン)といい、党員の名前の前にビルマ語で「主人」を意味する「タキン」を付けて呼び合った。「我らのビルマ」(ドバマー)という名称に見られるように、彼らは英国側(「彼らの側」)につくビルマ人を打倒対象とし、英国支配を拒否する人々だけを「我らのビルマ(人)」と定義した(Nemoto 2000: 2-4)。文語の「ミャンマー」ではなく口語の「バマー」(ビルマ)を党名に使った理由も、「辺境地域」の人々を含めたひとつの「ビルマ国民」という概念を意識していたからだと初期の主要党員によって説明されている(Hkin Maung Latt 1987: 54)。

党の結成契機は一九三〇年五月にラングーンで港湾労働者間の対立から発生した反インド人暴動にある。そのときに出された最初のリーフレット(『国家改革文書』第一号)には「インド人」と「混血ビルマ人」に対する強い敵対意識が叙述されていた(根本 一九九〇：四三一―四三三頁)。自国の領土認識においても、英領期のビルマの外郭(国境線)を所与のものとして受け入れ、過去の「ビルマ民族」の王朝の栄光と連接させ、「管区ビルマ」と「辺境地域」を合わせた領域を独立ビルマの「領土」として認識していた。ただし、同党が一九三七年までにつくりあげた地方組織(二一の県支部)は「管区ビルマ」内にとどまり、「辺境地域」への進出は見られなかった。タキン党は「ビルマ国民」の想像と創造を目指したとはいえ、その声は「管区ビルマ」を超えることはなかった。

一九三〇年代後半以降、党はアウンサンらラングーン大学の学生運動で名を挙げた人物を積極的に受け入れ、当時の時代思潮の影響もあって社会主義への傾斜を明確に示すようになる。彼らはビルマ民族中心主義と社会主義を融合させた思想をつくりだし、それを党是である「我らのビルマ思想」(一九三七年)に掲げた。そこには「コウミーン・コウチーン」(「わが王、わが種族」)という素朴な用語が、左翼性を帯びた意味に置き換えられて使われている(根本 一九九〇：四四二―四四六頁)。この用語は一九三三年から同党が使用してきたものだが、当初は左翼思想とは無縁で、植民地での公の使用が憚られた「独立」という言葉の代用として使われたものに過ぎなかった(同：四三七頁)。その用語に左翼性を付し、単純なビルマ民族中心主義からの脱皮を試みたわけであるが、そこには限界が見られた。上述の党是には「我らのビルマ人」の定義も示され、その骨子は「国内に住む貧困層」という左翼的定義と、「ビルマ人の血をひく者」という民族主義的定義の両方から構成されていた(Dobama asi: ayoun: 1937)。ここに示される「ビルマ人の血をひく者」には、独立後のビルマで国籍付与の対象者を定義する際に重要なキーワードとなった「土着民族」概念につながる発想が垣間見られる。

ＧＣＢＡ系政治家も含むビルマ人ナショナリストたちの多くは、「誰がビルマ人であるか」を考える際、英領期の民族分類に基づく参照枠組みを内在化させ、それを援用して議論をおこなった。その結果、一九四八年の独立以降、ビルマでは第一次英緬戦争開始年の前年である一八二三年以前から「ビルマ領土」内に住んでいた人々の子孫を「土着民族」として認識するようになり、彼らを国籍付与対象者の中核として考えるようになる(一九八二年の改正国籍法において法制化)。そのため「インド人」や「中国人」「英系ビルマ人」「ロヒンギャ」などは「ビルマ国民」の周縁ないしは外側に置かれることになった。

「土着民族」意識については、日本軍占領期(一九四二―四五年)に西北インドの高原都市シムラに避難したビルマ政庁(植民地政庁)内で検討されたインド人移民の制限をめぐる議論においても見ることができる。インド人移民問題は戦前からビルマ人ナショナリストにとって重要なイシューであり、党派を問わず移民制限の強化が主張されていた。そのため彼らの強い意向を受けたビルマ政庁(移民受け入れ側)と、移民送り出しに積極的なインド世論の圧力を受けたインド政庁との間で深刻な対立が生じ、問題の決着は日本軍の侵入のため持ち越され、戦時中の避難先であるインドの高原都市で議論が再開された。最終的に「ビルマ国籍を有する人間が誰であるかについては(自治領化後の)ビルマ側に決定権がある」という確認がなされ(India Office Records, M/4/1221)、独立後のビルマはこの権限を当然のように行使した。最終的に「民族」という参照枠組みに基づく上述の「土着民族」が法的に定義されるに至り(その数は最終的に一三五民族とされた)、その間、「英系ビルマ人」の大量出国や、一九六〇年代半ばに発生した二〇万人規模の「インド人」の実質的追放(インド帰還)、そして一九七〇年代から鮮明化する「ロヒンギャ」排斥などが生じている。「土着民族」を重視するビルマのナショナリズムは、このような犠牲者を生み出すことによって成立したのだといえる。

注

(1) 本稿で用いる東南アジアの領域は、現在の主権国家であるミャンマー、タイ、ラオス、カンボジア、ベトナム、マレーシア、シンガポール、フィリピン、インドネシア、ブルネイおよび東ティモールの一一カ国の範囲を指す。

（2） カルティニの評価の変遷については小林（二〇一八）を参照のこと。

（3） パンチャシラは①唯一神への信仰、②人道主義、③インドネシアの統一、④民主主義、⑤社会的公正の五原則から成る（順番は独立後のもので、日本占領期末期の原案とは異なる）。唯一神への信仰はイスラームに限定されておらず、独立後はカトリック、プロテスタント、ヒンドゥー教、仏教、儒教が公認されている。無神論は許容されていない。

参考文献

相沢伸広（二〇二〇）「インドネシアの国家建設――分裂の危機と克服の政治史」田中明彦・川島真共編『二〇世紀の東アジア史』第三巻、東京大学出版会。

アンダーソン、ベネディクト（二〇〇七）『定本 想像の共同体――ナショナリズムの起源と流行』白石隆・白石さや訳、書籍工房早山。

池田一人（二〇一二）『日本占領期ビルマにおけるカレン＝タキン関係――ミャウンミャ事件と抗日蜂起をめぐって』上智大学アジア文化研究所。

伊東利勝編（二〇一一）『ミャンマー概説』めこん。

伊東利勝（二〇一八）「前近代社会の「民族」――エーヤーワディー流域コンバウン王国のカレン」小泉順子編『歴史の生成――叙述と沈黙のヒストリオグラフィ』京都大学学術出版会。

柿崎一郎（二〇〇七）『物語 タイの歴史――微笑みの国の真実』中公新書。

柿崎一郎（二〇二〇）「タイにおける国民国家建設――統合と対立」田中明彦・川島真共編『二〇世紀の東アジア史』第三巻、東京大学出版会。

小泉順子（二〇二〇）「絶対王政の構築」飯島明子・小泉順子共編『世界歴史大系 タイ史』山川出版社。

小林寧子（二〇一八）「国家・英雄・ジェンダー――カルティニ像の変遷」小泉順子編『歴史の生成――叙述と沈黙のヒストリオグラフィ』京都大学学術出版会。

菅原由美（二〇一八）「出版とオランダ領東インドのイスラーム化――インドネシア近代史叙述とイスラーム・アイデンティティ」小泉順子編『歴史の生成――叙述と沈黙のヒストリオグラフィ』京都大学学術出版会。

杉山晶子(二〇〇四)「シャムにおける公定ナショナリズムと新聞上の言論(一九一〇年—二五年)」根本敬編『東南アジアにとって二〇世紀とは何か——ナショナリズムをめぐる思想状況』東京外国語大学アジア・アフリカ言語文化研究所。

玉田芳史(二〇二〇)「現代の政治」飯島明子・小泉順子共編『世界歴史大系　タイ史』山川出版社。

土屋健治(一九九一)「ナショナリズム」同編『講座東南アジア学6　東南アジアの思想』弘文堂。

トンチャイ・ウィニッチャクン(二〇〇三)『地図がつくったタイ——国民国家誕生の歴史』石井米雄訳、明石書店。

永積昭(一九八〇)『インドネシア民族意識の形成』東京大学出版会。

根本敬(一九九〇)「一九三〇年代ビルマ・ナショナリズムにおける社会主義受容の特質——タキン党の思想形成を中心に」『東南アジア研究』第二七巻四号。

根本敬(一九九三)「ビルマの民族運動と日本」『岩波講座　近代日本と植民地』第六巻、岩波書店。

根本敬(一九九五)「植民地ナショナリストと総選挙——独立前ビルマの場合(一九三六／一九四七)」『アジア・アフリカ言語文化研究』第四八・四九合併号。

根本敬(二〇一〇a)『抵抗と協力のはざま——近代ビルマ史のなかのイギリスと日本』岩波書店。

根本敬(二〇一〇b)「東南アジアにおける植民地エリートの形成——英領期ビルマの場合」『岩波講座　東アジア近現代通史』第三巻、岩波書店。

根本敬(二〇一四)『物語　ビルマの歴史——王朝時代から現代まで』中公新書。

根本敬(二〇二〇)「ビルマ(ミャンマー)国家建設の歴史過程——三度の挫折と四度目の挑戦」田中明彦・川島真共編『二〇世紀の東アジア史』第三巻、東京大学出版会。

藤村瞳(二〇一五)「バプテスト宣教の文脈からみる一九世紀中葉ビルマのカレン像形成——宣教師メイソンによる『カレンの使徒』(一八四三)を題材に」『東南アジア研究』五二巻二号。

山本信人(二〇〇二)「インドネシアのナショナリズム——ムラユ語・出版市場・政治」『岩波講座　東南アジア史』第七巻、岩波書店
リード、アンソニー(二〇二一)『世界史のなかの東南アジア』上・下、太田淳・長田紀之監訳、名古屋大学出版会。

Boshier, Carol Ann (2018), *Mapping Cultural Nationalism: The Scholars of the Burma Research Society, 1910-1935*, Copenhagen, Nordic Institute of Asian Studies Press.

Census of India (1931), Vol. XI part II, Rangoon, Government Printing and Stationery.

India Office Records (1940), M/3/730, “Constitutional Reforms in Burma: Attitudes of Burma to War Effort”, London, British Library.

India Office Records (1944), M/4/1221, “Immigrations: Regulation of Indian immigration into Burma”, London, British Library.

India Office Records (1938-46), M/4/1398, “Burmanisation in BCS(I) and BP(I)”, London, British Library.

Nemoto, Kei (2000), “The Concepts of *Dobama* (‘Our Burma’) and *Thudo-Bama* (‘Their Burma’) in Burmese Nationalism, 1930-1948”, *The Journal of Burma Studies*, Volume 5.

Singh, Ganga (1940), *Burma Parliamentary Companion*, Rangoon, British Burma Press.

Smith, Martin (1991), *Burma: Insurgency and the Politics of Ethnicity*, London, Zed Books.

Taylor, Robert H. (2009), *The State in Myanmar*, London, Hurst Publishers Ltd.

Dobama asi: ayoun: (1937), *Dobama wada.* (『我らのビルマ思想』), Rangoon, Dobama asi: ayoun: (htana. hgyou’).

Khin Maung Latt (1987), *Mi: dou’ Thahkin Thein Maung Gyi: i bawa. hnin. nain-nganyei: hlou’sha: hmu. mya:* (『タキン・テインマウンジーの生涯と活動』), Rangoon, Sapei Bei’man.

集点 Focus

ファシストの帝国

――ヨーロッパ内植民地としてのドデカネス

石田　憲

はじめに

ファシズムとは何かが問われた際、多くの初期研究はその思想、運動を取りあげてきた。体制の考察が始まって以降も、イタリアについては政治構造分析の遅れが目立ったまま、今日に至っている。また、本稿で扱うイタリア・ファシズムの帝国主義については、その植民地であったアフリカ研究が中心で、「鎮圧・平定」をふくむ戦争あるいは「植民地文化」に関するものが多い。しかし、本稿では、地中海のヨーロッパ内植民地、とりわけドデカネス諸島について取りあげたい(1)。

エーゲ海南東部に位置するドデカネス(ギリシア語で「一二の島」を意味する)諸島は、最大のロドス島をはじめとして、医学の祖ヒポクラテスの生地コス島など古代以来の歴史を有する島々からなり、現在はギリシア領となっている。一六世紀前半からオスマン帝国領であったが、一九一二年にリビア戦争(イタリア＝トルコ戦争)を通じてほぼ無血占領され、イタリア王国の実効支配下に入った(第二次ローザンヌ条約により一九二四年、イタリア領に編入された)。一八六一年

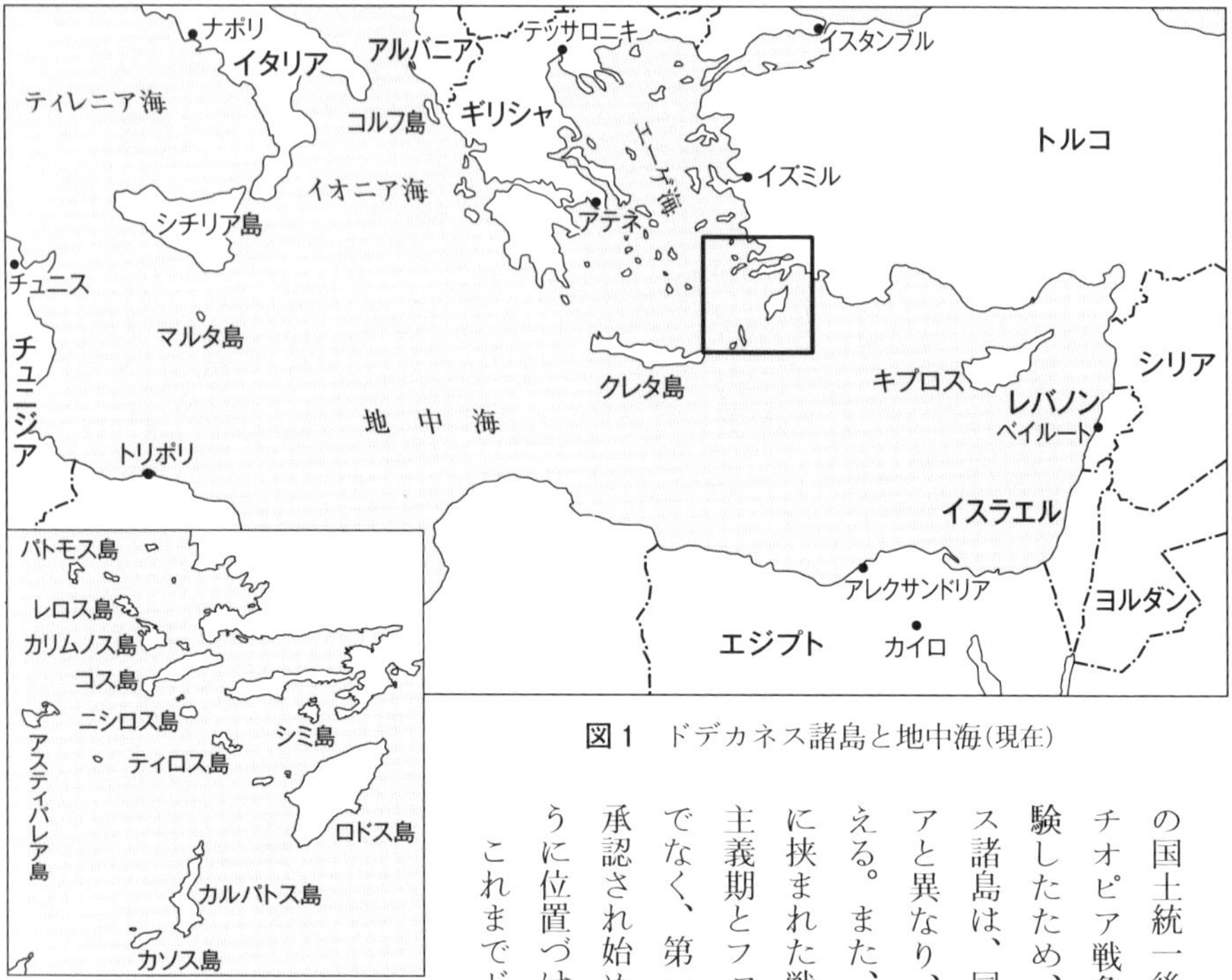

図1　ドデカネス諸島と地中海(現在)

の国土統一後、植民地獲得に乗り出したイタリアは、第一次エチオピア戦争での一八九六年における敗退(アドワの戦い)を経験したため、「二流の帝国」からの脱却を模索した。ドデカネス諸島は、同じイタリア領でも武装抵抗運動が続いていたリビアと異なり、「成功した支配」を検証するのに適した対象といえる。また、ドデカネスがイタリア領だった時期は二つの大戦に挟まれた戦間期と重なっており、こうした視点からも、自由主義期とファシズム期の連続、非連続の対比が可能となるだけでなく、第一次世界大戦前後より民族自決が欧米地域において承認され始めてきた中で、ヨーロッパ内植民地の意味がどのように位置づけられたかの考察につながる。

これまでドデカネス諸島については、イタリアにおいてもほとんど論じられてこなかった。本国からすれば、エーゲ海に位置するドデカネス諸島の存在がイギリスの帝国ルートに対する牽制要因としての意味程度にしか扱われていなかったからかも知れない。事実、イタリア対外政策の観点からも英領マルタの方がイギリスに対する交渉・戦略上、より重要と考えられていた。それでも、ヨーロッパ辺境地域であるが故の特徴がドデカネスには見られ、とりわけ東地中海という類似した環境下の英領キプロスとの比較は、両国の帝国主義を考察する上で示唆に富む内容を提供してくれる。

後述するように、ファシスト・イタリアはイギリスと異なり、海外に「忠良なイタリア臣民を作り出せる」と積極的に動き、イタリア語教育の押しつけ、カトリック化を図った。逆にヨーロッパ内植民地であるドデカネスへの強制的働きかけは、住民との軋轢を生じさせる原因ともなる。この執拗なイタリアへの同化政策こそ、自由主義期とは一線を画し、ナチ・ドイツとも峻別可能なファシスト帝国の特徴と見ることができよう。しかも、一九三〇年代初めのムッソリーニ(Benito Mussolini)独裁確立以降、ファシズム体制がいかに政治的内実を空洞化させていったかを論じる好例と考えられる。実際、第二次エチオピア戦争後の一九三六年から総督に就任したデ・ヴェッキ(Cesare Maria De Vecchi)は、ムッソリーニを政権奪取前から支えたファシスト四天王の一人であり、当時の権力中枢を象徴する人物のため、ファシズムとは何であったのかを分析する手がかりとなろう。

そこで本稿は、英仏など先発帝国との取引による領土拡大から軍事行動も辞さない膨張へと向かうファシスト帝国と、イギリス帝国の共通点、相違点を明らかにしたい。イギリスは、ドデカネスと同じギリシア系住民を抱える旧オスマン帝国領であった地中海の島キプロスを植民地としていた。この二つのヨーロッパ内植民地の意味を抽出しながら、イタリアのドデカネス統治をめぐる特性とファシズム体制の政治構造に着目していく。

一、ファシスト帝国とイギリス帝国

ドデカネスとキプロス

一九二七年九月、英領キプロス総督ストーズ(Ronald Storrs)は伊領ドデカネスを訪問した。彼はローマ式敬礼に迎えられ感銘を受け、ドデカネスにはキプロスに見られるようなギリシアとの統一運動が存在しないと述懐している(ただし、これは誤解である)。訪問時にストーズは、当時の蔵相チャーチル(Winston Churchill)をイギリスで「最もファシスト」と発言するくらい、ファシズム体制を共産主義の防壁と考える英保守エリート層に属しており、自分の前任者たちが「寛容すぎて弱腰だった」という感想をもらしていた。これらの事実認識には間違いも多かったし、全面的にファシストの真似をすべきとは、さすがのストーズも回顧録には記していないが、ドデカネスではイタリア国旗への敬意を強要していることに賛意を示している(Rappas 2015: 468, 471; Storrs 1973: 508–509)。

他方、ドデカネスというギリシア語名さえ否定して「伊領エーゲ海諸島総督」を名乗るラーゴ(Mario Lago)は、同年一〇月にストーズに招かれてキプロスを訪れるが、その際ギリシア系住民は「偏狭な暴君」が「我々の不滅の言語をマカロニ文字で窒息させようとしている」として反対デモを展開した(Doumanis 1997: 41; Rappas 2015: 468)。キプロスの地方紙は、ラーゴ一行が住民のボイコットに遭いニコシアを葬送のように通過したと報じ、ストーズ総督は自分の賓客に対する非礼を許さないとして、抗議活動へ警告を発する。しかしこうした反対運動は、ドデカネスでファシスト当局が抑圧的政策を続けていたことに端を発していた。一九二六年、ラーゴ総督は公教育におけるイタリア語強制の政令を出し、抵抗した島の自治体を解散させており、同じ地中海のギリシア系住民を刺激したのである。こうした事情を知りながらストーズ総督がラーゴを歓待し、歓迎式典にニコシア市長を同席させようとしたため、キプロスにおけるボイコット運動を引き起こしたとギリシア紙はコメントしている(2)。

ラーゴはキプロスを訪問して、イギリス植民地では自由主義が強すぎると見なし、官僚機構の面でも特に注意を引くものはなかったと記している。たしかに当時のキプロスは、熱帯植民地官僚のサナトリウム(気候の穏やかな静養地という位置づけに加えて、無能な役人の左遷先)と見なされており、適切な人材を欠いていた。ただし、それはドデカネスも同様で、ラーゴの総督就任前は「一二年の失われた統治」と指摘されていたし、外務省管轄の下、ナショナリスト系官僚が派遣され、事務総長も外務省出身者であった(ナショナリストたちは国民ファシスト党に吸収されて以降、国家と党を接合する役割を果たしていた)。ところが、ムッソリーニが総督の裁量を広く認めたことから、退役軍人も統治ポストに任用され、本国政府の認可しなかったような宣言や命令さえ出され、ラーゴの権限が強まっていく(Pignataro 2011: 105-106, 134; Rappas 2015: 473)。

近隣とはいえ、異なる帝国の総督同士が緊密な行き来をするという珍しい現象は、二人の個人的親近性だけでは説明できない。すでにドデカネスとキプロスは、第一次世界大戦後の国際環境により、連動する歴史的歩みを続けていた。伊英両国はオスマン帝国に対して暫定的な占領を長期間続けており、正式に植民地としての編入が確定したのは、両総督の相互訪問直前に過ぎなかった。そして、ウィルソン(Woodrow Wilson)の一四カ条の影響もあり、両島とも住民投票による帰属の決定が国際交渉の場で繰り返し論及されることになる。とくにキプロスがギリシアに返還されたり住民投票がなされた場合は、ドデカネスにおいても住民投票が実施されるという期待が高まっていった。そもそも一九一二年におけるイタリア軍のドデカネス占領当初から、住民側は「エーゲ海国」を宣言しており、後にはドデカネスとキプロスを合わせて国際連盟の委任統治領にするという案さえ出されていたのである。(3)

イギリス側もドデカネスの帰属問題が噴出すれば民族自決の議論になりかねないと、キプロスへの波及を恐れていた。ストーズ総督のドデカネス訪問で抱いた誤った印象とは異なり、本国政府はドデカネスにおけるギリシアとの統一運動がキプロスに悪影響を与える危険性に敏感であった。他方イタリア側では、キプロスを統一運動封じ込めの成功事例と考える者もおり、実際にキプロス憲法をモデルにした法律がラーゴによって準備されていく。ラーゴはオスマン帝国以来の伝統的制度を利用すると同時に、西欧的条件を「東洋」にもたらすのは不適切と答申して、ムッソリーニも自治という言葉を使用しないよう指示したのである。(4)

第一次世界大戦の一因とも目された民族自決運動がヨーロッパ内では公然と主張されるようになったため、伊英両帝国はそれぞれリビアやインドで行なったような目立った大弾圧をドデカネス、キプロスに加えることを表向き躊躇していた(Rappas 2015: 476)。それでも次項で示すように、ヨーロッパ内植民地のギリシア系住民に対しても、アジア・アフリカの「野蛮人を扱う」のと同様な認識と偏見が頻出していく。近代的帝国一般の共通性ともいうべき人種主義が、そこには垣間見られる。

埋め込まれた人種主義

自由主義が強すぎるとラーゴに評されたイギリスのキプロス統治は、植民地省の文書を見る限り、人種的先入観にあふれた記述を繰り返す。「無知で文盲の選挙人が不適切な代表を選出」したとして、キプロス憲法を改正して政府による任命制をしくべきであるという提言が一九二七年には出されていた(5)。これに反論して、住民と本国議会の意見を慎重に聞くべきと諫めたはずの植民地省幹部も翌年には、「キプロス人は東洋的メンタリティーをもっている」ため、「リベラルなジェスチャーが感謝より侮蔑をもって受けとめられる」と記している。その帰結として、自治を認めることは「完全な降伏」と論じられ、「善意の独裁」が最良のシステムであると見なされた(6)。そして、二〇世紀英植民地内で最大規模の騒擾といわれるキプロス反乱(一九三一年)に関する調査委員会設置をめぐっても、キプロス人が「東洋的メンタリティー」であると繰り返され、「強力な政府の下で最も静穏である」と断じられていく(7)。

これと対照的に、イタリア側の「優越意識」は劣等感の裏返しでもあった。英連邦諸国では「地中海人種」が「オリーブ禍」として差別され、その中にはイタリア人もふくまれていた。イタリアの新聞は、マルタ、ドデカネスといった島々からオーストラリアへ行ったイタリア系移民たちが現地で軽蔑され、その間隙をぬって日本人が入ってくると書き立てた(8)。このためイタリアは、オスマン支配を「東洋的専制」と見なすだけでなく、「耐えがたいトルコのくびき」からの解放者として、「後進的な島民を文明の恩恵」に浴せしめること(イタリア語の強制、正教会の抑圧)に執着した。しかし、これは逆に住民から「野蛮なオスマン帝国」さえ実施しなかった教育、宗教に対する介入として、激しい抵抗を招いていく[9]。

一九三〇年代中盤になるとイタリア側文書さえ、ドデカネスでは法外な課税、峻烈な暴力、追放などから、「トルコの野蛮さが懐かしがられる」状態にまでなったと、移民などによるギリシア系人口の六万近い減少の情報とともに、報告している[10]。キプロス当局が外国籍者をスパイ、煽動者として警戒したのと変わらず、ラーゴ総督も外国人(アルメニア人、リビア人など)が増加することを基本的に望まなかった。加うるに、イタリア本国からの移住者は限られており、しかも共産主義者が入り込んでいると伝えられたため、ドデカネス人の激減対策に妙案はなかった。ただ、都市部のごくわずかなユダヤ系住民には銀行を経営する富裕層が存在したため、ナチ・ドイツの人種イデオロギーと異なり、取り込みを図った時期もあり、ラーゴの属僚にはユダヤ人もいた[11]。

とりわけラーゴ総督は、現地協力者創出には一世代が必要と繰り返しており、教育政策に力をいれていた。イタリア系学校にはムスリム、ユダヤ教徒が多く通っていたが、一九二六年には公教育でイタリア語の強制が政令として出され、反対する教職員には解雇、投獄、流刑が科せられた。その反面、一九二八年にはユダヤ教のラビ養成校をロドス島に設置するという宥和策も講じられる。しかし、一九三〇年代に入るとトルコ系、ユダヤ系コミュニティ向け予算も取り去られ、優遇措置も政治・経済的打算に基づいていたことが明らかとなっていく[12]。

人種主義が強権的支配に伴って露呈するのは、イギリス帝国の場合も同様で、一九三一年のキプロス反乱によりストーズが退陣した後、一九三三年に総督に就任したパーマー(Richmond Palmer)はキプロスを「不敬な東洋女」として描き、彼女のわがままな衝動を抑えるためには「西洋男性に飼いならされる必要」があるとした(Rappas 2014: 34)。ラーゴとひとしく、パーマー総督もキプロス人を教育・訓練するとして、学校・教育システムの改革に着手する。一九三三年には教科書、図書室の本、教師の登録、試験、昇進、カリキュラム、シラバス、指導要領に至るまで総督がコントロールする権限をもつことになった。それでも一九三八年には、停止されていた自治体選挙の再導入には一〇年かかるという見解を示したのである(Rappas 2008: 371-372)。

しかしながら、ファシスト帝国との大きな違いは、イギリスの場合、本国でキプロスの植民地統治に対する批判が高まった点である。オームズビー＝ゴア(William Ormsby-Gore)植民地相も「我々は二〇世紀に生きているのであって、独裁制の下にいるのではない」と、キプロス憲法をリベラルなものにする第一歩として地方自治の復活を、一九三八年一月に示唆している(Rappas 2014: 42)。これに対しイタリアでは同じ現地当局への批判でも、ラーゴに関し後任のデ・ヴェッキ新総督は、「表層的で優柔不断あるいはリベラルな支配者」の故に抵抗が続いているとして、ファシスト国家にふさわしい「家父長的システム」の導入を提言したのである。(13)

デ・ヴェッキは、ロドス島に到着してすぐモスクの全ミナレットの破壊を望み、トルコ系住民の信仰を無視しただけでなく、一九三八年八月には「人種主義科学者宣言」(一九三八年七月に党書記長の承認下で無署名のまま発表)が本国で出された直後にユダヤ人の特別住民調査を実施し、九月の人種法制定(ドイツを模して教育、官公庁からユダヤ人を排除)を先取りしてロドス島のラビ寄宿校を閉鎖した。そして、ユダヤ系住民のイタリア市民権を剝奪し、公職から追放し、ユダヤ人による非ユダヤ人の雇用を禁じていく。結婚に際しても非ユダヤ証明書が要求されるようになった。これら立て続けに行なわれた施策は無論、人種主義の典型例だが、後述するようにムッソリーニの顔色をうかがう行動パターンの現われでもあった(Peri 2009: 19; Mignemi 2009: 116; Rappas 2015: 489)。

二、ファシズム体制の政治構造

ヨーロッパ内植民地のモデルケース

ドデカネスを語る際、注目すべきなのは正式の植民地として認められるまでの道程が、ファシズム体制の形成期であった点である。加えて、同じギリシアとの関係が問題となったコルフ島のように軍事衝突ではなく、外交交渉により他国の認知を受けながらのヨーロッパ内植民地化であったことも初期のファシスト政治を考える上で示唆に富んでいる。まず、第一次世界大戦後の政治環境を象徴するように、世論の位置づけが外交上重要となっていたのは、イギリス、イタリアに共通した特徴であった。ただし、外務省を無視することはあっても内外の世論を無視することがなかったというロイド・ジョージ英首相(David Lloyd George)の評判に対して、ムッソリーニは国外より国内の反応に価値をおいていた。それは自由主義期からイタリア外務省が伊英関係を世論より重視していた伝統に抗し、ドデカネス併合が外交的勝利として国内の支持を高めるという期待につながっていく。(14)

他方、イギリス帝国とファシスト帝国の間における大きな違いは議会の果たした役割である。イギリスでは、議会がキプロスへの予算支出を認めず、根本的な植民地改革の施行に至れなかったと指摘されている。また、一九三一年反乱の直後であっても、本国議会の批判を受ける可能性があるため、教育法の制定時に総督が実現できなかった項目をキプロス憲法改正の際に復活させられなかったとの報告も存在する。これと対照的にラーゴ総督は、ロドス島を「東方におけるイタリアの首都」とすべく、大規模な資本投下を本国に要請することで、中世建築を再建し、モダニズムに彩られた観光施設を建設し、教育法により一方的なイタリア文化の伝播を図っていった。これにより観光客は一九三四年には六万人にまで拡大し、都市計画、道路建設、医療衛生施設を発展させた。すなわちファシスト帝国は、他の西欧大国と同様に、近代的組織化を通じた富の生成が可能と自負したのである。(15)

ファシスト・イタリアは、「伊領エーゲ海諸島」をヨーロッパ内植民地のショーウィンドウとして宣伝したものの、「繁栄」の実態はロドス島の近代化、レロス島の基地化など一部地域への集中投資に由来していた。人口の大半を占める農民層は、イタリア人植民者により土地を事実上奪われ、移民へと追い込まれていく。そして、一九二九年には二〇%だった対伊輸出が、一九三八年には五八・八%にまで拡大して島民を圧迫し、移民流出に拍車をかけた(Kasperson 1966: 157, 160, 166)。また、充実した設備を誇った病院も、エチオピア戦争時には黄熱病にかかった兵士の収容施設となり、本国へ戻すと騒ぎになるため、格好の隔離場所とさえ報じられた。しかも、軍事関連地域は監視され、情報を外へ漏らさせない状態となっており、閉鎖された辺境地の利点が利用されていた。(16)

それでは、ラーゴ総督期のイタリア統治は、その前の自由主義時代とどこまで異なっていたのか、あるいはイギリスの植民地支配とどの程度共通していたのであろうか。第一次世界大戦においてもドデカネスの経済的自立、とりわけ食糧不足は大きな問題となっており、本国から大量の小麦、米などが移送されていた。イギリスがイタリアの参戦を支援するためエジプトからの食糧供給がなされて、ようやく必需品の本国依存が多少緩和された。その意味では、当初より新しいヨーロッパ内植民地は、イタリアにとって負担の大きい周辺地域となっている。(17)ただし、ラーゴ以前の占領期がファシズム体制期と異なるのは、例えばロドス税関設置をめぐっても、詳細な報告書を作成して、一つ一つ慎重な精査を加えている点である。(18)ファシストの権力奪取後は、総督の権限が強化されるのに伴い、こうした緻密な報告書作成がおろそかとなり、政策決定過程も不明瞭となっていった。

社会工学的に植民地の改造を試みる志向性は、イギリスのテクノクラートたちも共有し、キプロス官吏の中にはファシズムの協同体主義(国家諸機関が社会編成の中心となり労使関係、生産組織を中央集権的に管理していく)に傾倒する者さえ現われる。皮肉なことに本家のファシスト・イタリアでは協同体主義がすでに退潮となっており、自由主義期ブルジョワ外務官僚のラーゴも集団労働契約、経済社会領域の徹底統制といったファシスト・システムには期待していなかった。それでも、彼はドデカネスをイタリア化するという意欲にあふれていたため、イタリア語の強制やファシストの青少年組織を利用することも厭わなかった(Rappas 2015: 486-487; Pignataro 2011: 178)。この点、ストーズ総督はキプロスのイギリス化にこだわらなかったし、反乱後の総督に就任したパーマーは、キプロス人を本国人と同じように変えようなどとは、そもそも想定しなかったのである。[19] この意味ではファシスト政府の方が、同じヨーロッパあるいは地中海の人間を改造できると考える点で、「劣等民族」を自国民として認めないナチスやイギリス保守層より、真に全体主義的かも知れない。

ファシズム体制が「近代化」を自負して、オスマン時代から守られイタリアの政令でも保護されていたはずの慣習を否定し、正教会に干渉しイタリア語を押しつけたことは、多くの反発を招いていった。とくにカリムノス島における一九二六年の抵抗運動は、イタリア人水兵の暴行とダイナマイトによる反撃といった経緯から、過激な騒擾事件として注目された。それに続く弾圧、自治の剝奪、自由権の制限などは一九三一年のキプロス反乱でも見られた現象だったが、大きな違いは、体制の安定化とともに世論を意識しなくなったラーゴ総督が事実を隠蔽しようと試みた点である。[20] イギリス帝国では反乱後、現地当局の詳細な報告書群に加えて、キプロス憲法改正のため本国から王立調査団の派遣が必要との議論が検討されていた。また、強権的だったパーマー総督でさえ、反乱前の包括的農村調査(小作人五万九一七五名の八二%が負債を抱えているという結果)に即した統治計画の再構築を行なっている。[21]

イタリアにおいても、前述したとおり緻密な報告書に基づき利害得失を丁寧に論じた決定プロセスが自由主義期には存在していたが、トップダウンのリーダーシップが重んじられたファシズム体制では、個人の恣意的判断が優先されがちとなった。実際、ドデカネスを管轄していた外務省の文書においても、植民地当局にとって不都合な情報は直接報告されず、領事館を通じてギリシアやアレクサンドリアのギリシア系新聞で語られた内容を紹介する間接的な形に限られていく。ファシストの権力中枢とは距離のある外務省出身者ラーゴの場合でも、ファシズム体制の刻印は明らかであった。まして、古参党員を自認するデ・ヴェッキは、ファシズムの政治構造を考える上で、戯画的とはいえ重要な位置を占めていた。

ファシスト四天王デ・ヴェッキの支配

イタリア人の間で最も嫌われていたファシストと評されるデ・ヴェッキとは、どのような政治家であったのか。「喜劇的、非合理的、不治の君主主義者」として、ローマ進軍の際にも王室周辺へ接近し、ムッソリーニから愛されず、揶揄されていたと記されるこの人物は、辺境の植民地総督に左遷されたと専ら解釈されてきた(Innocenti 1992: 154; Gatta 1986: 85)。また、ムッソリーニの女婿として権力を振るっていたチァーノ(Galeazzo Ciano)の日記には一三回登場し、蔑んだ調子でデ・ヴェッキへの言及がなされている。「恐れを知らない道化師」とチァーノが笑いものにしたデ・ヴェッキは、たしかに初の次官ポストで傷痍軍人から年金を取りあげ恨みを買い、ソマリア総督としてすでに自領となっている地域で虐殺を行なって植民地統治を難しくしていた(Ciano 1980: 309, 732)。しかし、それらの悪評は失策をデ・ヴェッキのせいにする側面があり、とりわけチァーノの記述には、そうした悪意がふくまれているという指摘も存在する(Mignemi 2009: 109; De Vecchi 1983: 5)。

ここで肝心なのは、むしろサブリーダー間で頻出していたムッソリーニの寵愛を求める衝動といえよう。ファシズムの政治構造における重要な特徴は、ムッソリーニとの個人的距離が政治的リソースとなった点である。ほかのサブリーダーを蹴落とし、自らを差異化して独裁者の注意を引くことが政治的影響力の増大につながる仕組みこそ、互いの中傷合戦の引き金となる。一つの例として、ストーズのドデカネス訪問でも特記されたローマ式敬礼に注目してみよう。デ・ヴェッキは総督就任後、気まぐれな布告で、彼のリムジンが通ったら立ち止まってローマ式敬礼をするよう強制した(Peri 2009: 19)。しかしながら、デ・ヴェッキは国民教育相になった際、対抗意識を燃やす党書記長スタラーチェがローマ式敬礼を通達してきたことを見下し、むしろムッソリーニの前でスタラーチェの滑稽さを嘲笑した(De Vecchi 1983: 230-231)。彼らにとってローマ式敬礼それ自体は主たる問題でなく、ムッソリーニの目にとまり、自らの存在を際立たせることこそ最大の関心事であった。

ムッソリーニへの忠誠心を競い、ライバルを貶めるのが政治的浮上の近道とすれば、遅れてファシスト権力の中枢に参入したチァーノが、四天王の威光に依拠し続けるデ・ヴェッキを執拗に愚弄したのも理解できよう。同じくデ・ヴェッキは、エチオピア戦争の勝利者バドリオ(Pietro Badoglio)元帥と地中海における戦争指導をめぐって、ムッソリーニに自らの軍事的見識を誇示する形で不要な対立を繰り返した(De Vecchi 1983: 235, 241-242, 245-248)。政治構造のメカニズムという意味から考えても、多くの確執が政策レベルの議論とならず、個人レベルでの権力闘争に収斂してしまうファシズム体制の伏魔殿的性格は、ムッソリーニ独裁の確立以降ますます顕著となっていった。そして、相互不信の果てに結局、多くのサブリーダーたちはデ・ヴェッキ、チァーノもふくめ、第二次世界大戦末期にはムッソリーニ本人さえ放逐する陰謀に加担していくのである。

デ・ヴェッキは、ほかのサブリーダーと比べても善悪二元論的発想が極端で、ムッソリーニへのがむしゃらな傾倒が目立っていた。彼は戦争や社会主義との闘いといった友敵関係の対立図式にとらわれ、政府の人員も左翼の職員を減らせば事足りると述べた報告書を外相チァーノへ提出している。[22] しかし、「共産主義者」をたたくことに固執していたのは、反乱前後のキプロス当局も同様で、デ・ヴェッキの専売特許ではなかった(Markides and Georghallides 1995: 76)。また、住民をイタリア化させるというのもラーゴ総督時代からの施策であり、デ・ヴェッキはさらにファシスト化を脱ギリシア化の徹底として押し進めたため、摩擦が大きくなったともいえる。実際、ここでも彼はラーゴとの差異化を意識した学校政策にこだわるが、その内容は前述した英領キプロス総督パーマーの改革と大差なく、就任初期にはキプロスをモデルにするとまで述べている。[23] デ・ヴェッキは前任者と比べ、自らを果断な支配者と誇張したが、彼の「ファシスト」的な政策独自性は見られなかった。

それではデ・ヴェッキの植民地支配は、ラーゴ総督時代やイギリスのキプロス統治と変わらなかったのか。大きな違いとしてあげられるのは、暴力のあからさまな肯定という点であろう。デ・ヴェッキの赴任後、二人のギリシア国籍者に対して批判を許さないファシスト強硬派が、本国内で頻繁に実施していたヒマシ油を飲ませるという暴行事件を引き起こした。しかし、デ・ヴェッキはギリシア側の抗議に対し、無礼な侮辱に対する当然の反応だと事件を正当化し、ギリシア領事館の「煽動」をむしろ難詰する報告を外務省へ送っている。[24] 彼の文書は、ときに長大な自己顕示となり、事実関係の適切な検討が加えられなくなる。さらにデ・ヴェッキの場合、ディレッタントが高じた軍事志向により、島の恐怖支配が助長されていった。

軍事的権限も獲得したデ・ヴェッキはエチオピアに従軍した若いファシストをリクルートして、支配機構における位階的ピラミッドの完全な構築を目指した。彼はイタリア帝国が攻勢に出る橋頭堡としてドデカネスを位置づけ、イギリスによる東地中海支配からの解放を報告書で主張する。[25] ただでさえ住民の反応を意に介さないデ・ヴェッキは、体制の体面だけに執着した島のファシスト化（実質的統治より忠誠要求）と軍事化（効率より治安優先）を推進していく。彼のイタリア化強制、正教会弾圧は苛烈さを増し、聖職者への死刑判決、教会の閉鎖、女性の虐待などは、必然的に反伊感情を高める結果となった。[26] ファシストによって程度の差はあるにせよ、こうした暴力と戦争への親近性はファシズム体制の根本を示す特質の一つといえよう。自分はムッソリーニの顔色を常にうかがいながら、被支配層には徹底した服従を求めるというファシストの心性も、ここに極まってくる。

*

帝国主義とは他者に対する優越意識に基づき一方的な支配を貫徹させるものと考えれば、ファシストの植民地と欧米諸国のそれの間に本質的な差はないかも知れない。それでも、議会や世論、各統治機構のチェック・アンド・バランスを軽視して、階統的秩序に重点をおくファシスト帝国は、その寿命を短くしていったのも当然であった。一九三〇年代にはイタリア第二の海軍基地になっていたレロス島も第二次世界大戦の役には立たなかったし、ドデカネスはドイツ軍に占領され、島内のユダヤ系住民は逃亡するか殺害された(Kasperson 1966: 99, 163)。結局、ファシズムは友敵関係に立脚した論理の故に、恣意的で表層的な政治構造が、内なる権力闘争と外への侵略志向を強め、自滅していく。

第一次世界大戦後に独特の位置づけを与えられたヨーロッパ内植民地も、その内実は旧来のアジア、アフリカにおける「劣等人種」支配と大きな違いはなかった。むしろファシスト帝国は近代的統治の名の下にイタリア化を断行し、独裁による閉塞状態の深まりとともに全体主義的性格を色濃くしていったのである。そして、第二次世界大戦において勝利を収め、リベラルな秩序を標榜していた連合国も、ヨーロッパ内であれ、外であれ、植民地の維持自体が体制の構造的矛盾を早晩露呈させていくことになる。

注

(1) それぞれの先行研究の概観および歴史的経緯については、以下の文献で言及している。石田 二〇一一、二〇二〇a、二〇二〇b。

(2) TNA, FO 371/12205, C9121/3671/22 (1927/11/12). Tsirpanlis 2009: 68. TNA, FO 286/961, C13129/2255/22 (1926/12/20). TNA, CO 67/237/10, No. 232 (1931/5/23).

(3) Rappas 2015: 472, 492. Kasperson 1966: 20-21. 石田 二〇二〇b：六九、八二頁。TNA, FO 371/5111, E9398/56/44 (1920/8/3). Doumanis 1997: 31. Carabott 1993: 300. TNA, FO 286/746, C16993/160/19 (1924/11/10).

(4) ACS, Carte Schanzer, B. 37, F. 70, SF. 2, Verbali e appunti, 1922/6/26-8/14. TNA, FO 371/9882, C5712/160/19 (1924/4/5). TNA, FO 371/19538, R1211/33/22 (1935/2/20). ACS, Carte Di Marzio, B. 48, F. 1, Fasci Italiani all'Estero, Corrispondenza 1927-1929, Frangoudis (1927/7/10). Pignataro 2011: 86-89, 93.

(5) TNA, CO 67/220/12, Nicholson to Undersecretary (1927/6/30).

(6) TNA, CO 67/227/4, Proposals for Reform of Constitution, Minutes by Dawe (1928/12/19).

(7) TNA, CO 67/242/7, Proposal for Commission of Enquiry (1931/11/2).

(8) TNA, FO 371/18433, R798/798/22 (1934/2/3).

(9) Doumanis 1997: 41, 77. TNA, FO 371/7600, C14182/1953/19 (1922/10/11). TNA, FO 286/961, C13129/2255/22 (1926/12/20).

(10) ASMAE, AP 1931-1945, Dodecanneso, B. 9, F. 8, N. 4374-749 (1935/5/31).

(11) TNA, CO 67/221/11, From FO Oliphant to CO Undersecretary (1927/10/4). Pignataro 2011: 119-125. TNA, FO 371/12957, C3599/976/22 (1928/5/8).

(12) ASMAE, AP 1931-45, Dodecanneso, B. 11, F. 1, Telespr. N. 65 (1936/1/12). Tsirpanlìs 2009: 66, 68. Rappas 2015: 479.

(13) Mignemi 2009: 115. ASMAE, AP 1931-45, Dodecanneso, B. 13, F. 1, Relazione sulla situazione nelle Isole italiane dell'Egeo e sopra la condotta da tenersi dal Governatore del possedimento (1937/1/19).

(14) TNA, FO 371/7672, C10159/8635/22 (1922/7/14). TNA, FO 371/9882, C4454/160/19 (1924/3/14); C4593/160/19 (1924/3/17).

(15) Rappas 2015: 479-480. TNA, CO 67/242/8, Record of Meeting (1931/11/6).

(16) ASMAE, AP 1931-45, Dodecanneso, B. 9, F. 8, N. 6290-1050 (1935/8/3). TNA, FO 371/20410, R914/201/22 (1936/2/11).

(17) ASMAE, AP 1919-30, Dodecanneso, B. 979, F. 2351, N. 458 (1919/1/25); N. 5885 (1919/12/10).

(18) ASMAE, AP 1919-30, Dodecanneso, B. 985, F. 2400, N. 4974 (1921/11/30).

(19) TNA, CO 67/232/1, Secret (2) (1929/10/16). Rappas 2015: 488.

(20) TNA, FO 286/961, No. 392 (1926/10/28); C13129/2255/22 (1926/12/20). Rappas 2008: 364. Pignataro 2011: 183-185.

(21) TNA, CO 67/242/7, Proposal for Commission of Enquiry, Minutes (1931/11/2). TNA, CO 67/242/8, Record of Meeting (1931/11/6). Rappas 2008: 366.

(22) Mignemi 2009: 108, 114. ASMAE, AP 1931-45, Dodecanneso, B. 13, F. 1, Relazione sulla situazione nelle Isole italiane dell'Egeo e sopra la condotta da tenersi dal Governatore del possedimento (1937/1/19).

(23) Nobile 2009: 80. Marongiu Buonaiuti 1979: 99. ASMAE, AP 1931-45, Dodecanneso, B. 11, F. 6, N. 11525-160? (1936/12/12).

(24) ASMAE, AP 1931-45, Dodecanneso, B. 13, F. 1, Rapporti politici Governatore delle Isole Italiane dell'Egeo (1937/10/31).

(25) Rappas 2015: 484. ASMAE, AP 1931-45, Dodecanneso, B. 13, F. 1, Relazione sulla situazione nelle Isole italiane dell'Egeo e sopra la

condotta da tenersi dal Governatore del possedimento (1937/1/19).

(26) Marongiu Buonaiuti 1979: 98, 103. TNA, FO 371/21182, R6441/2301/22 (1937/9/24); R6906/2301/22 (1937/10/15).

参考文献

ACS：Archivio Centrale dello Stato, Roma.

ASMAE, AP：Archivio Storico-Diplomatico del Ministero del Affari Esteri, Roma, Serie Affari Politici.

TNA：The National Archives, Kew.

石田憲(二〇一一)『ファシストの戦争――世界史的文脈で読むエチオピア戦争』千倉書房。

石田憲(二〇二〇a)「ファシズム論」『論点・西洋史学』ミネルヴァ書房。

石田憲(二〇二〇b)「地中海におけるヨーロッパ内植民地――ドデカネス諸島をめぐる新たな帝国主義と抵抗運動のグローカル・ネットワーク」『グローバル関係学7 ローカルと世界を結ぶ』岩波書店。

Carabott, P. J. (1993), "The Temporary Italian Occupation of the Dodecanese: A Prelude to Permanency", *Diplomacy and Statecraft*, 4-2.

Ciano, Galeazzo (1980), *Diario 1937-1943*, a cura di Renzo De Felice, Milano, Rizzoli.

De Vecchi, Cesare Maria (1983), *Il Quadrumviro scomodo: Il vero Mussolini nelle memorie del più monarchico dei fascisti*, a cura di Luigi Romersa, Milano, Mursia.

Doumanis, Nicholas (1997), *Myth and Memory in the Mediterranean: Remembering Fascism's Empire*, London, Macmillan.

Gatta, Bruno (1986), *Gli uomini del Duce*, Milano, Rusconi.

Innocenti, Marco (1992), *I gerarchi del fascismo: Storia del ventennio attraverso gli uomini del Duce*, Milano, Mursia.

Kasperson, Roger E. (1966), *The Dodecanese: Diversity and Unity in Island Politics*, Chicago, The University of Chicago.

Markides, Diana and G. S. Georghallides (1995), "British Attitudes to Constitution-Making in Post-1931 Cyprus", *Journal of Modern Greek Studies*, 13-1.

Marongiu Buonaiuti, Cesare (1979), *La politica religiosa del Fascismo nel Dodecanneso*, Napoli, Giannini Editore.

Mignemi, Adolfo (2009), "Il governatorato di De Vecchi alla vigilia della guerra", Massimo Peri (ed.), *La politica culturale del fascismo nel Dodecaneso*, Padova, Esedra editrice.

Nobile, Agostino (2009), "La politica religiosa italiana nel Dodecaneso", Massimo Peri (ed.), *La politica culturale del fascismo nel Dodecaneso*, Padova, Esedra editrice.

Peri, Massimo (2009), "Introduzione", Massimo Peri (ed.), *La politica culturale del fascismo nel Dodecaneso*, Padova, Esedra editrice.

Pignataro, Luca (2011), *Il Dodecaneso Italiano 1912-1947*, II: *Il Governo di Mario Lago 1923-1936*, Chieti, Solfanelli.

Rappas, Alexis (2008), "The Elusive Polity: Imagining and Contesting Colonial Authority in Cyprus during the 1930s", *Journal of Modern Greek Studies*, 26-2.

Rappas, Alexis (2014), *Cyprus in the 1930s: British Colonial Rule and the Roots of the Cyprus Conflict*, London, I. B. Tauris.

Rappas, Alexis (2015), "The Transnational Formation of Imperial Rule on the Margins of Europe: British Cyprus and the Italian Dodecanese in the Interwar Period", *European History Quarterly*, 45-3.

Storrs, Ronald (1973), *The Memoirs of Sir Ronald Storrs*, New York, AMS Press.

Tsirpanlìs, Zacharias (2009), "La politica scolastica italiana nel Dodecaneso (1912-1943)", Massimo Peri (ed.), *La politica culturale del fascismo nel Dodecaneso*, Padova, Esedra editrice.

集点｜*Focus*

模索する現代ギリシア

村田奈々子

一、近代国民国家の建設

ヨーロッパ列強とギリシアの領土拡張

一八三〇年のロンドン議定書により、ギリシアは独立を認められた。ここから近代国民国家としてのギリシアの歩みがはじまる。ギリシアには、自力で国家を建設する資金もなければ、国民をまとめあげる指導者もいなかった。それゆえヨーロッパ列強——独立当初はイギリス、フランス、ロシアの三国——の「保護」という名の「介入」を許した。三国はギリシアに借款を供与する一方、国内政治に露骨に干渉した。

三国は、ヨーロッパ文明の源泉たるギリシアへの親愛の情から、ギリシアの国づくりに関与したのではない。それにはより現実的な理由があった。オスマン帝国領の帰趨をめぐる「東方問題」は、ヨーロッパ列強にとって、つねに東地中海における外交上の難題であった。オスマン帝国から国家として初めて独立を勝ちとったギリシアが、自律的な行動に走ったり、いずれか一国の影響下に入ったりすることは、あくまで阻止しなくてはならなかった。列強の勢力均衡こそ緊要とされたからである。地政学的要因によるこの「外国からの干渉」は、近現代ギリシアの歴史を大きく特徴づけることになる。

ヨーロッパはまた、ルネサンス以降の古代ギリシア崇拝を、しばしばギリシアに押しつけた。オスマン帝国時代はとるに足らぬ小邑だったアテネを首都としたのも、ヨーロッパ列強の意向を汲んだためであった。アテネ市街には古代ギリシア風の建築物が次々に建てられた。ギリシアは古代に近づくことによって近代化する――ヨーロッパ化すると考えられたのである。

近代国家が建設される過程で、ヨーロッパ列強はさまざまなかたちでギリシアに介入し、自分たちに都合のよいギリシアをつくりあげようとした。ただし、列強の意志がギリシア国民の心をも支配したわけではない。

ギリシア国民は、学校教育や文化啓蒙活動を通じて、古代ギリシアの遺した偉業が近代ギリシアの「文化資本」としていかに大切かを学んでいった。ヨーロッパの古代ギリシア崇拝を理解するようになった。とはいえ、近代ギリシアの国民と古代ギリシア人との間には、アイデンティティ認識の上で大きな隔たりがあった。ギリシア国民は、多神教の古代ギリシア世界とは異なる、一神教のキリスト教(正教)の世界観の中に生きていた。古代ギリシア世界の終焉以降、人々は正教を国教とするビザンツ帝国で、ついで臣民を宗教別に支配するオスマン帝国で、正教徒としてのアイデンティティを獲得していたのである。古代ギリシア人との共通点を求めるなら、それはギリシア語を母語とするという点に限られたといってよい。

ギリシアと正教との結びつきを等閑視し、古代ギリシアばかり崇拝するヨーロッパ列強の態度に、ギリシア国民の感情は揺れた。その鬱屈した心情が生みだした国の理念が、メガリ・イデアと称される、コンスタンティノープルを首都に擬してビザンツ帝国領の再興をめざす領土拡張政策である。そもそもヨーロッパ列強が画定した独立当初のギリシアの国土は、アテネ周辺とペロポネソス半島および周囲のエーゲ海の島々という、非常に狭小な領域だった。国境外には、国内の三倍とも言われる、ギリシア語を母語とする正教徒が残されていた。領土を拡張し、かれらをギリシア国家に包摂することが、真の意味での国民国家ギリシアの完成であり、国家の「使命」であるとみなされた（村田二〇一二a）。

メガリ・イデアは、国内諸勢力の対立を解消し、国民を糾合する理念となったのである。小国たるギリシアが、その軍事力や政治・外交力で、メガリ・イデアを一気に実現することはなかった。ヨーロッパ列強も、メガリ・イデアなど単なる妄想と考えていたふしがある。しかしギリシアは、列強の圧力下にありながら、列強間の錯綜する利害を利用して、少しずつ確実に領土を拡張していった。一八八〇年代までには、ギリシアは一度も戦火を交えることなく、イギリス領イオニア諸島とオスマン帝国領テッサリアを自国に併合した。

対立するバルカン諸国

領土拡張を望む視線は、オスマン帝国支配下にあったエーゲ海の島クレタと、北部国境の外側に広がるマケドニアに向けられた。

クレタでは、正教徒はイスラーム教徒と共存していたが、一八二一年に勃発したギリシア独立戦争を機に、オスマン帝国からの解放を求めるようになった。クレタはヨーロッパ、アジア、アフリカを結ぶ位置にあり、その帰属はヨーロッパ列強の利害に直接かかわる。このため、独立当初のギリシア領に含まれることはなかった。オスマン政府は正教徒の懐柔を図り、かれらを帝国内にとどめおこうとした。しかし、ギリシアへの統合を求める動きは止まず、騒擾が頻発した。正教徒とイスラーム教徒との人口比が逆転したこと、イタリアで統一運動が成功したことが、正教徒住民のギリシアへの統合の夢をふくらませた。

ヨーロッパ列強は、住民の願いを頑として聞き入れようとしなかった。一八九六年、統合を求める運動は激化し、大規模な蜂起に発展した。ギリシア国内の民族主義者がこれに呼応し、武器や資金とともに非正規の戦闘員を送った。

もはや列強による制止はきかなかった。一八九七年、政府は熱狂する国民に押され、艦船と軍隊をクレタに派遣した。同年四月、オスマン帝国を相手にした独立ギリシア初の戦争が勃発した。

戦争は三〇日足らずでギリシアの惨敗に終わった。国民はメガリ・イデアを実現するに足る国力が調わない現実を認めざるを得なかった。経済状況一つをとってもそれは明らかだった。一九世紀末のギリシアは債務不履行に陥っており、この戦争の後、国家財政は列強の管理下に置かれたのである。もっとも、列強の介入により、賠償金の支払いや領土の割譲は最小限に抑えられた。しかもクレタは帝国内で自治領の地位を獲得し、ギリシア国王の皇子に統治者の役割が与えられた。クレタは帝国支配から実質的に脱した。これはメガリ・イデアにとって福音となった。バルカン戦争を経た一九一三年、クレタは正式にギリシア領となった(村田 二〇一二 a)。

クレタでは早くから正教徒にギリシア人意識が定着し、ギリシアへの統合が志向された。一方マケドニアでは、多様な言語を母語とする正教徒が混住しており、近代国民国家の形成に必須とされる、特定の民族への明確な帰属意識――民族アイデンティティ――の醸成が遅れていた。このため、マケドニアの獲得はより複雑な展開を示すこととなった。

ギリシアは、マケドニアをめぐって、オスマン帝国領バルカン半島のスラヴ系諸民族の民族主義と対峙せねばならなかった。一八七八年のベルリン条約により、セルビア王国が独立を果たし、ブルガリア公国の建国が認められた(柴 二〇一五)。さらなる領土獲得をめざすこの二つの国が、ギリシアの前に立ちはだかった。これら三国は、民族アイデンティティが曖昧なマケドニアの正教徒を、自民族の陣営に取り込もうと躍起になった。一九世紀末から二〇世紀初頭には、それぞれの国家がゲリラを送り込み、武力によって自国の民族意識を強要するまでに対立は激化した。

バルカン諸国の対立の中で、民族アイデンティティに「覚醒」し、帰属する国家の民族主義に肩入れする住民も現れた。しかし多くの住民にとって、アイデンティティは流動的だった。今日ギリシア人だった住民が、翌日ブルガリア人を名のることも珍しくなかった。同じ家族に異なる民族が共存することがけっして不思議ではなかった。刻一刻と状況が変わる三つ巴のゲリラ戦の只中において、民族アイデンティティは「どの民族を名のることが、今現在を生きのびる上で最も有利か」という現実的な計算に基づいて選択された(Karakasidou 1997)。

マケドニアをめぐるバルカン諸国の争いは、ヨーロッパ列強にとって対岸の火事ではなかった。複雑に絡み合う同盟関係を通して、列強の利害は深くバルカン諸国と結びついていたからである。マケドニアは「ヨーロッパの火薬庫」として危険視された。列強は連携して国際部隊を派遣したり、安定化策を講じたりしたが、目立った効果は見られなかった(桜井 二〇一二、柴 二〇一五)。

一九〇八年の青年トルコ革命により、三国の対立は一時小康状態を呈した。オスマン帝国内の自由主義的な改革が、マケドニアにおける民族対立を収束に導くことが期待された。しかし革命が中央集権的なオスマン主義を本質とし、バルカン諸国の利害とはそぐわぬことが明らかになると、平和的解決の機運は失われた(永田 二〇〇二、Clogg 2021)。バルカン諸国は再び争いの渦に投げ込まれ、一九一二—一三年には二度にわたるバルカン戦争が勃発した。戦争の結果、マケドニアはオスマン帝国の手を離れ、ギリシア・セルビア・ブルガリアの三国により三分割された。ギリシアは、オスマン帝国の商業・海港都市として繁栄したテッサロニキを含む、海岸部のマケドニアを獲得した。この他にもイピロス、エーゲ海のいくつかの島々、そしてクレタを自国に併合した。

一九世紀末の対オスマン帝国の戦争で大敗を喫したギリシアは、メガリ・イデアの実現を諦めかけていた。しかし、バルカン戦争の勝利で国力の充実と近代化の進展を実感した国民は、自信を取り戻した。ギリシアの領土拡張の野望は、次の段階へ向かった。

国民の分断とギリシア世界の縮小

バルカン戦争での勝利は、首相エレフセリオス・ヴェニゼロスの手腕によるものだった。クレタ生まれのヴェニゼロスは、若い頃からクレタのギリシア併合への動きにかかわり、国際政治の駆け引きに学びながら、政治指導者として頭角を現した。自治領となったクレタでギリシア皇子を補佐した彼は、閉塞状況にあった二〇世紀初頭のギリシア政治に風穴を開け得る人物として、ギリシアの輿望を担うようになった。現状打破を目指した一九〇九年の軍事クーデタの後、ヴェニゼロスはギリシアに招かれ、首相に就任した。

ヴェニゼロスの強みは、派閥争いに明け暮れていたギリシア政治のしがらみから自由なことだった。彼は強力な指導力を発揮して、ギリシアが名実ともに独立国家として認められるよう、次々に近代化政策——行政の効率化を目指した法整備、軍隊の再建、財政健全化のための税制改革、インフラの整備、産業の振興、社会保障の充実——を推し進めた。

ヴェニゼロスの政治は、ギリシアに新たな活力をもたらした。一方で、彼の政治手腕への評価をめぐり国民が分断される状況が生まれた。これまで政治的回路を持たなかった中産階級の人々と、バルカン戦争後にギリシアに編入された新領土の住民は、国家の「救世主」として彼を熱狂的に支持した。一方で、旧領土の国民や旧来の政治ネットワークと結びついていた人々は、ヴェニゼロスの辣腕を快く思わなかった。ヴェニゼロスに批判的な人々は国王のまわりに結集した(村田 二〇一二a)。

両陣営の対立は第一次世界大戦の勃発で先鋭化した。ヴェニゼロスはメガリ・イデアの実現に有利とみなして、連合国側での参戦を主張した。それに対し、国王は中立を望んだ。二人の意見の対立は解消せず、国王はヴェニゼロス首相を解任して、反ヴェニゼロス派の政治家を首相にすえた。ヴェニゼロスは、連合国の後押しで、ギリシア第二の都市テッサロニキにアテネの政府に対抗する政府を樹立した。一つの国家に二つの政府が併存する状況が現出した。

政治家のみならず、国民も、それぞれが支持する政府のもとに分断された。
イギリスとフランスがこの状況に介入し、圧力をかけた結果、ヴェニゼロスが勝利した。ヴェニゼロスはアテネに帰還し、国王は王位を息子に譲って亡命した。ギリシアは、第一次世界大戦も終盤となった一九一七年に、連合国の一員として参戦した。ギリシアは国家として再び統一された。しかし、ヴェニゼロスの支持・不支持をめぐる国民の分断は続き、戦間期のギリシア社会の不安定化を招いた。

一九二〇年、第一次世界大戦で敗戦国となったオスマン帝国と連合国との間で、セーヴル条約が締結された。戦勝国となったギリシアは、エーゲ海の島々やイスタンブルに近いトラキアを獲得した。さらに、連合国によるオスマン帝国の小アジア領分割に乗じて、小アジア西岸の港湾都市スミルナとその周辺地域の五年間の行政権を獲得した。スミルナがオスマン帝国領にとどまるかギリシア領となるかは、五年後の住民投票が決定する。当時スミルナの人口の約六割がギリシア人だったことを考慮すると、ギリシア領への併合はほぼ確実の情勢だった。アジアとヨーロッパ大陸にまたがる領土を持つことで、ギリシアがメガリ・イデアの夢を実現するのは時間の問題と思われた(村田 二〇一二a)。

その期待は、オスマン帝国に見切りをつけたムスタファ・ケマル率いるトルコ革命政府の樹立によって打ち砕かれた。トルコ人の国民国家を小アジアに建設することを目指した革命政府軍は、ギリシア軍と激しい戦闘を繰り広げた。この間にギリシアでは、好戦的なヴェニゼロスが国政選挙で敗れ、反ヴェニゼロス派の政権が樹立された。ただし、この政権もメガリ・イデアという国家の長年の夢を捨ててはいなかった。バルカン戦争から断続的に続く戦争で、国民の間には厭戦気分が高まっていたものの、戦争は継続された。

第一次世界大戦以降、一貫してヴェニゼロスを支持してきた列強は、支援を請う反ヴェニゼロス派政府に冷淡だった。一九二二年八月末、ギリシアは大敗を喫した。九月、トルコ革命政府軍がスミルナに入城した。数日後、正教徒居住地区から火の手があがった。炎が燃えさかるなか、ギリシア人やアルメニア人は身一つで逃げまどい、港に停泊していた船舶に助けを求めた。幸運な者だけがギリシア領に移送された。多くの者はそのまま命を落とした。スミルナは灰燼に帰した。

この「小アジアの破滅」で、紀元前から続いた小アジアのギリシア世界は消滅した。一九二三年、ローザンヌ条約が締結された。これによりギリシアは、セーヴル条約で獲得した領土のほぼすべてを失った。同年、ギリシアとトルコとの間で住民交換協定が結ばれた(Hirschon 2003)。国際連盟の監視下、小アジアからギリシアへ一〇〇万から一五〇万人の正教徒(ギリシア人)の移住が強制された。ギリシアからは約四〇万人のイスラーム教徒(トルコ人)がトルコへの移住を余儀なくされた。かれらは、長年住み慣れた故郷を逐われ、難民として未知の「母国」に足を踏み入れることになった。

ギリシア・トルコ戦争の結果、ギリシア人の居住地は、歴史上はじめてバルカン半島南端のきわめて狭小な領域にほぼ集約されることになった。全ギリシア人のギリシア領への包摂という観点から見るならば、メガリ・イデアの夢は叶えられたことになる。しかしながらそれは、当初意図していた領土拡張によってではなく、人々を小国ギリシアに移動させることによって達成されたのだった(村田 二〇一二 a)。

二、混乱の戦間期

不安定な共和制と難民政策

「小アジアの破滅」直後、ヴェニゼロス派の将校がクーデタを起こし、実権を掌握した。ギリシア・トルコ戦争敗北の責任は、反ヴェニゼロス派政府の政治家と軍人に帰せられた。ヴェニゼロス派からなる軍法会議で、反ヴェニゼロス派六名に国家反逆罪が言い渡され、速やかに死刑が執行された。両者の相剋は政敵の生命を奪うまでに激化していた。

ヴェニゼロス派の反撃はこれにとどまらなかった。国王は亡命を余儀なくされ、一九二四年、国民投票によってギリシアは君主制から共和制に移行した。ただし共和制の政体はギリシアになかなか根づかなかった。ヴェニゼロス派は、反ヴェニゼロス派の力を完全に削ぐにいたらず、両者は互いに溝を深めた(村田 二〇一二a)。

不安定な共和制の下で、ギリシアが直面した最大の困難は、小アジアから流入した大量の難民をいかに国家に統合するかだった。人口五五〇万人のギリシアは一〇〇万人を超える難民を受け入れた。定住を促す作業は容易ではなかった(Clogg 2021; Hirschon 2003)。

国の安全保障を第一に考える政府は、難民の居住地を北部の国境付近に集中させた。ギリシア領内に居住するスラヴ語話者を盾に、国境線の修正を求める近隣のスラヴ諸国を牽制する狙いからだった。北部の主要都市テッサロニキにも積極的に難民が呼び込まれた。歴史的にユダヤ人の人口が最大比率を占めるこの都市のギリシア化を図ったのである。経済活動や社会生活を営む上で難民は優遇され、ユダヤ人はその犠牲となった(村田 二〇一二b)。

とはいえ、難民は旧来からの国民に快く受け入れられたわけではない。難民の中にはトルコ語を母語とし、ギリシア語を話さない者も多かった。黒海地方特有のギリシア語しか話せない者もいた。旧来からの国民は、かれらは本当に自分たちと同じギリシア人なのかと訝った。難民が自分たちの仕事を奪う可能性もあった。難民は「母国」で強烈な差別にさらされた。一方で、スミルナのような大都市出身の難民のなかには、「遅れた」小国ギリシアに生きる人々を、逆に見下す者が少なくなかった。国民の分断は深まり、難民のギリシア社会への統合は二世代、三世代先まで持ち越されることになる。

ヴェニゼロスの政治

一九二八年にはじまったヴェニゼロス首相最後の任期は、四年という長期にわたった。一九一〇年代に初めて首相に就任した時と同様、彼はギリシアの経済、社会生活の近代化政策を次々に打ち出した。

教育の分野では、学校の増設とさらなる教育の普及が目標にすえられた。それまでほとんど顧みられることのなかった農業分野のテコ入れもおこなわれた。工業分野では、税制の優遇措置により、関連企業の合併が進み、新たな工場も増加した。

増加した労働者に対し、ヴェニゼロスはアメとムチの政策をとった。労働者の福利厚生に配慮した社会保険制度の設計に着手し、福祉国家の第一歩をしるす一方、労働運動や新たに結成された共産党の活動は徹底的に抑え込もうとした(村田 二〇一二 a)。

ヴェニゼロスの外交姿勢は、ヨーロッパ列強への依存から、善隣友好関係の構築へと変化した。彼は、国境線の現状維持が国の安全保障にとっては最善であると判断し、メガリ・イデアを完全に放棄した。イタリアによるギリシア領コルフ島占拠事件(一九二三年)により、国際連盟が小国ギリシアを守る盾とはならないことが明らかになったため、敵対していた隣国との関係改善を急いだのである。

ヴェニゼロスは、バルカン諸国との連携を強化することで、列強に依存することなく、地域の利益を拡大できる環境をつくろうと奔走した。しかしながら、領土修正に固執するブルガリア、バルカンの覇権を握ろうとするユーゴスラヴィア、ギリシア系マイノリティを抱えるアルバニアを相手に、包括的安全保障体制を構築するのは至難の業だった。

近隣諸国の中で、ギリシア領の現状維持を支持したのは、トルコ大統領ムスタファ・ケマルである。ヴェニゼロス同様、ケマルもまた、ヨーロッパ列強がバルカン・東地中海地域に介入し続けることを懸念していた。二年にわたる両国の交渉は、一九三〇年のアンカラ協定に結実した。双方で国境線が公式に承認され、東地中海における海軍力の均衡が確認された。トルコとの和解が成立したことは、ギリシアにとって大きな安心材料となった。

君主制への回帰と独裁政権の樹立

アメリカを震源地とする一九二九年の世界恐慌は、ギリシアにも衝撃を与えた。難民定住政策に伴う多大な支出を強いられていたギリシアは、国家財政の危機を迎えた。ヴェニゼロスは融資獲得のためヨーロッパ各国を訪問したが、成果はなかった。一九三二年、国家財政は債務不履行に陥った。失業者が急増し、国民生活も目に見えて悪化した。

この経済危機を契機に、「小アジアの破滅」以来息をひそめていた反ヴェニゼロス派が攻勢にでた。一九三三年、反ヴェニゼロス派の人民党が国政選挙で勝利を収め、政権を掌握した。反ヴェニゼロス派による、ヴェニゼロス暗殺未遂事件もおこった。両派の対立は再び激化した。一九三五年三月のヴェニゼロス派によるクーデタは失敗に帰した。ヴェニゼロスはパリに亡命し、翌年客死した(Clogg 2021)。

反ヴェニゼロス派の中には、国王を支持する勢力が、まだ根強く残っていた。一九三五年一〇月、この勢力に圧されて人民党の首相が辞任し、共和制の廃止が宣言された。翌一一月、イギリスに亡命していた国王が一二年ぶりにギリシアに帰還し、君主制が復活した。

しかしながら政情は安定しなかった。ヴェニゼロス派と反ヴェニゼロス派の争いの陰で、第三の勢力――左翼・共産主義勢力――が着実に力をつけていたのである。共産主義勢力の脅威は、内政の右傾化を招いた。一九三六年四月、国王は極右政党党首イオアニス・メタクサス将軍に政権を託した。八月、メタクサスは憲法を停止し、独裁体制を敷いた。

メタクサスの独裁は、当時の他のバルカン諸国と同様、国王に保護される体制だった。メタクサスは、ドイツ第三帝国に倣って、自らの独裁を支える理念である「第三ギリシア文明」というスローガンをつくりだした。彼は反共産主義、反自由主義、反議会主義を掲げた点で、同時代のドイツやイタリアと価値観を共有する。その体制が、全体主義を志向して国民を管理・統制し、ナチ式の敬礼をも取り入れるなど、ファシズムの様相を呈していたことは確かである。ただし、ドイツやイタリアの政治体制と同質と言えるかは疑問であろう。人種差別的な要素が皆無だった点、何よりギリシア王室と結びついたイギリスとの関係維持を重視していた点を考慮する必要があるからである（Clogg 2021）。

メタクサスは、秘密警察を駆使して、左翼・共産主義者を徹底的に弾圧した。彼らの一部は地下活動に入った。メタクサスによる共産主義者への見せしめによって、共産主義に無知な人々のあいだには、この思想が何か恐ろしいものであるとの認識が広がった。この共産主義こそ、その後のギリシアを引き裂く決定的な要因となるのである。

三、第二次世界大戦と内戦

枢軸国による占領と抵抗運動

ギリシアの第二次世界大戦は、一九四〇年一〇月末、アルバニア国境からイタリア軍が国内に侵攻したことにはじまる。イタリアから最後通牒を突きつけられた際、メタクサスが放ったとされる「オヒ（否）」の一言は、独裁者としての負の評価を帳消しにして、彼をギリシア民族の英雄に押し上げた。イタリア軍の国内駐留を拒否したギリシアは、連合国側で参戦した。

国民の愛国心は高まり、ギリシア軍は総力をあげてイタリア軍を撃退した。しかし翌一九四一年春のドイツ軍の侵攻を阻止することはできなかった。アテネのアクロポリスの丘にはハーケンクロイツの旗がひるがえった。ギリシア全土はまもなく枢軸国三国(ドイツ・イタリア・ブルガリア)によって分割・占領された。

政府と国王は国外へ亡命し、ギリシアには傀儡政権がつくられた。戦争開始以前に活動していた主要な政治家が沈黙するなか、一九四一年の夏ごろから、抵抗運動が徐々に組織化されはじめた。

一九四一年九月、複数の抵抗運動集団を束ねる政治組織として、民族解放戦線(EAM)が設立された。EAM配下の軍事組織として、ギリシア民族解放軍(ELAS)もつくられた。EAM/ELASは、占領下のギリシアにおいて、全国的規模を有する最強の政治的・軍事的抵抗組織となった。最盛期には、EAMおよびその関連組織に、全人口の三分の一にあたる二〇〇万人ものギリシア人が参加したと言われる(村田 二〇一一a)。

EAMの設立に主導的役割を果たしたのはギリシア共産党であり、指導部も主に共産党員によって占められた。メタクサス時代に培われた地下活動の経験が、抵抗運動の組織と拡大に役立ったのである。ただし、EAMを共産党と同一視することはできない。EAMには、自由主義者や君主制反対論者なども含めて、ギリシア社会の幅広い層から多様な思想信条を持つ人々が参加していた。エリート政治家が独占する国政から疎外されてきた人々も数多く参加した。愛国的な意志のみが彼らを結びつけていた。ELASにより枢軸国から解放された地域では、自治的な組織が次々に立ち上がり、ラオクラティア(人民による支配)の実現を目指す民主的な運営がはじまった(同上)。

抵抗組織としてのEAMの優位が揺らぐことはなかった。一方で、非共産党系の抵抗組織もいくつか存在した。なかでも有力だったのは共和右派の国民民主ギリシア同盟(EDES)だった。

同盟国のイギリスは、当初EAMとEDES双方と連携することで、枢軸国に対しより効果的な攻撃をしかけようとした。このためイギリスは、EAMとEDESの双方に武器と軍事専門家を供与した。これら三者の協働が成功を収めたのは、一九四二年一一月のゴルゴポタモス高架橋爆破である。北アフリカで戦闘を続けるドイツ軍の補給路となっていたこの鉄道橋の爆破は、ドイツに大きな打撃を与えた。しかしこれを最後に、こののちEAMとED

ESの二大抵抗組織が手を組むことはなかった。イギリスの真の狙いが明らかになることで、信頼関係が崩れたからである。

ウィンストン・チャーチル率いるイギリス政府は、すでに戦後のギリシアの政体を展望していた。イギリスは、枢軸国による占領とともに早々と国を去った国王と政府を、ギリシアに帰還させることを視野に入れていた。EAMとEDESは、戦後の国のかたちを決める主体として、イギリスに認められていないことに幻滅と怒りを覚えた。抵抗組織は、自分たちが単なるイギリスの手持ちの駒であることを知った(同上)。

ことにEAMとイギリスとの関係は悪化した。イギリスは占領地域を枢軸国軍から次々に解放していたELASの優れた軍事能力を必要とした。一方で、EAMの共産主義者がソ連と手を組むことを恐れていた。ソ連がギリシアと東地中海に影響力を行使し、イギリス帝国の権益を損なうことが危惧された。イギリスは、EAMが必要以上に強くなることを望まなかった。イギリスは、EAMの支援を控え、EDESのみに援助を供与することで、最悪の事態を避けようと画策した。このイギリスの動きは、国内の抵抗組織が統一される可能性を塞いだだけでなく、抵抗組織どうしが敵対する素地をつくりだした。

内戦のはじまり

イギリスへの不信と長期化する抵抗運動の緊張のなかで、EAM構成員のあいだには、組織内の人間以外はすべて敵だと考える心理が徐々に醸成されていった。EAM/ELASは、枢軸国軍だけでなく、ギリシア人の対敵協力者をも攻撃しはじめた。さらには、他の抵抗組織に対する暴力行為にも及ぶようになった。内戦のはじまりである。

一九四三年秋、EAMは他の抵抗組織の殲滅を開始した。EAMは、イギリスからの援助が途絶えた後、降伏したイタリア軍の武器を鹵獲《ろかく》することで戦闘を続けた。とくにEAMの激しい攻撃にさらされたのはEDESである。

EDESの成員のみならず、その親兄弟、親戚も命を狙われた。こうしてEDESの勢力は減衰していった。

ギリシア人どうしの殺し合いは、ドイツにとって好都合だった。ドイツ軍と、これに協力するギリシア人からなる治安大隊は、共産主義の脅威からギリシアを防衛するためと称して、EAMへの攻撃を正当化した。共産主義とは危険で恐ろしい思想だという、戦間期にギリシア社会に浸透した認識がよみがえり、ナチズムに同調する人々が現れるようになった。ギリシア亡命政府やイギリス政府からも、EAMの撲滅という観点から、治安大隊を評価する声が聞かれた。治安大隊への協力は必ずしも利敵行為を意味しないとの安心感から、入隊を決意する者も現れた。右翼・君主制支持者も治安大隊に参加していった。政治思想とは無関係に、ただ戦時の飢えと貧しさのために入隊する者も少なくなかった。

ドイツ軍と治安大隊によるEAMへの攻撃は激しさを増していった。対抗するEAMの残虐さもエスカレートした。今やEAMは共産主義者からなる一枚岩的な組織とみなされていた。共産主義勢力と右翼・君主制支持者からなる反共勢力との対立という、枢軸国軍撤退後のギリシア内戦の構図が、ここに輪郭をあきらかにしていった（村田二〇一二 a）。

一九四四年一〇月、ドイツ軍が撤退し、ギリシアは解放された。イギリスの仲介により亡命政府が帰還した。政府は占領期の対敵協力者や治安大隊を罰することはなかった。一方で、左翼勢力を抑え込もうとする態度を鮮明にした。まもなく、ELASの武装解除とイギリスが先導する国民軍の創設をめぐり、EAMと政府との対立が深まった。解放に尽したEAM／ELASを評価せず、むしろ排除しようとする政府の態度は、EAMには受け入れがたいものだった。武装解除期限が迫る一二月、アテネでEAMによるデモ行進が行われた。これをきっかけに、ELASと政府側勢力――右翼・君主制支持者、元治安大隊員で構成される国家警備隊、イギリス軍――との間で一カ月に及ぶ市街戦が展開した。政府側勢力はイギリスの支援を得て勝利し、ELASは武装解除に応じた。EAMの影響力は著しく低下した。枢軸国軍からの解放後も続く戦闘に、人心も少しずつＥＡＭから離れていた。国民は平和と生活の安定を求め、援助が期待できるイギリス寄りの政府になびいていった。占領期に国民が思い描いたラオクラティアの理想は霧散した。

ＥＬＡＳの武装解除に続いたのは、右翼・君主制支持者による白色テロだった。左翼・共産主義思想を疑われた者、ＥＡＭで抵抗運動に参加した者が、右翼の暴力の餌食となった。政府はこれを黙認した。無法・無秩序状態にあった終戦直後のギリシアは、イギリスの援助に支えられ、左翼・共産主義者を抑圧することで、国家の再建に着手した。

一九四六年三月、戦後初の国政選挙が、イギリス、フランス、アメリカの監視下で実施された。左翼・共産主義勢力は、白色テロの状況下で公正な選挙は望めないとして、棄権を決めた。こうして右翼・君主制支持派が勝利した。不正を疑われた同年九月の国民投票で、国王の帰還が承認された。戦前の政治秩序への回帰がここに決定づけられた。

冷戦とギリシア

ギリシア人どうしの殺し合いは続いた。白色テロの標的となった人々の多くは山岳地帯に逃れた。一九四六年一〇月、ギリシア共産党はこれらの人々を成員とする民主軍を結成した。ギリシア社会の幅広い層が参加した占領期のＥＡＭ／ＥＬＡＳとは異なり、民主軍は共産党が確固とした主導権を握り、共産党のイデオロギーをより明確に打ち出した組織だった。民主軍は、外国の影響力からの解放と、農民・労働者大衆による新たなギリシアの建設を目指した。同年末には政府軍とのあいだに一触即発の緊張が高まり、一九四七年には全面的な内戦に突入した。共産主義者はもはやギリシア人とさえ見なされず、近隣の共産主義国と結んでギリシアを脅かす敵と位置づけられた（村田 二〇一二 a）。

一九四七年三月末にイギリス軍が撤退すると、アメリカがギリシア内戦に介入した。これに先立ち、アメリカ大統領ハリー・トルーマンは議会で演説し、反共、封じ込めのためのギリシアへの経済的・軍事的援助に関する了解をとりつけていた。ギリシアが共産主義者の手に落ちれば、「自由世界」は連鎖的に全体主義の恐怖と抑圧にさらされる——と警告したのである(Clogg 2002)。この演説は冷戦の先触れを告げるトルーマン・ドクトリンとして今日知られている。ギリシアは「自由世界」防衛の最前線に位置づけられたのである。

一九四七年一二月、ギリシアは戦後の「自由世界」で最初に共産党を非合法化した。反民族的で、共産主義思想を持つと判断された者は、「忠誠違背」の烙印を押され、失職するばかりか社会生活全般から排除された。違背者自身だけでなく、時には親戚縁者に対してまで、国外退去、刑務所収監、財産没収、国籍剥奪、死刑といった処罰が科された。左翼・共産主義者のなかには転向を表明する者が出る一方、自らの信念を曲げず死を選ぶ者も少なくなかった。

政府軍の激しい攻撃に晒されながら、民主軍は優勢に戦いを進めた。しかしながら、アメリカの介入は内戦の転換点となった。アメリカから莫大な資金と軍事支援がもたらされるようになると、政府軍の兵力は飛躍的に向上し、作戦も洗練され効果を発揮するようになった。民主軍は徐々に追い詰められていった。

ただし、民主軍劣勢の原因を、アメリカの介入のみに帰することはできない。民主軍にも問題があった。民主軍が実施した強制的な兵の徴募や、子どもを戦闘地域から共産主義諸国に移送する措置は、共産主義に一定の理解を示していた自由主義者たちを離反させた。同じ民主軍の兵士として闘う北部国境地域のスラヴ語話者に対し、差別意識や偏見を持つギリシア人兵士もいて、軍の結束を乱した。外的要因として、アメリカの介入以上に痛手だったのは「東側」の事情だった。ソ連とユーゴスラヴィアの関係が悪化し、一九四八年にコミンフォルムからユーゴスラヴィア共産党が除名された。ギリシア共産党指導部はソ連支持を選択した。この結果、民主軍を支援してきたユーゴスラヴィア共産党との結びつきが途絶えた。ギリシアとの国境をユーゴスラヴィアが閉鎖したことで、ユーゴスラヴィアにいた数千の民主軍兵士は、ギリシアに戻ることができなくなった(Chimbos 2000)。

しかしながら、当時のギリシア人に全く知らされていなかった事実がある。一九四四年一〇月、ギリシアからドイツ軍が撤退するのと前後して、チャーチルとヨシフ・スターリンとのあいだで、戦後のバルカン諸国の勢力分割に関する密約(パーセンテージ協定)が結ばれていた。取引されたのはギリシアとルーマニアである。イギリスはギリシアを欲し、ソ連はルーマニアを欲した。ソ連は東欧での影響力を固めることに注力し、地理的に遠く隔たったギリシアはイギリスに託した。戦後のギリシアが「西側」に属することは、ギリシアの与り知らぬところで決められていたのである(水本 一九九七、Gerolymatos 2004)。

一九四九年八月、ギリシアとアルバニアとの国境での戦いで、民主軍は潰走した。一〇月、共産党指導部は武力闘争の中断を発表した。アメリカはギリシア内戦が実質的に終結したと判断した。一一月、トルーマン大統領は政府軍の勝利に祝意を表明した。

内戦終了後、八万人から一〇万人と言われる左翼・共産主義者が、政治難民として「鉄のカーテン」の向こう側に渡った。ギリシアは、地理的には(南)東ヨーロッパに位置し、周囲を共産主義国に囲まれながら、政治イデオロギー的には西ヨーロッパの自由主義世界の砦となった。戦後のギリシアはアメリカの強い影響下にあり続けた。左翼・共産主義者への迫害や差別は一九七四年まで続いた。一九七四年の軍事独裁政権崩壊後、ようやく共産党は合法化された。占領期のＥＡＭ／ＥＬＡＳの抵抗運動が再評価され、内戦時の政治難民がギリシアへの帰国を認められたのは、一九八一年に中道左派政党の全ギリシア社会主義運動(ＰＡＳＯＫ)が政権を握ってからのことである。

参考文献

桜井万里子編(二〇〇二)『世界各国史17 ギリシア史』山川出版社。

柴宜弘（二〇一五）『図説 バルカンの歴史』河出書房新社。
永田雄三編（二〇〇二）『世界各国史9 西アジア史Ⅱ イラン・トルコ』山川出版社。
水本義彦（一九九七）「英・ソ連「パーセンテージ」協定（一九四四年一〇月）の再考」『国際学論集』第四〇号。
村田奈々子（二〇一二a）『物語 近現代ギリシャの歴史――独立戦争からユーロ危機まで』中公新書。
村田奈々子（二〇一二b）「「ギリシア人」の境界――戦間期サロニカのユダヤ人から考える」『言語と文化』第九号。
Chimbos, Peter D. (2000), "Civil War", Graham Speake (ed.), *Encyclopedia of Greece and the Hellenic Tradition*, vol. 1, London & Chicago, Pitzroy Dearborn Publishers.
Clogg, Richard (2002), *Greece 1940-1949: Occupation, Resistance, Civil War*, New York, Palgrave Macmillan.
Clogg, Richard (2021), *A Concise History of Greece*, 4th edition, Cambridge & New York, Cambridge University Press.
Gerolymatos, André (2004), *Red Acropolis, Black Terror: The Greek Civil War and the Origins of Soviet-American Rivalry, 1943-1949*, New York, Basic Books.
Hirschon, Renée (ed.) (2003), *Crossing the Aegean: an Appraisal of the 1923 Compulsory Population Exchange between Greece and Turkey*, New York, Berghahn Books.
Karakasidou, Anastasia N. (1997), *Fields of Wheat, Hills of Blood: Passages to Nationhood in Greek Macedonia, 1870-1990*, Chicago & London, The University of Chicago Press.

コラム｜Column

兵営の女装者

――兵士と市民のジェンダー史

松原宏之

第二次世界大戦中の米軍基地では、男性兵士たちによるダンスや歌を織り交ぜた喜劇ショーがさかんに上演された(写真)。健全かつ士気高い兵営を保つために、娯楽の提供は米軍の一大関心事であった。

このとき欠かせなかったのが女装であった。写真は、一九四二年初演の「これが陸軍だ」の一幕である。濃い化粧に、胸パッドを入れ、すね毛もあらわに足をみせる男性兵士の女装が笑いを取った。

余興のようでいて、ここには近代国民国家のジェンダー規範が凝縮されていた。一方でこの笑いは、兵士の男らしさを確かめた。女装者の逸脱ぶりをあざけり、軍中の同性愛者を牽制した。ただし他方で垣間見えるのは、その男性性の脆さである。

経緯をおさえておこう。この男らしさ(マスキュリニティ)は、二〇世紀はじめまでの危機の産物であった。米国人男性は、かつてなく異性愛を標準とみなし、身体的な強さを誇示するようになっていた。

一八世紀末に自由と平等をかかげて誕生した米国だが、当初は財産所有者のみが参政権をもった。たとえ白人男性でも、無産者には自立した市民でいることは期待できないとされた。一九世紀に投票権者は拡大していくが、貧民や労働者の自立性は疑われ続ける。市場経済が拡大すると、世襲的な土地財産所有者ももはや安泰でなかった。大企業が幅を利かせると、商店主や親方職人も自立の危機に陥った。奴隷身分が消滅すると、自由民であることも特権でなくなった。

このとき、妻や子どもを養う家長でいることは、指図を受けない自立の証しであった。そして、天与の身体的特質のはずである男らしさや異性愛は、その自立を守る最後の砦に思われたのである。

ところが危機は続いた。一九一九年には女性参政権が認められた。一九二九年の大恐慌は、男たちから職をうばいその肉体的な壮健を無意味にした。

さて第二次世界大戦は、一六〇〇万人もの応召兵たちが男らしさを確かめる機会になっただろうか。一面ではそう言える。前線の男性兵士たちは、雄々しく愛国的な主体であった。ただし他面で、その男性性の足場は脆い。戦場では、殺傷力を高めた武器の前に男らしい勇猛さは無力であった。兵営では、兵士たちは女優のピンナップ写真を貼り出し、性的な冗句を連発して異性愛男性同士の絆をつよめる。しかしそれは、市民生活からも家族や恋人からも切り離された場での一時しのぎの紐帯であった。

三五万人もの女性の入営で、軍隊はもはや男だけのものではなくなった。多数が後方支援に就いたが、飛行機パイロットから部隊を指揮する士官まで女性軍人の存在感は小さくない。民間でも、女性たちは肉体労働を含む男の職場へと進出し、男たちに取って代わる活躍をみせた。

新兵には、多くの同性愛者をも含んだ。その数は男性で六十五万から一六〇万人とも言われる。かれらはこの愛国的戦争への参加を望み、また同性愛を理由に不適格とされぬよう徴兵検査をかいくぐった。

米軍は公式には同性愛を忌避し、同性愛の発覚はいじめや除隊を招いた。それにもかかわらず、同性愛者たちは軍内に機会を見いだした。過剰な男性性に倦んだ兵営にあって、同性愛者たちは、もの静かな男、本の虫、どこか女性的な者などとして居場所を得た。なかには兵営芝居の女装者を務める者もいた。軍隊は、同性愛者たちが知り合う場でもあった。男性たちの集団生活は、同輩間の親密でときに性的な関係を育んだ。女性同士が親密になるのはより容易であった。おおっぴらにならない限り、こうした関係は軍隊において黙認された。

喜劇ショー *This is the Army*（アメリカ国立公文書館）

こうした背景をふまえると、女装者への笑いは緊張をはらんでいたと言える。兵士たちは女装をもの珍しく喜んだだけではない。女装者が可視化したのは、男性兵士の日々の綱渡りである。一方で、軍隊は市民や兵士にふさわしい男性性を誇示する場であった。女装者は、あってはならない逸脱の象徴であった。しかし他方で、その男らしさは常に破綻の可能性をはらんだ。女装者たちは、その破綻が芝居でのみ起きるかのように保証しつつ、ふだんは皆が気づかないふりをする男らしさと異性愛主義のほころびを存分に表現した。兵士たちは、このきわどさを警戒と喝采とをないまぜにして味わったのであろう。

戦争末期以降、ついに軍は同性愛の黙認を危険とみた。米軍は男女を問わず同性愛者を見つけては不名誉除隊に処し、戦後も追及を続けた。同性愛者は、兵士の資格、愛国的市民という地位を脅かされ、恩給などの支援制度から外される。異性愛主義を制度化する試みと言えよう。

もちろん、この試みが成功するのかはまた別の話である。従軍経験を積んだ同性愛者とその後続世代は、一九六〇年代以降に反撃を開始することになる。近代国民国家の要石としての異性愛主義はあらためて挑戦を受けるのである。

【執筆者一覧】

後藤春美(ごとう はるみ)
1960年生．東京大学大学院総合文化研究科教授．国際関係史・イギリス現代史．

藤波伸嘉(ふじなみ のぶよし)
1978年生．津田塾大学学芸学部教授．オスマン帝国史．

中村元哉(なかむら もとや)
1973年生．東京大学大学院総合文化研究科教授．中国近現代史．

高橋　均(たかはし ひとし)
1954年生．東京外国語大学大学院総合国際学研究院特任教授．ラテンアメリカ研究．

林田敏子(はやしだ としこ)
1971年生．奈良女子大学研究院生活環境科学系教授．イギリス近現代史．

塩出浩之(しおで ひろゆき)
1974年生．京都大学大学院文学研究科教授．日本近現代史．

小野容照(おの やすてる)
1982年生．九州大学大学院人文科学研究院准教授．朝鮮近代史．

根本　敬(ねもと けい)
1957年生．上智大学総合グローバル学部教授．ビルマ近現代史．

石田　憲(いしだ けん)
1959年生．千葉大学大学院社会科学研究院教授．国際政治史．

村田奈々子(むらた ななこ)
1968年生．東洋大学文学部史学科教授．ギリシア近現代史．

榎本珠良(えのもと たまら)
1977年生．明治大学研究・知財戦略機構特任教授．国際政治学．

山口昭彦(やまぐち あきひこ)
1964年生．上智大学総合グローバル学部教授．近世・近代西アジア史．

小関　隆(こせき たかし)
1960年生．京都大学人文科学研究所教授．イギリス・アイルランド近現代史．

石川禎浩(いしかわ よしひろ)
1963年生．京都大学人文科学研究所教授．中国近現代史．

松原宏之(まつばら ひろゆき)
1971年生．立教大学文学部教授．アメリカ近代史．

【責任編集】

永原陽子(ながはら ようこ)
1955年生．京都大学名誉教授．南部アフリカ史．『人々がつなぐ世界史』〈MINERVA世界史叢書 4〉(ミネルヴァ書房，2019年)．

吉澤誠一郎(よしざわ せいいちろう)
1968年生．東京大学大学院人文社会系研究科教授．中国近代史．『愛国とボイコット――近代中国の地域的文脈と対日関係』(名古屋大学出版会，2021年)．

岩波講座 世界歴史 20　　第12回配本(全24巻)

二つの大戦と帝国主義 I　20世紀前半

2022年9月27日　第1刷発行

発行者　坂本政謙

発行所　株式会社 岩波書店　〒101-8002 東京都千代田区一ツ橋 2-5-5
電話案内 03-5210-4000　https://www.iwanami.co.jp/

印刷・法令印刷　カバー・半七印刷　製本・牧製本

ISBN 978-4-00-011430-1

岩波講座

世界歴史

A5 判上製・平均 320 頁（黒丸数字は既刊，＊は次回配本）

全㉔巻の構成

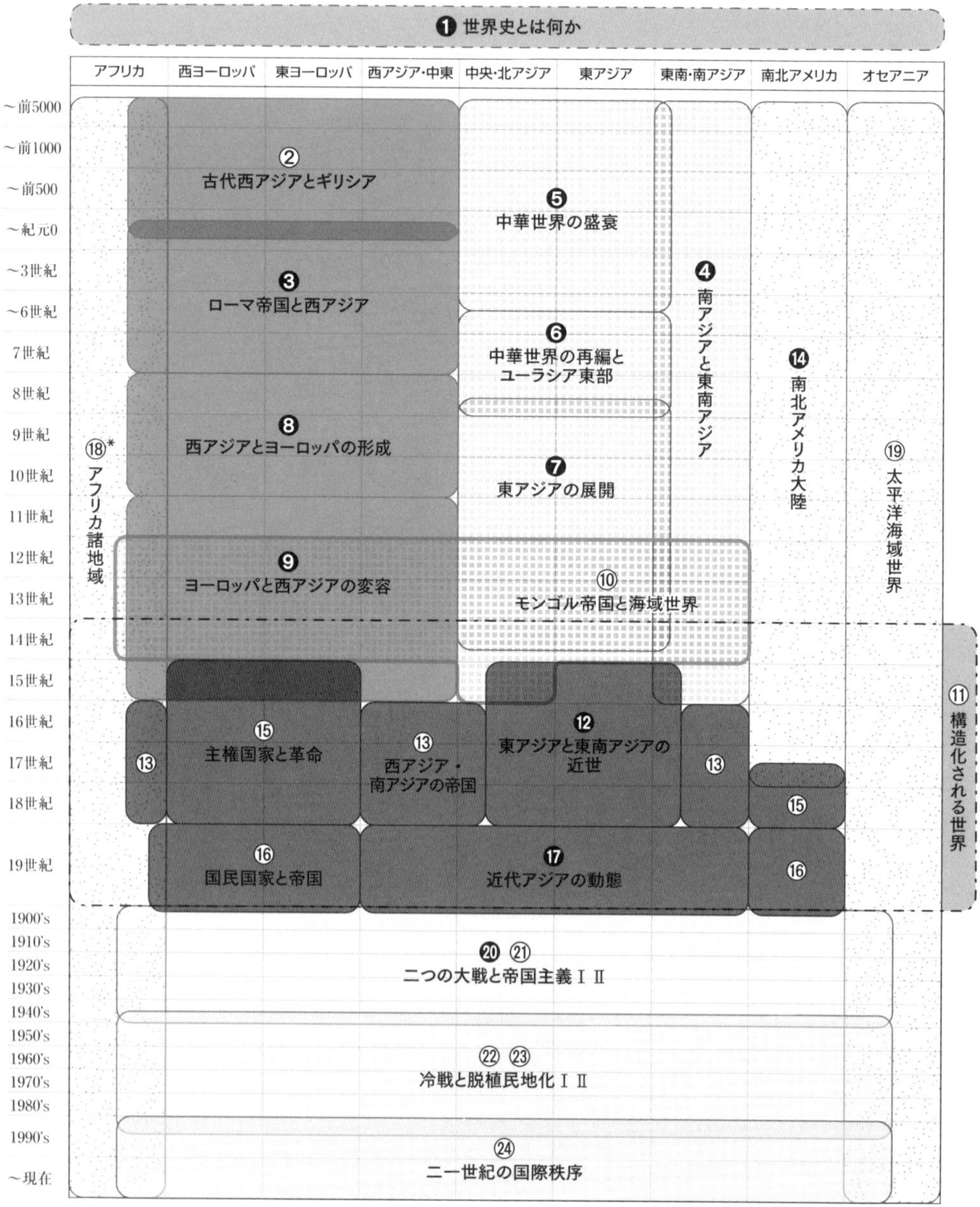

※本図は各巻の内容を厳密に反映したものではなく，便宜的に図示したものです．